G000152081

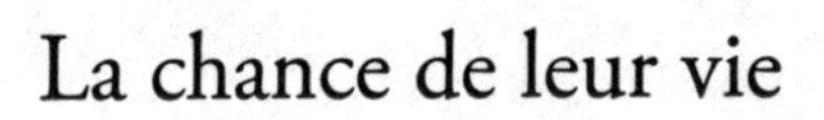
La chance de leur vie

AGNÈS DESARTHE

La chance de leur vie

ÉDITIONS DE L'OLIVIER

ISBN 978.2.8236.1037.6

PREMIÈRE PARTIE

Hector avait une femme. Elle s'appelait Sylvie. Ensemble ils avaient un fils. Il s'appelait Lester. Un prénom anglais parce que la famille paternelle d'Hector était originaire de Penzance, en Cornouailles, ou plutôt d'une bourgade située au nord de cette station balnéaire. Un village dont on taisait le nom par amour du secret.

Récemment, Lester avait demandé à ce qu'on l'appelle autrement. Cela s'était passé dans l'avion. Au-dessus de l'océan Atlantique. À peu près au milieu, mettons. Là où, avait songé l'adolescent, passagers et équipage seraient irrémédiablement perdus si, par malheur, l'appareil venait à s'abîmer. Même si l'amerrissage est possible, avait-il spéculé, nous sommes si loin de tout, si détachés de la terre, que nous mourrons. Nous ne mourrons pas dans les flammes, nous ne mourrons pas sous le choc, corps lacérés par les éclats de carlingue, nous mourrons comme sont morts les marins, les explorateurs : de faim, de tristesse et d'angoisse.

Cela ne lui faisait pas peur. Il avait quatorze ans et s'exerçait fermement à la sagesse.

Nous mourrons.

Assis entre son père et sa mère – lui plongé dans un journal, elle lisant la même page de son livre depuis le début du vol parce qu'elle n'arrivait pas à se concentrer, qu'elle l'espionnait, car, oui, elle espionnait son fils, son fils qui l'inquiétait, sans qu'elle le reconnaisse, sans qu'elle en parle – Lester envisageait leur disparition avec sérénité.

Alors qu'il s'imposait un rythme de respiration de cinq secondes à l'inspire et dix à l'expire dans l'espoir de faciliter son entrée en méditation profonde, paumes tournées vers le haut et paupières closes, une menue gerbe d'eau lui avait arrosé le visage. Ce n'était presque rien. Le contenu de la bouche d'une grenouille farceuse qui, pour jouer, lui aurait craché dessus. Mais ce n'était pas une grenouille, bien entendu. C'était Léonie, l'hôtesse atteinte d'un rhumatisme aigu et qui ne l'avait dit à personne parce qu'elle aimait les voyages, son uniforme, et redoutait un licenciement. Une pointe douloureuse au niveau du genou l'avait fait trébucher juste au moment où elle débarrassait la boisson d'un homme assis de l'autre côté de l'allée. L'eau avait jailli.

« Oh, pardon. Pardon mon grand. Comment t'appelles-tu ? » lui avait-elle demandé en l'épongeant avec douceur.

Le garçon l'avait regardée attentivement. Le fond de teint rendait sa peau lisse et veloutée comme celle d'une pêche lavée, elle avait de gros yeux noisette d'animal, un petit foulard noué autour du cou.

« Absalom Absalom, avait répondu Lester.

– Absalom ? C'est rare. Et comme c'est joli.

– Absalom Absalom, avait corrigé Lester. C'est une sorte de nom composé, si vous voulez, comme Jean-Jacques, sauf que c'est le même deux fois.

– Avec un tiret entre les deux ?

– Non. Absalom espace Absalom. Comme ça, sans tiret.

– Intéressant », avait murmuré Léonie en adressant un

regard d'admiration pas entièrement convaincu à la personne assise à côté du garçon dont elle n'aurait su dire s'il s'agissait de sa grand-mère, de sa tante, ou peut-être de sa mère. Ils étaient de la même famille, elle en aurait mis sa main à couper, car ils avaient les mêmes grands yeux écartés d'un vert... comment définir ce vert... tirant sur le jaune... voyons, ça lui rappelait quelque chose. Voilà ! C'était ça, l'exacte teinte de la morve de sa fille, Stella, qui avait en permanence deux chandelles reliant ses narines à son arc de Cupidon.

Sylvie avait hésité à intervenir. Devait-elle interrompre cet échange absurde ? Fallait-il qu'elle corrige l'information ? Mon fils s'appelle Lester. Il plaisante, vous savez. Il plaisante toujours beaucoup. Quelque chose l'avait retenue. La peur de l'uniforme. Les costumes officiels lui en imposaient. Elle savait pourtant que celui des policiers n'était pas équivalent à celui des contrôleurs, des ouvreuses de théâtre, des hôtesses, des garçons d'étage. Quelle importance ?

« Hector ? avait-elle soufflé en direction de son mari.

– Moui.

– Lester déconne complètement.

– Qu'est-ce qui se passe ? » avait marmonné Hector d'une voix distraite, les yeux toujours rivés à son journal.

Sylvie n'avait rien expliqué. Elle devait se montrer calme et confiante. Tant de décisions avaient été prises. Leurs vies à tous les trois allaient être si radicalement bouleversées qu'il convenait d'appliquer la devise d'Edwina, sa belle-mère : « S'étonner toujours, se démonter jamais. »

L'aéroport où ils atterrirent au terme de leur voyage ne ressemblait pas au précédent, celui où ils avaient fait escale pendant trois heures, celui où ils avaient subi l'interrogatoire d'un policier au physique d'oison. Le jeune homme en uniforme, dont le cou trop long était orné d'une pomme d'Adam si saillante que Sylvie s'était dit : Voici son troisième œil (sans pouvoir détacher son regard de la protubérance rose pâle hérissée d'un genre de chair de poule chronique), leur avait posé à chacun une série de questions sans cesser de les dévisager, ou alors seulement l'espace d'une seconde afin de scruter le passeport qu'il tenait entre ses mains tremblantes. Il avait l'air terrifié, méfiant à l'extrême.

Un homme, une femme et un adolescent venus de France, passagers parmi des milliers d'autres passagers, semblaient le menacer personnellement. « Ils sont sélectionnés pour leur profil psychiatrique, avait expliqué Hector, après qu'ils avaient franchi le point d'entrée dans le territoire américain. Dans le questionnaire qu'ils remplissent au moment de l'embauche se trouve une case intitulée *Antécédents*. Ceux qui la cochent et précisent qu'ils sont atteints de troubles obsessionnels du comportement avec tendance à la paranoïa sont recrutés en priorité. » Il avait souri et Sylvie s'était demandé s'il s'agissait d'une plaisanterie. Hector était un professeur dans l'âme. Tout ce qu'il disait paraissait docte, crédible malgré l'invraisemblance.

Sylvie s'était interrogée, constituait-elle une menace pour cette immense fédération d'États ? Son infime présence risquait-elle de déranger un ordre précieux, établi sur moins de trois siècles à force de vigilance, d'ardeur et de foi acharnée ? Y avait-il la moindre chance qu'elle représentât un danger ? Elle était d'un naturel négligent, se montrait parfois froide et ne croyait en rien. Ces caractéristiques étaient-elles inscrites sur son visage ? Suintaient-elles à travers les filigranes sillonnant les pages du document qui attestait de son identité ? Elle ne se teignait pas les cheveux, ne pratiquait aucun sport, raffolait de la croûte pourrissante des fromages non pasteurisés. Était-ce un crime ? Quand elle avait rempli la fiche distribuée à bord du premier avion, elle avait été tentée d'inscrire, dans la rubrique concernant l'usage de stupéfiants, qu'il lui était arrivé de fumer du foin de chanvre dans son enfance. « Il faut répondre non à toutes les questions, avait conseillé Hector. Ne perdez pas de temps à les lire. »

Le premier aéroport l'avait rejetée. Elle s'y était sentie étrangère, porteuse de maladies multiples et terriblement contagieuses. La peste dans un auriculaire, le choléra dans un lobe d'oreille, le typhus dans la rotule droite et la lèpre dans la gauche. Le second aéroport l'avait accueillie comme une citoyenne parmi d'autres. Il était plus vaste et plus moderne que le premier. D'immenses baies vitrées fumées d'un voile parme diffusaient une lumière flatteuse. Les sols en marbre étaient d'une propreté spectaculaire, miroir de silhouettes rares, tranquilles. Personne ne semblait pressé. Aux abords du tapis roulant, dont la lente chenille faisait circuler les valises le long de son échine en caoutchouc noir, des individus, isolés, en grappe, en couple, patientaient sans se bousculer pour la meilleure place, à distance les uns des autres, échangeant de très légers sourires. Lester s'était emparé d'un chariot et s'en servait comme d'une patinette, exécutant de lentes pirouettes. On le regardait avec bienveillance. Peut-être vais-je m'y faire, songea Sylvie. L'Amérique est aveugle, placide, telle une créature sous-marine que sa taille bien supérieure à celle de tous ses congénères porte à une indifférence proche de la léthargie. On se tient sur son dos comme sur une île, inconscient des soubresauts qui l'agitent. Ici, je serai la même, et pourtant une autre, se dit-elle aussi, paraphrasant le poème. Elle confondait l'abattement du décalage horaire avec l'apaisement, forcément mélancolique, du rêve exaucé.

Dans la voiture qui les conduisait vers leur nouvelle résidence, Sylvie posa la tête sur l'épaule d'Hector et demanda :

« Quelle heure est-il, mon chéri ?

– Il est l'heure de dormir, mais il est aussi l'heure de boire le thé et de se promener dans les bois.

– Non, sérieusement.

– Il est presque cinq heures de l'après-midi. Mais dans nos corps, il sera bientôt onze heures du soir. À Paris, tu t'es endormie depuis dix minutes et je t'écoute ronfler.

– Je ne ronfle pas.

– Tout le monde ronfle.

– Il est cinq heures de l'après-midi et je ne ronfle jamais. J'ai de larges narines négroïdes héritées d'une ancêtre camerounaise.

– On a une ancêtre camerounaise ? s'étonna Lester, en criant presque.

– Personne ne connaît vraiment ses ancêtres », tempéra Sylvie.

Protégez mes parents. Protégez-les d'eux-mêmes et des autres. Ce sont de braves gens et, comme vous le savez, les braves gens ne courent pas les rues. Pourquoi sont-ils braves ? Je vais vous le dire. Ils sont innocents et ignorants de leur condition. Ils avancent, je le vois, avec courage et honnêteté. Ils ont connu des chagrins. Ils ont connu des épreuves. Jamais ils n'en parlent. Jamais ils ne se plaignent. Ils avancent, aussi aveugles que des lombrics, aussi industrieux et inoffensifs. Ils s'aiment l'un l'autre. C'est si rare. Hector aime Sylvie. Sylvie aime Hector. Ce sont mes parents. Mes pauvres parents. Mes vieux parents. Mes pauvres vieux parents. Protégez-les…

« Qu'est-ce que tu fais ? » demande Sylvie qui se tient depuis quelques minutes dans l'embrasure de la porte menant au garage. Elle observe Lester, debout, qui se balance d'avant en arrière, un épais volume entre les mains. « Lester ! Qu'est-ce que tu fabriques ? Réponds-moi.

– Je ne m'appelle plus Lester, lui dit-il, se tournant lentement vers elle. Je m'appelle Absalom Absalom. Appelle-moi ainsi.

– Je t'appelle comme je veux. Comme nous t'avons baptisé, ton père et moi.

– Mais vous ne m'avez pas baptisé.

– Qu'est-ce que tu racontes ?

– J'ai été baptisé dans l'avion. L'hôtesse m'a oint. C'était mon baptême de l'air. »

Sylvie rit très fort et Lester rit avec elle.

« Sérieusement, qu'est-ce que tu fabriques là, dans la cave, tout seul ? Il fait beau dehors.

– Ce n'est pas une cave, Sylvie, c'est un garage.

– Appelle-moi maman.

– C'est un garage.

– Tu pries ? demande-t-elle d'un ton soupçonneux en désignant le livre que Lester serre à présent contre sa poitrine.

– Non. Je joue à la Wii.

– Il n'y a pas de console, pas d'écran. Qu'est-ce que c'est que cette histoire ?

– J'irai allumer la console quand je serai prêt. Je m'entraîne. Je suis en train de m'échauffer si tu préfères.

– Et ça, c'est quoi ? poursuit Sylvie en touchant le livre du bout de l'index.

– Quoi, ça ?

– Ce livre ? Ce n'est pas le mode d'emploi d'un jeu vidéo ?

– Non, répond Lester en lui montrant la couverture. Ce sont *Les Confessions* de saint Augustin.

– Ah, quand même !

– Quoi ?

– Tu avoues.

– Quoi ?

– Que tu lis saint Augustin.

– Je ne le lis pas. J'ai pris ce livre parce qu'il a le poids exact qu'il faut pour développer ses biceps sans se faire une tendinite. Tu veux que je te montre le tutoriel ?

– Non, je veux que tu viennes dehors profiter du soleil.

– D'accord, maman. »

En poussant la porte de la maison pour la première fois, Sylvie pensa à l'affichette collée sur les murs de certains sanitaires : « Prière de laisser cet endroit dans l'état où vous voudriez le trouver en entrant. » Un condensé du dogme taoïste du non-agir. Comment ne pas déformer le drap du temps ? Comment ne rien gâter ? Rendre le monde tel qu'il nous a été donné. Parviendrait-elle à ne rien abîmer dans cette maison qui n'était pas la sienne ? Tout était blanc, ou plus exactement de ce blanc cassé de rose ou de jaune qui n'existe que dans les pots de crème fraîche fermière, pourvu qu'on les ouvre un jour de grand soleil. Murs crème, plafonds crème, et, dans toutes les pièces, même dans les salles de bains (comme elle le découvrirait plus tard), une moquette assortie, épaisse, dont elle se dit dès qu'elle la vit : Voici ma pire ennemie.

« Je ne savais pas qu'elle serait meublée », dit Hector avec un sourire.

Si la maison n'avait pas été meublée, n'auraient-ils pas dû acheter des lits, un frigo, une table ? Bien sûr qu'il le savait. Maison de huit pièces confortable, meublée avec goût, leur avait-on promis.

Habitée, songea-t-elle. Habitée plutôt que meublée. Il y avait même des tableaux aux murs, la plupart représentaient des canards, certains des fleurs, à l'encre et à l'aquarelle. Mais, se dit-elle en se reprenant aussitôt, je n'y connais rien. Les cadres étaient dorés, tous de la même taille. Une harmonie épouvantable régnait dès le vestibule et avant encore, dans cet endroit dont elle ignorait le nom, une sorte d'estrade couverte qui longeait toute la façade de la maison, une véranda ouverte, une espèce de terrasse fermée par une balustrade, et dont le toit était soutenu par des colonnes de bois. Elle en avait vu de semblables dans les films. Les films américains, bien sûr. Un rocking-chair s'y balançait.

L'escalier de bois clair était large et solide. On pourrait y faire se croiser deux brancards portant de grands blessés sans risque qu'ils se tamponnent, pensa Sylvie. Mais pourquoi cette image sinistre lui venait-elle à l'esprit ? Pourquoi le confort manifeste du logement de fonction que l'université avait proposé à Hector la menaçait-il ? Les salles de bains avaient la taille d'une chambre à coucher, les lits étaient immenses. Qui étaient ces gens ? Les géants qui habitaient là en temps normal ?

« Un professeur de physique, spécialisé en climatologie. Et sa femme, une poétesse assez connue je crois, enseigne aussi. Ils ont deux filles. L'aînée est chanteuse. Elle participe aux Chorégies d'Orange. Ils ont pris une année sabbatique à Aix-en-Provence. La plus jeune est encore au lycée. Je t'avais montré sa photo, tu te souviens ?

– Non.

– Je t'avais dit qu'elle te ressemblait un peu. »

Personne ne me ressemble, songea Sylvie, et, au lieu de se sentir honorée par cette spécificité, elle fut traversée par une tristesse filandreuse. Les propriétaires de cette maison étaient des gens bien. Ils étaient riches. Ils avaient du goût. Ils avaient élevé leurs enfants avec sensibilité et intelligence. Leurs poêles à frire n'attachaient pas. Les manches de leurs casseroles ne branlaient pas. Ils avaient conçu un rangement pour chaque chose. Un esprit rationnel avait présidé à l'aménagement. Pourtant Sylvie ne voyait pas où accrocher son manteau. Elle cherchait un clou hirsute, un crochet planté dans une poutre, un morceau de bois saillant non identifié, une poignée de fenêtre. Les baies vitrées s'ouvraient à l'aide d'un bouton. Hector la débarrassa et accrocha son imperméable sur un cintre qu'il glissa ensuite dans la penderie de l'entrée. Il souriait. Il était fier. Quelque chose était arrivé dans sa vie. Il avait été nommé. Il avait été élu. Il avait passé des entretiens. Il avait convaincu. Son œuvre critique, son œuvre poétique seraient publiées aux presses universitaires de la faculté. La directrice du département, Farah Asmanantou, le lui avait assuré : « Ce sera un honneur pour nous, un honneur, Hector. C'est le renouveau après Derrida, mais pas contre Derrida. Pour nous, c'est très fort. Vraiment très fort. » Elle avait plaqué sa main brune aux longs ongles bombés d'un rose bégonia sur sa poitrine, et son sein droit s'était légèrement enfoncé, comme un oreiller sous une tête. Hector avait tâté le col de sa chemise, l'abaissant puis le relevant aussitôt. C'était sa meilleure chemise, celle en lin gris, un cadeau de sa mère.

Sylvie n'avait pas envie d'être de mauvaise humeur. Elle ne voulait pas être déçue ni amère. Elle avait décidé de profiter de chaque instant de ce séjour. Six mois. Un an. Peut-être plus, lui avait dit Hector. « Ça dépend aussi de vous, de toi et de Lester. C'est vraiment important que vous réussissiez à vous acclimater. Farah a beaucoup insisté là-dessus. Il faut que ce soit un projet global, collectif, familial. Elle a très envie de te rencontrer. »

Pas moi, avait failli répondre Sylvie, mais elle s'était tue et avait souri. Elle était timide. Elle ne savait jamais si elle voulait du thé ou du café et craignait, à cause de cela, de rendre visite à des inconnus. Un thé ? Un café ? lui demanderait-on d'une voix enjouée, et le sol s'ouvrirait sous elle. Elle se jura de répondre « café » le jour où elle devrait – comment l'éviter ? – rencontrer le professeur Asmanantou.

Le container avait été placé sur un camion. Le camion avait roulé jusqu'à la maison. Des hommes qui sentaient fort l'after-shave avaient transporté les cartons dans le living-room. C'était le mot qu'ils avaient utilisé : living-room. Le seul que Sylvie avait reconnu dans l'écheveau obscur de leurs phrases.

Elle parle anglais. Du moins a-t-elle appris cette langue au lycée. Mais elle se rend compte aujourd'hui, à présent qu'elle s'installe pour un an, peut-être, dans un pays où cet idiome circule, qu'elle ne la connaît que très peu. Elle songe qu'il y a la même différence entre la langue qu'elle croyait maîtriser et celle que l'on parle ici, qu'entre une femme plus toute jeune, au réveil, vêtue d'une chemise de nuit usée, les pieds dans les savates trop grandes de son mari, et la même, maquillée, coiffée et chaussée d'escarpins. Elle se demande à laquelle de ces deux femmes ressemble l'anglais appris autrefois au lycée. Elle n'est pas certaine que sa métaphore fonctionne. Elle se demande également si métaphore est le bon mot pour désigner sa rêverie.

Elle regarde les emballages plus sophistiqués que ceux d'un déménagement ordinaire. Elle se dit que Lester, dix ans plus tôt, aurait utilisé ces boîtes gigantesques pour se fabriquer un château fort. Il ne joue plus. Il est grand. Que fait-il ? Elle redoute de découvrir la réponse à cette question. Les adolescents, qu'est-ce que ça fait ? On entend de si terribles histoires à leur propos. Ils deviennent facilement fous entre treize et vingt et un ans. Elle a lu des articles là-dessus. Des livres. Les auteurs s'accordent à déclarer que les parents, et en particulier les mères, s'y prennent mal. Elle a décidé de ne pas s'y prendre. Elle a renoncé tôt et tient le cap. Le dogme du non-agir, encore lui. Elle a plus ou moins décidé d'être la grand-mère de son fils. L'idée n'est pas venue d'elle, mais d'une femme dans le bus. Lester devait avoir trois ans. Ils se tenaient la main, Sylvie et lui, à bord du 75. « Dis donc, mon bonhomme, avait lancé la dame en se penchant vers Lester, tu en as de la chance d'avoir une mamie aussi jeune. » Sylvie avait pesé le pour et le contre : une vieille mère, une jeune mamie. Lester n'avait pas protesté. Il n'avait pas tenté de rétablir la vérité. Toujours poli, si incroyablement poli. Sylvie avait pensé que lui aussi, peut-être, préférait qu'il en soit ainsi. En vadrouille avec sa très jeune grand-mère.

Bien entendu, Sylvie ne mentait pas à l'administration, ni sur les fiches à remplir pour l'école ou la mairie. C'était seulement lors de rencontres informelles, au square, au spectacle, face à des inconnus qu'elle ne reverrait jamais, qu'elle avait recours à cette version de leur filiation. Elle ne désignait pas Lester en disant « mon fils », elle disait « mon petit » ou « mon garçon », parfois même « mon petit fils ». Elle ménageait un imperceptible hiatus entre l'adjectif et le nom : « petit » huitième de soupir « fils ».

Cela lui donnait l'impression d'avoir moins de responsabilités. Elle pouvait se contenter de l'observer sans se fatiguer à l'éduquer. Mais l'observation devenait de plus en plus compliquée. Elle craignait d'être indiscrète et, surtout, malgré le fait qu'il était toujours sous ses yeux, ou presque, qu'il ne paraissait rien lui cacher de particulier, elle avait le sentiment de le perdre de vue. Était-ce lui qui s'éloignait ? Était-ce elle ? Un adolescent. Les adolescents. Effrayant. Ils se droguaient, ils buvaient, ils mouraient, ils se défiguraient, devenaient paralytiques, tuaient leurs meilleurs amis à coups de couteau ou de fusil, ils se scarifiaient, cessaient complètement de se nourrir, sautaient par des fenêtres, du haut de falaises. Les adolescents.

À son époque, c'était différent. Il n'y avait pas ce mot. Personne ne parlait des adolescents. Il y avait d'un côté les enfants, et de l'autre, les adultes. Entre les deux, une zone sans nom, et donc sans problématique spécifique. C'était idiot, tout de même, de penser les choses de cette façon, songeait Sylvie, en se vitupérant comme elle avait l'habitude de le faire. Idiot de penser que parce qu'on ne disait pas le mot « adolescent », les adolescents n'existaient pas, ou, mieux encore, ne souffraient pas ni ne faisaient souffrir. Pourtant il y avait quelque chose d'irréductiblement vrai, lui semblait-il, dans cette vision. Elle correspondait tout simplement au souvenir qu'elle conservait du passé. De son propre passé. De sa vie avec son père, à la montagne, de son propre corps, les genoux, les jambes, droites avant qu'elles ne changent de forme, qu'elles ne s'incurvent, de son ventre, droit, ne faisant qu'un avec son buste, jusqu'à ce qu'entre les hanches et les côtes, la taille se creuse. Les modifications avaient lieu. On n'en parlait pas. Un jour, les personnes plus âgées que vous arrêtaient de vous hurler dessus. Ces personnes plus âgées arrêtaient également de vous ébouriffer les cheveux, de vous pincer la joue, de déposer un baiser sur votre front. On perdait presque en même temps le mauvais et le bon. Il n'y avait pas de transition. On rejoignait les rangs. Personne ne vous prévenait.

Elle se rappelait aussi le chaudron, ou la marmite. Chaudron était le mot approprié. À cause de la référence aux sorcières, au diable, au mal en somme. Les bouillonnements du corps fondu à la lave de l'âme. Quelque chose de brûlant à l'intérieur et sur lequel un couvercle très lourd était posé. L'agitation permanente des cellules, le sang qui paraissait remonter son propre courant, inondant soudain le cou, les joues à contretemps. Des lames dans la poitrine. Des envies, sans nom elles aussi. Pas innommables, mais innommées, comme si le babil des premiers mois de la vie n'avait jamais été dépassé. Toucher, se toucher, être touché. Ah ! Elle se rappelait très bien. Et voilà pourquoi elle épiait, pourquoi elle espionnait.

Sous le chaudron de son fils ne brûlait aucun feu. C'était un garçon. Les garçons étaient différents peut-être. Il n'avait pas fait sa crise de croissance, était encore petit pour son âge. Il la fixait de ses grands et beaux yeux verts, couleur de lac de montagne, teintés de turquoise dès que la lumière baissait. La candeur de son regard.

« Absalom, c'est quoi ce nom ? Où es-tu allé chercher ça ? »

Elle voulait qu'il lui parle de ses lectures. Il avait lu William Faulkner. Pourquoi pas ? Il n'y avait pas de mal à lire Faulkner. Mais pourquoi ne pas le dire ? Pourquoi mentir ? Lester avait la manie de se faire passer pour plus bête qu'il n'était. À quoi bon ?

« C'est dans un dessin animé.

– Quel dessin animé ? Tu regardes encore des dessins animés à ton âge ?

– Oui. Non. C'est un dessin animé de quand j'étais petit, avec des lézards. Trois lézards. Un borgne qui s'appelle Victor, un barbu qui s'appelle Ingmar et le troisième avec un chapeau qui s'appelle Absalom.

– Un lézard avec une barbe ?

– Sylvie, c'est dans un dessin animé.

– Appelle-moi maman. »

Il lui avait alors décoché son sourire, son large sourire ruisselant de bonté.

Sylvie avait le sentiment que la plupart des gens tentaient, même inconsciemment, de s'élever dans l'opinion des autres. Lester avait la tendance contraire. Il s'effaçait, se minimisait, se faisait passer pour un imbécile.

Quand il était plus petit, ses amis étaient particulièrement gratinés. Le genre à manger leurs crottes de nez tout en vous parlant. À huit ou neuf ans, cela devenait un peu dégoûtant. Rémi était le plus beau spécimen de la bande. La tétine qu'il suçait encore la nuit lui avait déformé les dents et les lèvres. Il avait la bouche toujours légèrement ouverte. Une bouche de veau, pensait Sylvie, se sentant un peu coupable de juger ainsi un enfant qui avait peut-être des problèmes. Chaque fois qu'il était invité chez eux, il demandait : « Où sont les toilettes ? » Au début, Sylvie avait répondu, attendrie : « Dans le couloir, mon poussin. Juste à côté de la salle de bains. » Mais à la sixième fois, elle en avait eu assez et avait rétorqué : « Au même endroit que l'autre jour ! » d'un ton cassant. Rémi était resté face à elle, sans bouger, les mains sur sa braguette. Il allait faire pipi dans le couloir. Heureusement pour lui, Lester avait volé à son secours. Il l'avait pris doucement par le bras en lui disant : « Viens, je vais te montrer. » Il était ensuite retourné voir sa mère. « Qu'est-ce qu'il t'a fait ? – Qui ça ? – Rémi. – Il se fiche de moi. – Il t'a demandé où étaient les toilettes. – C'est la millième fois qu'il me le demande. Il ne peut pas s'en souvenir ? Il est débile ou quoi ? – Non. Il s'intéresse à d'autres choses, c'est tout. – Comment sont ses parents ? – Les parents de qui ? – Les parents de Rémi enfin ! Tu deviens bouché, toi aussi ? – Pourquoi ça t'intéresse ? – Ils sont comment ? – Comme toi. – Comme moi ? – En plus jeune. » On ne pouvait rien tirer de lui. Il ne trahirait pas. Il protégeait sa troupe de bras cassés, d'idiots du village. Pourquoi s'entourait-il ainsi ?

Sylvie pensait parfois à *La Vie des saints* que lui lisait la voisine quand, enfant, elle allait dormir chez elle en l'absence de son père. La voisine avait un livre sur les genoux, mais elle ne baissait jamais les yeux sur les pages. Elle connaissait par cœur, ou bien elle inventait. Comment savoir ? De sa voix monotone hérissée de « r » roulés, elle chantait plus qu'elle ne racontait. Saint François était le préféré de Sylvie. Elle était peu à peu tombée amoureuse de lui et espérait le rencontrer un jour, comme les petites filles rêvent de rencontrer leurs idoles, princes, chanteurs ou acteurs, morts il y a longtemps, ou de cinquante ans leurs aînés. Quelle importance ? Car cet amour était si pur, si absolu et surtout si univoque qu'il ne connaissait aucun obstacle. Saint François, donc. Magnifique. Mais il y en avait aussi un autre. Un brave type avec un nom bien ordinaire. Un qui avait la passion de traîner avec les nigauds. Quel genre de mère était-elle pour croire que son fils était un saint ? Peut-être était-ce une manière un peu étrange de désigner quelque chose de banal ? Lester était complexé. Elle préférait dire saint. Mais cela revenait au même. Saint Lester lisait William Faulkner. Elle traduisait aussitôt pour elle-même : mon fils entre dans l'adolescence et développe une légère tendance à la mythomanie.

Elle proposa de l'accompagner au collège. Mais ici, on ne disait pas collège, on disait *high school* – haute école, traduisait-elle pour elle-même, puis elle poursuivait sa réflexion : *College*, dans ce nouveau pays signifiait université, quel piège ! À croire que les langues étaient de mèche pour fourvoyer les gens. En effectuant les quelques pas qui séparaient la sortie du parking de l'allée pavée en briques menant à l'entrée de l'établissement, elle prit le temps d'étudier les élèves. Elle remarqua qu'ils étaient grands et costauds, comme s'ils avaient appartenu à une autre espèce animale que celle de son fils. Leurs tee-shirts étaient soit trop larges, soit trop courts. Ils portaient des tennis, mais tout le monde aujourd'hui portait des tennis. Sauf Lester, bien sûr, Lester qui, pour son premier jour de collège, avait chaussé des espadrilles à rayures multicolores. Sylvie regarda les pieds de son fils s'éloigner, après qu'il l'eut embrassée, comme elle aurait considéré l'épée en bois d'un soldat mal équipé pour le champ de bataille, puis elle songea à saint Jérôme rencontrant le lion à mains nues. La bête féroce n'avait pas attaqué, trop occupée à lécher sa patte blessée par une épine. Sur le campus de la P.W. Julian High School, c'était une autre affaire : plusieurs centaines d'individus, de toutes les couleurs, vêtements bigarrés, bouches maquillées, prêts à dévorer son fils. Avec leurs joues rondes, ils avaient l'air de bambins, mais il ne fallait pas s'y fier, Sylvie le savait, elle l'avait lu : ils jouaient à des jeux dangereux, aimaient l'alcool, pratiquaient le sexe en regardant des films d'horreur, subtilisaient les armes à feu de leurs parents. Ne pas y penser, s'ordonna-t-elle, tandis que Lester avançait, ses cheveux châtain clair, mi-longs, soulevés par une brise encore estivale. Pourquoi ne l'avaient-ils pas inscrit au lycée français ?

Il aurait pu prendre des cours par correspondance. Comment allait-il se débrouiller pour comprendre, trouver son casier, sa salle de cours ? Avec qui parlerait-il ? Il allait être si seul. Ils se moqueraient sans doute de lui. Le Français. Le type qui vient au collège en chaussons. Le minus. Ils l'enfermeraient dans les toilettes, s'y mettraient à plusieurs, le frapperaient. Sylvie avait vu tant de scènes de ce genre dans les films. Ne pas y penser. Rentrer à la maison. Beech Drive. Attention de bien prononcer le « i » long, biiiiiitch draïve, sinon l'allée des hêtres se transformait en allée de la chienne, chemin de la putain, encore un piège.

Au retour, elle se perdit. Les maisons se ressemblaient toutes ; les rues étaient construites sur un modèle unique : larges, bordées de demeures en bois à un étage, se croisant à angle droit. Combien de kilomètres carrés identiques, de pâtés de maisons reproduits à l'infini ? Le puzzle simpliste des pelouses, les arbres bizarrement majestueux, comme s'ils avaient affirmé une supériorité antique : « À la fin de la civilisation (qui ne saurait tarder), nous reprendrons nos droits », semblaient-ils assurer du haut de leur futaie. Soudain, Sylvie se retrouva dans une venelle cabossée où s'alignaient des bâtisses de plain-pied, ou plutôt des cabanes aux fenêtres masquées par des planches clouées. Les habitants se préparaient-ils à accueillir un ouragan ? Dans les jardinets, devant les pavillons, l'herbe était soit brûlée, soit trop haute. À la place des fontaines en stuc imitant un rêve d'architecture italienne, des braseros rouillés, pattes en l'air, pareils à des sangliers abattus en pleine course, des seaux en plastique fendus, des morceaux de tuyau de toutes tailles dessinant un orgue aléatoire qu'aurait soufflé une explosion. Saisie, comme si elle avait basculé d'un seul coup dans un cauchemar, Sylvie ne vit pas le profond nid-de-poule qui déséquilibra la voiture. Le volant lui échappa des mains, la direction trop assistée du véhicule qu'elle connaissait encore mal l'envoya cogner contre un trottoir. Elle s'arrêta. Éteignit le moteur. Posa son front contre le volant et déclencha sans le vouloir le klaxon qui fit retentir sa plainte face à une enseigne branlante où l'on pouvait lire « Mr Black – Landscaping ». « Monsieur Noir – Paysagiste ». Derrière un grillage à moitié arraché, une pelouse plus pelée que ses voisines, mais où des azalées pimpantes venaient d'être plantées, déroulait son tapis sinistre.

« Vous avez un coup dans le nez, madame ? » lui dit un homme, penché vers la vitre ouverte, côté passager.

C'est du moins ce que Sylvie crut comprendre. La situation l'y aidait.

« Vous êtes mister Black ? » demanda-t-elle, et elle s'en voulut aussitôt car l'homme en question était noir et c'était vraiment idiot de penser que… mais c'était à cause du choc… et puis quel mal y avait-il, dans la mesure où elle n'y mettait aucune mauvaise intention ?

« Absolument, répondit-il fièrement. C'est moi. Mister Black, paysagiste. Vous aimez les fleurs ? Les azalées ? Les azalées sont mes préférées. Elles sont vigoureuses et fidèles.

– Cher mister Black. Je suis perdue. J'ai emmené mon fils à l'école et maintenant, je suis perdue. »

Elle s'exprimait si mal dans son anglais de collégienne. Ses phrases lui semblaient trop simples, creuses. Elle espérait que mister Black ne s'en offusquerait pas.

« Où allez-vous, madame ?

– Bitch Drive », répondit-elle, trop vite, prononçant mal. Son « i » était trop court. Voilà qu'elle lui demandait l'allée de la pute.

Il se gratta le menton, les yeux vers le ciel, comme si une carte de la ville y était déployée.

« Beech Drive, répéta-t-elle. C'est dans le quartier de Forest Hill. »

Mister Black redescendit de son nuage et lui indiqua la route avec une parfaite amabilité, avant de lui tendre sa carte de visite.

« Vous êtes nouvelle ici, lui dit-il. Vous aurez sûrement besoin de moi. Je viendrai planter des azalées dans votre pelouse. »

Y avait-il une allusion ? Et si oui, laquelle ?

Sylvie prit la carte, remercia son sauveur et fit demi-tour, comme il le lui avait conseillé. Elle s'engagea ensuite sur une route circulaire (un soulagement géométrique certain) et remercia en pensée mister Black de lui avoir donné les points de repère précieux qu'elle découvrait l'un après l'autre le long de son trajet, comme autant d'indices dans un jeu de piste. Le panneau « If you like blue grass » sur lequel manquaient le « u » de *blue* et le dernier « s » de *grass* ; la série de pins, quarante-trois de chaque côté, très précisément, lui avait-il appris, et sur le tronc de l'avant-dernier sur la droite, un ruban jaune avec un ballon et l'inscription « Happy Birthday Jody » ; et enfin la glycine albinos, parmi toutes ses sœurs mauves, qui marquait le carrefour où elle devait prendre à droite.

Les mains serrées sur le volant, Sylvie se rendit compte qu'elle suait abondamment, ce qui ne lui ressemblait pas. Elle nota aussi qu'elle avait gardé sur le visage le sourire de gratitude, sans doute un peu imbécile, qu'elle avait adressé à mister Black et qui pourrissait à présent sur ses lèvres, sans plus de raison.

Pourtant si. Il y avait une raison à ce sourire. Et la raison, c'était le parfum, le parfum subtil de la glycine envahissante, dévorante, omniprésente. Fines lianes jaillies de troncs flexibles qui s'enroulaient sur eux-mêmes, se tressaient, étranglaient le moindre poteau, tronc d'arbre, panneau de signalisation. Sylvie pensa que si un individu restait trop longtemps arrêté sur le bord de la route, il risquerait de disparaître, colonisé par cette plante enthousiaste et contorsionniste.

« Tu es là ? » fit-elle d'une voix étonnée en le voyant, à peine le seuil franchi, face à elle, debout dans le vestibule.

Il sursauta, comme pris sur le fait, la main dans le sac. Mais dans quel sac avait-il fourré sa main, Sylvie n'aurait su le dire. Hector lui avait annoncé qu'il quitterait la maison juste après elle pour se rendre à l'université où il avait rendez-vous avec le professeur Asmanantou. Il était pourtant là. Là à ne rien faire. Debout, grand, avec ses épaules maigres légèrement en dedans, sa toute petite bedaine ronde qui dessinait une bulle insolite au-dessus de son bassin étroit, ses longs fémurs qui lui faisaient des pattes de héron, et sa tête, sa tête qu'elle connaissait si bien mais qu'elle avait l'étrange sensation de voir toujours pour la première fois, plantée au sommet de son cou gracieux.

« Tu es bizarrement coiffé », remarqua-t-elle en s'approchant de lui, dans l'idée d'apaiser du plat de la main la mer démontée de ses beaux cheveux blancs et bouclés. Elle était beaucoup trop petite pour cela. Son front arrivait tout juste à la poitrine de son mari.

« Tout s'est bien passé ? » demanda Hector en vérifiant du bout des doigts que le triangle de son col, côté droit, était remonté, comme il aimait qu'il le fût.

Cette pointe de tissu rebelle était une des caractéristiques vestimentaires de son mari. On aurait dit qu'il venait de se réveiller de sa sieste, quelle que fût l'heure. Sylvie ignorait s'il en était conscient, s'il la relevait lui-même face au miroir. L'envie lui prenait parfois de l'aplatir, mais elle n'osait pas, considérant cette zone comme un territoire très personnel. Souvent elle pensait à leur vie privée, celle dont chacun privait l'autre. En quoi consistait-elle ? Ils faisaient tout ensemble. Quand on fait tout ensemble, que reste-t-il d'insu, de non visité ? Et cependant, elle conservait cette impression de ne pas le connaître. De ne pas se connaître elle-même. Elle enviait les personnes qui avaient l'air finies, terminées, déterminées. Elles savent ce qu'elles aiment, ce qui est bon pour elles. Pas Sylvie. Elle était convaincue que tant qu'elle n'avait pas essayé quelque chose, il lui était impossible de savoir si la chose en question lui convenait. Il y en avait tant. Une vie n'y suffirait pas. Elle mourrait sans se connaître elle-même. Et alors ?

« Oui. Tu sais comment il est, répondit-elle.

– Qui ça ?

– Lester, voyons. Tu me demandes comment ça s'est passé. Je l'ai déposé devant le collège. Il s'est fondu dans la masse. Il semblait parfaitement tranquille.

– Il est bilingue.

– Il n'est pas bilingue.

– Il est bilingue. Et toi, ajouta Hector en posant sa large paume au sommet du crâne de sa femme, tu es fatiguée, énervée et inquiète. Oublie les cartons. Va faire un tour. Fais comme si tu étais en voyage, en vacances.

– Mais je viens seulement de rentrer. Et je me suis perdue, figure-toi. Je n'ai pas envie de me retrouver… »

Elle gémissait presque. Hector fit peser sa main un peu plus fort sur le crâne de sa femme.

Pourquoi sa main me soigne-t-elle ? se dit Sylvie. Il pose la main sur moi, à n'importe quel endroit, et je suis aussitôt guérie. Il sait toujours à quel endroit me toucher. Parfois, il me tient par l'auriculaire et c'est précisément ainsi que je veux être tenue. D'autres fois, il plaque sa main sur mon dos, à peine en dessous de la taille, comme si nous allions nous mettre à danser. C'est très rare. Très efficace. Même si nous vivons ensemble, dormons ensemble, faisons l'amour ensemble, il me semble toujours qu'il garde ses mains dans les poches, ou croisées derrière la tête, comme pour ménager leur pouvoir.

« Tu es revenu ? Tu avais oublié quelque chose ? demanda Sylvie, légèrement écrasée par la paume sur sa tête.

– Je ne suis pas parti.

– Pourquoi ? Tu vas être en retard.

– Farah a appelé. Elle a déplacé notre meeting. »

Tiens, il l'appelle Farah, songea Sylvie. Il ne disait déjà plus « le professeur Asmanantou ». Cela l'inquiéta aussi peu que la présence d'une mouche sur le rebord d'une fenêtre ouverte.

« J'ai fait du café, annonça Hector en retirant sa main du crâne de sa femme. Viens avec moi, allons dans la cuisine. »

Les tasses étaient énormes, lourdes, trop lourdes pour les petites mains de Sylvie. Elle avait l'impression d'être Boucle d'or en visite chez les trois ours. Le café avait une odeur fade, un parfum de mare ou de vase. Elle se brûla la langue en le goûtant.

« On est bien ici, déclara Hector. On est mieux ici. »

Lorsqu'ils avaient reçu la nouvelle, la merveilleuse nouvelle de la nomination à Earl University, en Caroline du Nord, ils avaient vécu quelques jours de félicité. Une félicité coupable. Ils allaient quitter la France, quitter Paris, laisser derrière eux les insolubles problèmes de stationnement, les visages moroses, les bousculades dans le métro, les minutes de silence. La peur d'un nouvel attentat islamiste. Le passage honteux de l'incrédulité au fatalisme. Ils abandonneraient le vieux pays fatigué et divisé pour une contrée neuve et pimpante. La nation drapée dans sa dignité ancienne, dans sa splendeur déchue, les verrait partir pour une aventure sans conséquence. Ah, la légèreté ! « La nature est magnifique, là-bas », avait dit Hector. Le soir même, il faisait défiler sur l'écran de l'ordinateur, pour Sylvie et Lester, des images d'arbres géants, de côtes rocheuses vertes et sauvages, aux falaises douces plantées de fleurettes jaunes, qui s'étiraient sur des dizaines de kilomètres. Les Outer Banks se dessinaient, chapelets d'îles, bancs de sable infinis, langues de terre qui serpentaient dans l'eau turquoise, Camargue démesurée, intacte. Leurs trois visages éclairés par la lueur bleuâtre rêvaient à des immensités. « Pour l'argent aussi, ce sera plus facile », avait glissé Hector, et Sylvie, sans s'en rendre compte, avait grimacé, à peine, comme à chaque fois qu'il parlait d'argent et qu'ainsi se rappelaient à elle leurs origines sociales si contrastées. « Tout le monde s'en fiche de nos jours », lui répondait Hector quand elle évoquait leur mésalliance. Moi, je ne m'en fiche pas, songeait-elle en silence, se remémorant les contes et les romans dans lesquels l'auteur explorait les catastrophes nombreuses et prévisibles engendrées par les amours mal assorties.

Un mois avant le départ, Sylvie avait interrogé Lester :

« Tu n'as pas trop de peine ?

– De peine ?

– De quitter ton collège, tes amis.

– Je n'ai pas beaucoup d'amis.

– Et Jules, et Lucas, par exemple. Ils ne vont pas te manquer ?

– Non.

– Tu es sûr ?

– Oui. »

Il y avait une impatience dans la voix du garçon qui avait étonné Sylvie. Elle avait insisté :

« Il paraît que c'est très perturbant de déménager, de quitter son cercle.

– Tu as lu ça dans un magazine ?

– Non. C'est ce que les gens disent. Tu n'es pas anxieux ?

– Et toi ? avait rétorqué Lester, échangeant sa réponse contre une question.

– Moi ?

– Tes amis ne vont pas te manquer ? »

Sylvie avait réfléchi un instant. Alors qu'il lui semblait pouvoir répondre de façon aussi radicale que son fils, quelque chose s'était retourné dans son ventre. Quelqu'un lui manquerait, oui, elle le sentait sans pouvoir mettre un nom sur cette silhouette qui n'en était pas une. Une présence, une protection qui, elle le devinait à cette infime douleur au creux de l'estomac, lui ferait défaut.

« Non. Tant que je suis avec vous, avec ton père et toi, je suis bien partout. Je serai bien là-bas. »

Lester l'avait dévisagée sans dire un mot, l'air tendre et sceptique. Protégez mes parents, avait-il récité mentalement, sans laisser ce mantra secret altérer son regard.

L'Alliance française, pourquoi pas ? C'était une destination comme une autre. Sylvie aurait eu peur d'aller se promener seule dans la campagne ; la nature paraissait si vaste ici, les arbres deux à quatre fois plus hauts, les sentiers pédestres larges comme des autoroutes – sans parler de la mer, « à deux pas », lui avait-on dit, deux pas que deux heures de route suffisaient à peine à franchir. L'Alliance française, pourquoi pas ? Puisqu'il fallait bien aller quelque part, ne pas rester à la maison pour défaire les cartons, ne pas s'allonger sur le lit plus large que long, dans la chambre à coucher couleur crème, aux fenêtres ornées de rideaux crème, cet écrin pâle et impeccable où, dès que Sylvie y pénétrait, le sommeil s'imposait, telle une bête tapie, à l'affût dans un coin, qui aurait sauté sur son dos pour l'abattre. Sur le lit, qui lui évoquait un radeau, elle ne parvenait pas à lire, à parler avec Hector, à jouir de ses caresses. Chaque soir, c'était la même chose. Elle sortait de la salle de bains attenante, nue, les cheveux mouillés – elle était fière de son corps. C'était à cause de sa vigueur, se disait-elle. Une vigueur qui donnait envie. Elle se disait cela, n'ayant aucune conscience de sa beauté. Hector était heureux de cet aveuglement. Il aimait que sa femme demeurât ignorante du pouvoir qu'elle exerçait, malgré elle, sur lui et sur tous les autres, pensait-il, à cause de son visage ouvert, dénué d'amertume. Elle sortait de la salle de bains, ruisselante, la peau parfumée au santal et, dès que son dos touchait le matelas, elle cédait à la léthargie. Il était donc urgent et nécessaire de changer quelque chose, de modifier ses habitudes, de se reprendre en main. Obéir à Hector, lui accorder toute confiance. L'idée de l'Alliance était venue de lui. Il n'avait pas dit : « Tu ne connais personne ici. Tu n'as ni travail ni démarches à accomplir. » Il n'avait pas évoqué son oisiveté ni la légère dépression qui s'exprimait à travers ses endormissements intempestifs. Ce n'était pas ainsi qu'il voyait les choses. Sa femme était un cas particulier. Son être était tout. Ce qu'elle faisait importait peu. La vision qu'il avait d'elle aurait pu passer pour une forme de machisme. C'était plus nuancé en vérité. Sylvie pensait parfois que cela venait de son éducation. Dans les grandes familles comme celle dont il était issu, les femmes ne travaillaient pas. Elles ne s'occupaient pas non plus des enfants ni de la maison. Sylvie n'avait jamais compris à quoi se passaient leurs journées. Edwina, sa belle-mère, avait perpétuellement l'air excédée, débordée même. Pourtant elle ne pratiquait aucune des activités éreintantes qu'exige la tenue d'une maison. Elle avait des domestiques. « Quelle suée ! » s'exclamait-elle en parlant d'eux, jubilant de ce petit écart de langage. Ils étaient si récalcitrants, si distraits, incapables d'effectuer la moindre tâche sans qu'elle la leur explique des dizaines de fois. Ils cassaient tout. Ils étaient braves, certes. Ils avaient un certain mérite, mais c'était lassant à la fin de ne pouvoir vraiment se fier à personne. Sylvie connaissait trop peu les femmes pour établir les comparaisons qui lui auraient permis de situer, de comprendre Edwina, si bien que, face à sa belle-mère, elle demeurait fascinée, comme devant un serpent dont on ne sait s'il est mortel, vénéneux ou parfaitement inoffensif.

Sylvie avait grandi sans mère. Selon elle, c'était un handicap.

Cela lui donnait l'impression qu'elle ignorait tout de son propre fonctionnement. Elle se sentait projetée sur une pente au cours imprévisible. Elle soupçonnait l'existence d'un secret. Les autres femmes, celles qui avaient eu une mère, une sœur, le partageaient naturellement. Elle en était exclue. Elle aurait bientôt soixante ans. Le temps était passé si vite et elle n'avait rien appris. Ses règles étaient venues. Ses règles étaient reparties. Elle était devenue une femme, puis une mère, puis ce qu'elle était aujourd'hui et qui n'avait pas de nom, sans jamais rien y comprendre, comme si une vérité essentielle ne cessait de se dérober. Quant à Hector, il était heureux ainsi. Sa femme ne faisait rien. Il n'était pas nécessaire qu'elle fît quoi que ce soit. Elle était pour lui une sorte d'idole immobile, muette, un fétiche. Il n'en avait pas conscience bien entendu. Il lui souriait distraitement, apaisé, en la regardant comme lorsque ses yeux se posaient sur l'horizon. Il ne pensait rien d'elle, ne se disait jamais par exemple, Comme elle est jolie, ou, Bon sang ce qu'elle m'agace. Sa puissance était entièrement superposable à sa présence. Il fallait qu'elle soit là.

« À l'Alliance française tu trouveras peut-être des brochures… »

Des brochures ? Vraiment ? Quel drôle de mot. Jamais, Sylvie en était certaine, Hector ne l'avait prononcé avant ce jour. Elle allait donc se lancer dans la collecte de brochures, comme s'il s'agissait d'un genre particulier de poissons d'eau saumâtre.

Tout en suivant les indications fournies par le système de guidage de la voiture (Hector avait entré lui-même l'adresse. « Tu verras, tu t'y feras. Mister Black ne sera pas toujours là pour te remettre sur le droit chemin. La voiture est indispensable ici. Pourquoi crois-tu que j'en ai acheté deux ? » Mon

Dieu, il avait acheté deux voitures ! C'était trop. Comme s'il lui apprenait qu'il avait dévoré un éléphant au dîner), Sylvie songeait qu'elle pourrait consulter les annonces, une fois sur place. Il y aurait sans doute un panneau, ou un écran informatique permettant de mettre en relation les personnes. Elle proposerait des cours de français. Elle pourrait rendre visite à des personnes âgées, leur faire la lecture, aider à l'organisation de kermesses. Les guirlandes qu'il lui était arrivé de confectionner pour diverses occasions avaient toujours eu du succès.

L'Alliance se situait dans une maison recouverte de bardeaux de bois peints en vert jade. Une fois le perron franchi, on se retrouvait dans une pièce carrée, parquetée de pin blond. Sylvie fut aussitôt déconcertée par l'odeur du lieu. Elle n'aurait su la définir. Elle hésitait : gaz, huile recuite, beignet aux pommes, pâte à modeler. Ce n'était pas désagréable, ni vraiment écœurant. Elle s'était attendue, inconsciemment, à humer le parfum de la France. Un arôme qu'elle aurait été bien en peine de décrire. Elle demeura un instant immobile, la main droite serrée autour de la bandoulière de son sac. Si personne ne me voit, se dit-elle, je peux repartir tout de suite. Aucune explication à donner. Il suffit que je tourne les talons. Mais ses talons étaient de plomb. Une fatigue colossale grimpa en elle, implacable, comme une fièvre. Elle pensa aux plantes que l'on déplace dans un jardin et qui, les premiers temps, semblent mourir, laissant mollir leurs feuilles, pareilles à de minuscules mains désœuvrées, éplorées, avant de reprendre racine pour s'épanouir de nouveau. Elle n'avait pourtant jamais eu l'impression de sentir les siennes pénétrer dans le sol français. Je n'ai pas de racines, songea-t-elle. Je suis un bouquet de fleurs coupées.

Elle se laissa tomber dans un fauteuil étroit et dur en se

demandant s'il ne s'agissait pas d'une chaise pour enfants. Son souffle était court. Sur un écran posé au sommet d'une colonne, des images défilaient sans le son. C'était un reportage sur la France destiné aux étrangers. Il y était question de fromages, de festivals de théâtre, de parcs zoologiques respectueux de l'habitat naturel de leurs pensionnaires, de concours de danse hip-hop, de soirées rap, de concerts classiques, de sentiers de randonnée balisés. Quel beau pays, se dit Sylvie, convaincue par la propagande. Puis elle se demanda dans quel pays elle avait elle-même vécu jusque-là. Elle habitait à Paris. La plus belle ville du monde. Les touristes étaient si avides de la découvrir. La plus belle ville du monde avait tellement changé. Était-ce comme une jeune fille dont la radieuse beauté se serait ternie ? Non. C'était même le contraire. Le Paris qu'elle avait découvert à son arrivée, quarante ans plus tôt, vêtue de sa minijupe en daim, sa besace en cuir naturel sur l'épaule et, à la main, une minuscule valise en carton bouilli dans laquelle elle emportait surtout des livres, n'était ni radieux ni jeune. Les immeubles étaient noirs pour la plupart. Si noirs même qu'elle avait pensé un moment qu'ils étaient construits en basalte. Dans la rue où se situait le foyer pour jeunes filles seules qui l'avait accueillie, les maisons basses paraissaient toutes plus ou moins sur le point de s'effondrer. Leur chute n'était évitée que par le regroupement. Elles s'appuyaient les unes contre les autres. « Maison » n'était d'ailleurs pas le mot approprié. Dans ces cubes sombres où tout était de guingois se trouvaient plusieurs appartements, des chambres, des cuisines sans eau, des poêles à charbon qui achevaient de noircir les surfaces déjà anthracite. Les trottoirs étroits étaient jonchés de crottes de chien, de mégots. Mais on n'avait pas la sensation que la ville était sale. Comparée à la montagne, elle l'était pourtant, avec son parfum constant de gaz d'échappement, mais ce qu'en retenait Sylvie, c'était un merveilleux désordre, une animation incessante, une liberté garantie par l'anonymat, une ivresse qu'elle n'aurait jamais imaginée à l'époque où, assise sur un rocher, résignée à la pluie, elle regardait les moutons paître, puis chercher un refuge, puis paître de nouveau, en se demandant qui d'elle ou d'eux était le berger de l'autre, en comptant les minutes, puis les heures afin de les convertir en francs qui, au bout d'un an, atteindraient la somme inscrite sur l'étiquette de la minijupe en daim, vue sur l'étal d'un commerçant du marché – « Non mademoiselle, pas de crédit, pas de rabais, c'est du daim véritable, et c'est la dernière mode à Paris » –, dont elle avait décidé qu'elle constituerait son viatique. Une fois cette jupe acquise, elle partirait. Elle monterait à Paris. Lirait, travaillerait, lirait, travaillerait, lirait. À Rungis, elle avait facilement trouvé à s'employer : « Tu sais compter ? ET tu sais vider les volailles ? ET nettoyer les poissons ? » La perle rare. Elle s'y rendait dès quatre heures du matin. L'été, c'était splendide. L'hiver, épouvantable, et, entre les deux, c'était… voyons, humide. Comme les souvenirs remontaient facilement dans ce grand pays dont certains prétendaient qu'il était sans mémoire. Le Paris de sa jeunesse n'était pas jeune. C'était une ville avachie, vieille et abîmée, une ville pauvre habitée par de pauvres gens malades, alcooliques, des enfants couverts d'impétigo, le crâne rasé à cause des poux, des femmes portant des baluchons, tirant des charrettes. Sylvie ignorait tout, à l'époque, des grandes bourgeoises du septième arrondissement, des familles aristocratiques recluses dans le faubourg Saint-Honoré et autour de Passy. Elle n'imaginait pas que sa future belle-mère se rongeait les sangs à cause d'un retard pris dans l'entreposage de ses fourrures ou d'une panne signalée sur le moteur du yacht et menaçant leur unique mois de vacances – « John se tue à la tâche. Aucun répit dans la banque. Et quand ce n'est pas du bureau, les soucis viennent d'ailleurs. Savez-vous que la chasse exige un entretien constant ? Quand nous l'avons acquise, je n'avais pas idée du travail que cela exigerait. Un véritable sacerdoce. Nos chevaux, je les adore. Pas autant que nos chiens. Mais quelle fragilité. Une tique et ils sont au tapis. » Cette longue plainte, accentuée par le jeu des ongles peints et le miroitement des lourdes bagues, échappait alors à Sylvie. Bientôt elle perdrait son innocence. Bientôt elle croiserait Hector à l'université. Il remarquerait la peau de ses cuisses, rondes et pourtant fines, fortes et élastiques comme celles d'un animal. Il remarquerait qu'elle ne portait pas de guêpière, pas de soutien-gorge, pas le moindre dessous, qui sait ? Et bientôt il n'aurait plus en tête qu'une seule idée, la vérification de son hypothèse : elle ne portait pas de culotte. Elle en portait, et lorsqu'il le découvrit, il en conçut une émotion plus forte que celles qu'avaient engendrées ses multiples conjectures autour de sa sauvagerie, de sa nudité.

Mais voilà que le reportage sur la France cédait la place à une réclame pour la capitale. Paris. Ce Paris moderne qui évoluait à rebrousse temps, avec ses façades ravalées, ses maisons redressées, ses quartiers évacués et embourgeoisés, ses infrastructures impeccables. Paris, plus jeune que jamais. Paris plus jeune qu'en 1970. Sylvie fixa son attention sur les couleurs, le bleu, le blanc, le rouge, dessinant un drapeau, puis se mêlant, fusant vers les coins, pour se rejoindre au centre et laisser place à un sigle : PSG. Suivait un montage à la gloire des monuments parisiens. On y voyait la tour Eiffel perdue dans la brume, illuminée par le soleil, enguirlandée de loupiotes clignotantes la nuit venue, Notre-Dame, l'Arc de Triomphe, Montmartre, le Panthéon, la Seine où filaient des Batobus. Sylvie songea qu'elle n'était jamais montée au sommet de la tour Eiffel, ni de l'Arc de Triomphe. Pas une fois elle n'avait passé la double porte gigantesque de Notre-Dame. Comme les berges de la Seine semblaient agréables avec toutes ces fleurs et ces guinguettes ; enfants et cyclistes y circulaient sans craindre les voitures, s'émerveilla-t-elle, absorbée par le mélange de clichés fixes et de courtes séquences animées. Elle n'avait pas profité des berges aménagées de la Seine. Elle n'avait profité de rien. Que faisait-elle ? Elle restait à la maison, rangeait des papiers, triait des vêtements, marchait jusqu'au centre des impôts, patientait à un guichet de la mairie, se rendait chez le médecin. Elle écoutait la radio, regardait la télé, un feuilleton, les nouvelles, soupirait pendant les publicités, éteignait le poste.

Une vaste pelouse apparut, puis, de nouveau, le sigle, les trois lettres tournoyant sur elles-mêmes. PSG. Et, enfin, comme au croyant levant les yeux vers le ciel, se révéla un visage immense, occupant tout l'écran. Un visage magnifique, qui la fixait. *Zlatan Ibrahimovic, attaquant*, lisait-on en sous-titre. Sylvie poussa un cri. Un employé de l'Alliance française surgit aussitôt de la pièce voisine.

« Tout va bien, madame ? Je suis désolé, je ne vous avais pas entendue. Vous désirez un renseignement.

– Vous parlez français ? demanda Sylvie, d'une voix tremblante.

– Vous êtes à l'Alliance française, répliqua l'employé d'un air d'évidence qui la blessa. Puis-je vous aider ?

– Je suis venue, dit-elle d'une voix hésitante, pour… pour prendre des brochures. »

Quel mot étrange, vraiment, à prononcer autant qu'à entendre. Elle avait l'impression d'avoir recraché une boule de poils.

« Des brochures ? fit le jeune homme.

– Oui, des brochures, insista-t-elle avec fermeté cette fois, car elle constatait que ce terme troublant mystifiait l'interlocuteur. Mais pour l'instant, je me repose un peu. Si vous n'y voyez pas d'inconvénient, bien sûr. Je suis nouvelle ici. Ma famille et moi, nous venons d'arriver. Je viens juste jeter un coup d'œil.

– Vous êtes chez vous », lui assura son hôte.

Un bon garçon, finalement, pensa-t-elle.

Dès qu'il fut parti, Sylvie reprit sa contemplation. Les mêmes images revenaient, la tour Eiffel, Notre-Dame, l'Arc de Triomphe, tous les monuments y passaient. Au moment des berges de la Seine, une palpitation légère s'empara d'elle. Sous peu, il serait là, plein écran, la regardant droit dans les yeux, depuis le sommet de la colonne comme depuis un fauteuil de nuages, avec sa face immense. Zlatan. Cela ne durerait que quelques secondes, il fallait conserver son calme et surtout se dire qu'il n'y aurait que trois ou quatre minutes à patienter avant de le voir apparaître de nouveau. Bientôt, elle connut l'enchaînement des images par cœur. Elle ne se lassait pas de les revoir, car elle ne se lassait pas de l'attente. Trois minutes vingt-sept secondes de sites touristiques, sept secondes de sigles avec lettres tournant sur elles-mêmes, deux secondes de pelouse, trois secondes de Zlatan, quatorze secondes d'actions de jeu culminant sur un but, puis sigle et lettres tournant encore sur elles-mêmes, avant de retrouver la tour Eiffel, et ainsi de suite. C'était enivrant. Les brochures attendraient.

« They call me French Bob », lui dit un homme coiffé d'un béret, le menton souligné d'un collier de barbe.

Il lui tendit la main. Elle la serra. Potelée, sèche, douce, énuméra Sylvie pour elle-même. Il semblait l'attendre à la sortie de l'Alliance. Planté sur ses courtes jambes aux mollets forts que découvrait un short d'aventurier.

« How do you do ? balbutia Sylvie, qui n'était jamais sûre de la formule adéquate.

– Je ne vous ai jamais vue ici, déclara French Bob, dans un français appliqué qui masquait un léger accent américain sous des intonations parigotes. Vous êtes nouvelle ? Je suis sûr que vous êtes nouvelle. Je reconnais les nouveaux. Vous savez comment je reconnais les nouveaux ? Je vais vous expliquer comment je reconnais les nouveaux. » Sans attendre la réponse de Sylvie, il enchaîna : « Ils viennent à l'Alliance française ! »

French Bob éclata de rire. Sylvie sourit sans savoir si c'était une moquerie ou, au contraire, une façon bienveillante d'établir le contact avec elle.

« On pourrait aller boire un canon si vous voulez ? »

Boire un canon, se répéta Sylvie mentalement. Depuis combien de temps n'avait-elle pas entendu cette expression ?

« C'est très aimable à vous, lui dit-elle. Mais je dois rentrer.

– Next time, lança-t-il. J'habite en face. C'est pratique. French Bob. On m'appelle comme ça. Vous savez pourquoi on m'appelle comme ça ? Je vais vous dire pourquoi on m'appelle comme ça. J'ai vécu à Paris. Il y a vingt ans. J'avais une chambre sous les toits, comme dans *La Bohême*. *Una furtiva lagrima*, chanta-t-il d'une voix qui voulait imiter celle d'un ténor sans y parvenir tout à fait.

– C'est dans *L'Élixir d'amour*, corrigea Sylvie par réflexe, presque involontairement. Pardon, je vous ai interrompu.

– Next time, la prochaine fois. Juste en face. Demandez French Bob. »

Sur quoi, il fit demi-tour sans la saluer et traversa la rue qui le séparait d'une maisonnette peinte en jaune canari, les pieds en canard, chantonnant toujours.

Le soir, au dîner, Sylvie raconta sa rencontre et chacun son tour ils imitèrent l'énergumène en empruntant son accent et sa formule à trois temps. Je vais reprendre de la salade. Vous savez pourquoi je vais reprendre de la salade ? Je vais vous dire pourquoi je vais reprendre de la salade.

« C'est quoi *L'Élixir d'amour* ? fit Lester.

– L'élixir d'amour. Tu veux savoir ce qu'est l'élixir d'amour ? plaisanta Hector. Je vais te dire ce qu'est l'élixir d'amour. C'est ce que ta mère verse dans mon vin tous les soirs. »

Le soleil rouge jetait ses rayons obliques sur la nappe blanche, sur les visages, enrobant chaque objet, chaque mèche de cheveux d'un sirop doré. Les cartons, empilés dans un coin du salon, figuraient une médina plantée dans le désert de moquette crème. Un oiseau chanta, très fort, très joyeusement, la même phrase exactement, répétée trois fois. Hector, Sylvie et Lester tournèrent la tête au même moment vers le jardin, à l'avant de la maison. Les fenêtres ouvertes laissaient entrer une brise chaude. L'été indien ? se demanda Sylvie. L'oiseau devait être caché quelque part dans les arbres. C'était très rare, songea-t-elle, de voir un oiseau chanter, généralement on les entendait sans savoir où ils étaient, on les observait alors qu'ils sautillaient, muets, sur leurs pattes à ressort. Le contraire d'une diva, pas d'avant-scène, pas de face publique, car ils chantaient pour eux-mêmes, se dit-elle, ils chantaient dans une extase solitaire, pour rien, certainement pas pour charmer – ils comptaient davantage sur leur plumage lorsqu'il fallait séduire. Ils chantaient parce que leur gosier était fait pour chanter. Pour quoi suis-je faite ? s'interrogea-t-elle. À peine la question l'avait-elle effleurée qu'elle repartit là où elles se trouvaient toutes, serrées les unes contre les autres, à l'abri des réponses.

Un autre oiseau, très différent, à la voix rauque façon crécelle, articula une longue phrase dans laquelle l'argumentation semblait remplacer la mélodie. Lester joignit les mains, tandis que ses lèvres remuaient imperceptiblement.

Nous voici prélevés, se dit Sylvie. Prélevés hors de notre vie. Hors du temps. Nous avons changé d'espace et quelque chose s'est coupé, une entrave, une amarre. Un sentiment étourdissant d'aléatoire nous envahit. Comme un après-midi au cimetière. On marche lentement entre les tombes, on s'arrête, on écoute un discours bouleversant ou ennuyeux, on se sourit, les uns les autres, visages connus, visages inconnus, on pleure, on rit, on piétine, on ramasse une poignée de terre, de sable, on entend au loin la rumeur de la ville, on n'a aucun rendez-vous, on respire l'humus, les bourgeons duveteux si c'est le printemps, les feuilles mortes si c'est l'automne, lorsqu'elles poussent un dernier soupir olfactif, dégageant un parfum de rentrée des classes et donc d'enfance, on attend, on pense au mort, à la morte, on n'y parvient que brièvement, on est étrangement dissipé, on a chaud, on a froid, on est trempé par la pluie, le confort et l'inconfort alternent, comme dans la vie mystérieuse des nourrissons.

Sylvie se souvint d'une époque où elle vivait ainsi, chaque jour, dans un oubli de soi et des autres. Cela paraissait si loin. Que s'était-il passé depuis ?

« Protégez mes parents, marmonna Lester.

– Qu'est-ce que tu dis, mon chéri ? demanda Hector. Je deviens vieux, ajouta-t-il en riant. Je deviens sourd.

– Je voulais savoir si je pouvais sortir de table.

– Tu ne nous as pas raconté.

– Raconté quoi ?

– Le collège, les professeurs, tout ?

– Et toi, c'était comment ? rétorqua Lester à son père, les mains sous les cuisses, impatient de se lever, de quitter la table, de remonter dans sa chambre extraordinairement vide et propre.

– Fa-bu-leux ! L'équipe est fantastique. Les locaux, c'est à peine croyable. La bibliothèque ! J'ai honte pour les chercheurs américains qui viennent chez nous. Ils ne doivent même pas comprendre ce qui leur arrive. C'est miteux. La Sorbonne, tu parles. Ils en ont plein la bouche ici, mais ils n'ont aucune idée de ce que c'est. Miteuse, la France est miteuse.

– Ils boivent l'élixir d'amour », le coupa Sylvie.

Hector tâta la pointe du col de sa chemise, côté droit, et regarda sa femme par-dessus ses lunettes. Comment savait-elle ?

Et soudain, c'est dimanche. C'est le jour où Farah Asmanantou les a invités à lui rendre visite. Sylvie n'est pas prête. Elle ne sera jamais prête. Elle voudrait repartir en France. Sa France, miteuse ou pas. Elle sait comment son pays fonctionne. Elle connaît les habitudes.

« Qu'est-ce qu'on apporte ? demande-t-elle.

– Rien, répond Hector. Que veux-tu qu'on apporte ?

– Je ne sais pas, moi. Des fleurs ? Des chocolats ? Comment fait-on ici ? Il y a sûrement une coutume.

– Farah est chercheuse en stylistique et directrice du département de langues romanes, elle n'est pas épicière à Limoges.

– Et alors ?

– Alors ne t'en fais pas. Où est Lester ? Appelle Lester.

– Lester ! Lester !

– Qu'est-ce qu'il fabrique ? Je monte le chercher ? On va être en retard.

– Ce serait fâcheux d'être en retard si on allait chez une épicière de Limoges », réplique Sylvie.

Hector lui attrape le menton et approche sa bouche de la sienne.

« Absalom Absalom », hurle-t-elle, brisant l'élan du baiser.

Hector se plaque les mains sur les oreilles.

« Tu es folle ? Tu m'as crevé les tympans. »

Lester apparaît aussitôt, étrangement vêtu. Avec son tee-shirt qui lui descend jusqu'aux genoux par-dessus son pantalon étroit, on dirait qu'il porte une robe. Il a caché ses cheveux sous un bob noir dont il a relevé les bords. Ses pieds semblent beaucoup plus grands que d'habitude, chaussés d'une paire de babouches à pompons. Hector le regarde, étonné. Il ne fait aucune réflexion. Sylvie l'en remercie silencieusement. Sans pouvoir expliquer pourquoi ni comment, elle a l'impression que l'accoutrement de son fils la protège. Il a été pensé et conçu ainsi, pour attirer l'attention sur lui et la détourner d'elle. L'épicière de Limoges et la directrice du département, même combat. Un adolescent perturbé fait, toujours et partout, sensation.

Dans la voiture, sur la banquette arrière, Lester sifflote en tripotant un bracelet dont les perles en bois cliquettent doucement. Sylvie l'observe dans le rétroviseur. Ce bijou lui rappelle quelque chose. L'a-t-il chipé dans ses affaires ? Elle croit se souvenir qu'elle le mettait il y a très longtemps. Elle revoit son poignet gracile posé sur sa cuisse de jeune fille. C'est le printemps. Il fait déjà chaud. Ses jambes jaillissent de sous la minijupe en panneaux de daim fermée sur le devant par des boutons-pression. Un an de travail pour une jupe marron et beige qui découvre ses cuisses et dévoile sa culotte dès qu'elle s'assied. Son père n'aime pas. « Ça fait mauvais genre, dit-il. – Mais la prof de français, elle en a une pareille, répond Sylvie. – C'est bien c'que j'dis », insiste son père. Elle se rappelle l'odeur de sa jupe adorée, le daim légèrement râpeux, merveilleusement mat, les panneaux arrondis vers le bas, comme des pétales de fleur, le bruit des très gros boutons-pression quand, d'un coup, on les ouvre tous en tirant sur la ceinture jusqu'en bas. Sans cette jupe, elle n'aurait jamais eu son premier garçon. Sans cette jupe, elle n'aurait jamais pu quitter son père. Jamais elle ne serait montée à Paris. Cette jupe lui a sauvé la vie.

« C'est quoi, cette chanson ? demande-t-elle à son fils sans se retourner.

– Quelle chanson ?

– Ce truc que tu siffles.

– C'est le générique d'une série », répond Lester avant de se remettre à siffler.

Sylvie croit pourtant avoir reconnu un passage qu'elle aime particulièrement dans une cantate de Bach, celui où le chœur s'emballe sur une série d'alléluias. Elle n'écoute plus de musique depuis longtemps, ne se souvient plus du nom des interprètes, des numéros, opus, BWV, parfois elle confond même les compositeurs. Mais cet air, elle le connaît. Elle l'a chanté elle-même, à la chorale, avec d'autres enfants. Les garçons avaient des voix de fille, parfois plus aiguës que la sienne. Elle faisait du stop pour se rendre à l'église de la ville voisine. Il n'y avait pas d'autre moyen. C'était loin. Son père ne voulait pas qu'elle prenne la mobylette. La voisine essayait de le raisonner. « Le stop, c'est dangereux, on peut faire des rencontres. La mobylette au moins… » À quoi le père rétorquait : « J'la préfère violée que morte. » Jamais personne n'avait tenté d'abuser d'elle. La plupart du temps c'était une femme qui la reconduisait à la maison, en Ami 8, en 4L, et quand c'était un homme, il paraissait terrifié. Sylvie remarquait le tremblement des doigts sur le levier de vitesses et s'en amusait. Dieu me protège, pensait-elle, toute petite encore malgré ses treize ans, et Jean-Sébastien Bach aussi, car elle chantait avec une telle ferveur que Dieu, elle en était certaine, l'entendait. Dieu. Quelle drôle d'idée. Elle n'y pensait plus jamais ; pas davantage qu'à sa jupe en daim.

Sylvie abaisse le pare-soleil et soulève le couvercle qui masque le petit miroir rectangulaire dans lequel ses yeux se reflètent soudain. Elle regarde son visage comme si elle désirait vérifier quelque chose. Se voir une dernière fois avant de se montrer à l'inconnue. Sylvie face à Farah. Sylvie qui n'est rien. Sylvie, la femme d'Hector ; Sylvie, la mère de Lester. Le nez est bien là, légèrement camus, la bouche qui recouvre les dents parfaites dont elle ne s'est jamais enorgueillie, les longs sourcils fins qu'elle n'épile plus. Ses cheveux frisottent, gris, roux, bruns et blancs. Elle se regarde distraitement, la plupart du temps, et ne puise ni réconfort ni désolation dans la confrontation avec son reflet. C'est à peine si elle se reconnaît. Certains jours, elle pense : Tiens, je ressemble à un lapin. D'autres fois, elle se dit : Aujourd'hui, tête d'écureuil. Durant les pires périodes : Vilaine tête de monsieur. Jeune femme elle s'était alarmée brièvement d'éprouver si peu de sentiments ou de sensations face à la glace. Était-elle atteinte d'une étrange maladie mentale ? Peut-être neurologique ? Elle avait fini par s'expliquer cette bizarrerie en se souvenant que, chez son père, il y avait fort peu de surfaces réfléchissantes. Il se rasait en se mirant dans une fenêtre. Quant à elle, elle s'apercevait furtivement dans ses lunettes à lui, dans un carreau, dans l'eau d'un puits. Son corps, qu'elle voyait se dérouler sous elle, était, au contraire, familier. Les articulations fines, les petits genoux impeccablement ronds, les hanches larges, la taille très étroite, le buste de garçon, mince, presque plat. Jamais elle n'avait porté de soutien-gorge.

C'est étrange, pense-t-elle en replaçant le pare-soleil, comme ce grand bond vers un avenir incertain, ce voyage au bout du monde, dans un pays inconnu et neuf, au lieu de lui ouvrir les ailes vers une vie à conquérir, la replonge, sans qu'elle le veuille, dans le passé. Jamais elle n'avait, avant de poser le pied sur ce sol étranger, tourné son regard vers le temps d'avant. C'est comme si, par la magie du déplacement, elle se retrouvait non plus face au futur, mais braquée vers l'enfance, sa propre enfance, sa jeunesse qu'elle n'avait jamais pris le temps de ressasser. Elle se sent pareille au promeneur qui, après s'être concentré sur l'ascension, jette un regard paisible, lavé par l'épuisement du corps, en direction du chemin accompli, tout en reprenant haleine.

« Nous y sommes ! clame Hector. Farah m'a dit de remonter l'allée et de garer la voiture juste devant la porte. »

Café, se répète Sylvie. Un café, s'il vous plaît. Avec plaisir. Oui, je veux bien du sucre. Elle a répété la veille, avant de s'endormir. Tout se passera bien.

« Vous ne vous faites pas les ongles ? » demande Farah d'une voix très douce en prenant la main droite de Sylvie dans la sienne pour examiner le bout de ses doigts.

Sylvie ne répond pas. Elle se délecte du contact. Elles sont assises côte à côte sur le canapé défoncé du salon depuis plus d'une heure. Projetées l'une contre l'autre par les ressorts fatigués. Hector est à l'écart. Il étudie la bibliothèque. Les étagères posées sur des piles de briques ploient, elles aussi, au centre. Tout est un peu de travers dans la maison de Farah. Tout s'affale et s'abandonne. Elle n'a pas proposé de boissons à ses invités. Elle a commencé par répondre aux questions de Lester qui ont fusé dès l'entrée, en bouquet, en feu d'artifice. Qu'est-ce que c'est ? Un sextant. À quoi ça sert ? À ton avis. Et ça ? Une pierre volcanique. D'où elle vient ? Je ne sais plus. Et ça, c'est un œuf d'autruche ? Non, un œuf d'oie. Vous parlez grec ? Oui. Je peux prendre le bilboquet ? Bien sûr. Tu peux toucher à tout. Jouer avec tout. Farah répond de sa belle voix grave. Elle roule délicatement les « r ». Son français en est plus clair, mieux équilibré. Sylvie est aussitôt conquise. Pourquoi ne roulons-nous plus les « r » ? pense-t-elle.

« C'est si difficile d'arriver dans un nouveau pays, non ? La solitude des premiers temps, je m'en souviens encore, j'allais parfois acheter quelque chose dans un magasin dans le seul but d'entendre le son de ma propre voix. Et pourtant, nous connaissons tous l'Amérique, non ? »

Sylvie aime la façon qu'a Farah de ponctuer ses phrases par un « non ? », comme si elle attendait son assentiment pour continuer.

« L'Amérique nous a si souvent été présentée, dans les livres, au cinéma. Là où j'ai grandi, au Yémen, on fait cuire le lahoh au feu de bois dans une poêle en métal. C'est notre pain à nous. Je suis obligée de vous l'expliquer parce que, dans les pays occidentaux, on cuit le pain au four. Vous n'avez jamais entendu parler du lahoh, alors que vous connaissez depuis toujours les sandwichs au beurre de cacahuètes, les bus jaunes de transport scolaire, le bacon et les œufs qu'on fait frire le matin. Je me trompe ? Les Stetson que portaient les cow-boys et que certaines personnes mettent encore ici ou là vous sont familiers. En arrivant aux États-Unis, je connaissais déjà Mickey Mouse et Davy Crockett, mais qui, dans ce pays, connaît les héros de mon enfance ? C'est particulier, non ? L'Amérique est notre lieu commun à tous. Il l'est devenu. Des enfants des rues vivant à des milliers de kilomètres de Los Angeles fredonnent des chansons de Michael Jackson. Comment ont-ils fait ? Je veux dire, comment les Américains ont-ils fait pour exporter leur culture ? C'est une question que je me pose souvent. Vous aussi ? Est-ce une affaire de puissance économique ? Je ne crois pas. Je pense que tout vient des histoires. De la même façon que chez vous on fabrique le camembert, ou, chez nous, le lait fermenté, ici, on fabrique des histoires.

– Et *Les Mille et Une Nuits* ? » demande Sylvie, étonnée d'intervenir. Comme si sa voix s'était élevée sans autorisation, sans qu'elle l'ait prévu.

« Oui, vous avez raison. L'*Iliade et* l'*Odyssée*, aussi. La fabrique a commencé ailleurs et avant. Bien avant. Mais tout de même. Ils se sont emparés de quelque chose. Ils se sont emparés du récit. Vous ne croyez pas ? Absalom Absalom, veux-tu boire quelque chose ? Je ne t'ai rien offert, mon garçon. Je n'ai pas de Coca-Cola.

– Je n'aime pas ça, répond Lester tout en maniant un sablier géant.

– Comment connaissez-vous son nom secret ? s'étonne Sylvie.

– Tout simplement parce qu'il n'est pas secret, dit Farah en riant. Hector m'en a parlé. Je salue cette initiative. Je salue le droit de chacun à se réinventer. Durant mes trois premières années d'université à USC, l'université de Californie du Sud, je me suis fait appeler Candice. C'est drôle. C'était un nom qui m'allait fort mal, je crois, mais il m'a beaucoup aidée. Comment vous appelleriez-vous, Sylvie, si vous choisissiez de vous réinventer ? Si vous étiez écrivain, ou artiste, et que, pour une raison ou une autre, vous deviez vous choisir un pseudonyme ? »

Mon Dieu, pense Sylvie, j'aurais encore préféré qu'elle me demande si je voulais du thé ou du café. Comment faire pour changer le cours de cette conversation que je suis incapable d'avoir ? Pour qui me prend-elle, cette femme que je ne connais pas ? L'ouverture, le sens de la démocratie et de la fraternité, de l'égalitarisme même, dont fait preuve Farah jettent Sylvie dans un inconfort inédit. Elle aurait envie de répondre qu'elle n'est pas au niveau, qu'elle n'est rien. Je ne compte pas, se dit-elle. Et elle se raccroche à cette affirmation pathétique, comme le naufragé aux débris du navire. Je suis la femme d'Hector. Comment pourrait-elle expliquer au professeur Asmanantou que c'est là, dans cette aliénation, que se déploie sa liberté ?

« Mais un grand verre d'eau bien fraîche me ferait très plaisir, déclare Lester d'une voix tonitruante, sur le même ton qu'il aurait employé pour exiger qu'on laisse sa mère en paix.

– Tu as raison, mon grand, reconnaît Farah. Je manque de tous mes devoirs ! » s'exclame-t-elle en commettant, volontairement ou non – qui saurait le dire ? – cette infime faute de syntaxe. Ainsi les tire-t-elle tous quatre d'un embarras qui, pour être à peine perceptible, n'en est pas moins menaçant.

Le lendemain, Sylvie se rend pour la deuxième fois à l'Alliance française, mais au lieu d'entrer dans le bâtiment devant lequel elle a garé sa voiture, elle traverse la rue pour frapper à la porte de la maison peinte en jaune canari. Une jeune fille, dont la moitié du crâne est rasé, lui ouvre. Sylvie regarde les piercings à ses oreilles, sur les ailes de son nez, sa lèvre inférieure. Elle admire le beau rose indien de sa chevelure, du côté où on l'a laissé prospérer. Le corps de Zelda – « Hi, I'm Zelda », a-t-elle déclaré en tendant une main maigre aux doigts couverts de bagues à l'effigie de serpents ou de têtes de mort – semble enveloppé de lanières de cuir et de vinyle noirs, comme celui d'une momie. Les bandelettes noires laissent apparaître des langues de peau d'un blanc presque inquiétant. Une momie en négatif, songe Sylvie, en remarquant, lors d'un examen plus appliqué, qu'il s'agit simplement d'un pantalon et d'un tee-shirt extraordinairement serrés et lacérés de toutes parts.

« French Bob ? demande Sylvie. I come to see French Bob. »

Zelda tourne les talons et hurle « Daaaaaaaad ». Quelques minutes plus tard, alors que la jeune momie a quitté le perron, non sans avoir salué la visiteuse avec une courtoisie presque désuète, French Bob fait son apparition. Béret sur le crâne, lunettes rondes en écaille sur son petit nez retroussé (un nouvel accessoire, remarque Sylvie), il se dandine jusqu'à elle en chantonnant : « Madame la Française, Madame la Française. »

À la cafétéria de l'Alliance où il a emmené Sylvie, French Bob commande deux salsepareilles à Thibault, le jeune homme qui joue à un jeu vidéo derrière le bar et qu'il appelle par son prénom, comme le ferait un habitué dans un café parisien – du moins, c'est ce que Bob s'imagine.

« Ils n'ont pas la licence IV, ici ! » s'esclaffe-t-il.

Sylvie lui sourit. Elle regrette son initiative. Comment va-t-elle s'y prendre pour se débarrasser de cet énergumène qui veut lui faire avaler la boisson favorite des Schtroumpfs ? Qu'est-elle venue chercher ? Que va-t-elle lui dire ? Heureusement pour elle, French Bob n'a pas besoin qu'on lui pose de questions pour se mettre à parler. Pareil aux manèges de Noël sur lesquels on peut grimper sans acheter de ticket, il tourne tout seul et, un instant, Sylvie se demande s'il n'est pas employé par l'Alliance française – une institution singulièrement vide – pour rabattre les badauds nécessaires au maintien des subventions.

« Quand j'habitais à Paris, lui dit-il, j'avais une chambre sous les toits, avec un petit balcon. Je fumais des cigarettes, là, sur mon balcon. Très romantique. Il y avait un marchand où j'achetais tout ce que j'avais besoin. Une petite boutique au bout de la rue, ouverte même la nuit. Ils vendaient le vin très sexy qui s'appelle Mille Secousses, vous connaissez ? »

Sylvie fait non de la tête. Elle ne boit pas d'alcool. Elle écoute avec attention la description que lui fait Bob de Rachid, le marchand qui vend de tout, avec sa blouse bleu Klein et sa belle moustache noire. Elle songe qu'autrefois, on appelait ça « larab », ces épiceries parisiennes qui ne fermaient jamais et vendaient de tout. Elle ne s'imagine plus employer cette expression. L'épicerie arabe, l'arabe du coin. Non. On ne dit plus comme ça. Elle se surprend à éprouver de la nostalgie pour ce terme, mais c'est plutôt une nostalgie pour une époque. Pour sa jeunesse ? Pour un temps où *Allahou Akbar* était un appel à la prière, et rien d'autre ? Dire « je descends chez l'Arabe », ce serait comme fumer dans une chambre d'hôpital. Ça ne se fait plus. Et c'est mieux ainsi. Elle se rappelle le jour où elle a repris son père qui disait en parlant du nouveau postier « le nègre ». « Papa, on dit pas ça. – On dit pas quoi ? – On dit pas nègre. – Et pourquoi on dit pas nègre ? Il est noir, oui ou non ? – Tu peux dire noir, si tu veux, mais pas nègre. Nègre, c'est une insulte. C'est raciste. – C'est la meilleure celle-là ! Ma gamine qui me traite de raciste. Jacques-Henri, il sait très bien qu'il est nègre. – Pourquoi tu ne l'appelles pas Jacques-Henri si tu connais son prénom ? – Parce que c'est pas poli d'appeler des gens qu'on connaît pas bien par leur petit nom. C'est pas parce qu'il est postier que je le respecte pas. Y s'en fiche d'être nègre, si tu veux mon avis. »

Est-elle comme son père ? Dans quelle confusion nage-t-elle ?

« Mais il n'avait pas de salsepareille, Rachid ! » s'exclame Bob qui termine son laïus en levant son verre à la santé de Sylvie.

Après ça, il lui parle du Harry's Bar, de la place de la Concorde, de Mouffetard et de la Contrescarpe. Il répète plusieurs fois « Paris, c'est un bijou », malgré la difficulté qu'il éprouve à prononcer ce mot. Sylvie se rend compte qu'elle connaît très mal les quartiers qu'il évoque. Elle le remercie chaleureusement pour sa sympathie, son accueil, tous ces précieux éclaircissements.

« Anytime ! Anytime ! » répète-t-il en bondissant de sa chaise, alerte comme s'il pesait vingt kilos de moins, comme s'il était soudain pressé de la quitter.

Les nuits suivantes, Sylvie sort du lit discrètement et se rend au rez-de-chaussée sur la pointe des pieds. Dans le salon elle allume l'ordinateur portable d'Hector et regarde des documentaires animaliers. Elle admire les parades nuptiales des oiseaux. Le paradisier superbe, qui se transforme tantôt en soucoupe volante, tantôt en Pac-Man, l'enchante. Mais elle constate bientôt que ce sont les sports de glisse qui parviennent le mieux à l'apaiser. Elle enchaîne les reportages sur le surf et sur le ski extrême. Elle n'aime pas qu'on donne la parole aux athlètes. Elle ne s'intéresse pas à leur histoire, à leurs problèmes, à leurs succès. « Cette vague, la première fois que je l'ai vue, je me suis dit Waouh, mec, c'est la… Quand l'hélicoptère te dépose au sommet et que tu prends une claque de vent en plein visage, alors tu te dis que… Benji, c'était le meilleur d'entre nous et quand il a disparu, on s'est juré… Ton ski, c'est une partie de ton corps, ni plus ni… » Comme il est assommant de voir leurs jolies bouches cracher des banalités pareilles. À quoi bon les interroger, quand leur corps donne toutes les réponses. C'est comme si… comme si… s'agace Sylvie, comme si on demandait à Emmanuel Kant d'effectuer une galipette ou à Victor Hugo d'exécuter un grand jeté. Le corps et l'esprit ne font qu'un, c'est entendu. Mais tout de même, il y a une histoire de proportions. Ce qu'elle veut, c'est les voir évoluer, étudier la façon dont leurs genoux absorbent les bosses, les creux, les chocs. Elle étudie la manière qu'ont les bassins de se positionner selon la vitesse et la qualité du support. Elle attend les sauts avec passion, le moment où le corps échappe à la pesanteur. Elle éprouve alors la sensation étrange d'appartenir à la même espèce que ces champions. Elle partage quelque chose avec eux. Elle ignore quoi. Elle n'est pas particulièrement sportive et assez peu intrépide. Pourtant, quand elle les regarde, elle a l'impression de se retrouver, de comprendre son propre fonctionnement. Et parfois, mais seulement quand elle sent qu'elle est prête à se rendormir et que, une fois sa tête posée sur l'oreiller, elle sombrera sans effort, elle s'autorise quelques images du PSG.

Zlatan était entré dans sa vie quinze ans plus tôt. Bien avant que l'autre, l'avant-centre du PSG, ne devienne célèbre. Il possédait le même genre de beauté, à mi-chemin entre le viril et l'animal. La première fois que Sylvie l'avait vu, elle avait pensé au père de Bambi, le cerf aux bois puissants dressés sur le crâne dans le film de Walt Disney.

Cette beauté va sans doute me poser des problèmes, s'était-elle dit. Et puis elle s'y était habituée finalement. Enfin non. Mais oui quand même. Disons qu'elle s'était habituée à le trouver beau chaque jour, sans toutefois s'habituer à sa beauté. Parfois, elle songeait à la tête qu'auraient faite ses amies, si elle en avait eu. Mais elle n'avait pas d'amies, elle n'était pas douée pour l'amitié, se disait-elle. Elle s'était toujours imaginé que c'était à cause d'un genre de lenteur. Une lenteur à discerner qui était pour elle et qui était contre elle dans un groupe.

Hector, lorsqu'il avait rencontré Zlatan pour la première fois, avait eu un instant d'hésitation, puis il avait bombé le torse, imperceptiblement, avant de lui tendre la main. Sylvie avait pensé que si Zlatan avait été laid, ou simplement quelconque, jamais Hector ne lui aurait serré la main. Il venait d'une famille où, contrairement à celle de Sylvie, on avait une pratique longue et certaine de la domesticité. On donnait volontiers une tape sur l'épaule. La hiérarchie, cependant, restait marquée. Sylvie avait également noté que jamais

Hector ne prononçait le prénom de leur homme à tout faire. Il s'arrangeait pour ne pas s'adresser à lui et, quand il était absent, ne le mentionnait qu'en bégayant un heu… heu… qui pouvait laisser croire qu'il était incapable de se rappeler son prénom.

C'était sa belle-mère, Edwina, qui lui avait « offert » Zlatan alors qu'elle était enceinte de Lester. « Vous ne vous en sortirez jamais sans cela », lui avait-elle dit. M'en sortir, avait songé Sylvie. Me sortir de quoi ? M'en suis-je jamais sortie ? « Il est parfait. Il sera parfait pour vous. Il est très propre. À la limite de la maniaquerie, mais c'est une qualité dans son cas. À l'aise avec les enfants, malgré son jeune âge. Je crois qu'il a élevé ses douze frères et sœurs. J'exagère bien sûr. Il est en France depuis six mois. Il s'exprime déjà très correctement. Incapable d'écrire, par contre. Dans son pays, il était plombier. Ah non, je confonds. Étudiant en droit. Non, attendez. Peu importe. Il est travailleur et fiable. Ne le payez pas trop. Tarif de base d'une femme de ménage. Sept euros maximum. Faites-lui tout faire. Repassage, vaisselle, cuisine. Le bébé aussi, il pourra s'en occuper. À chaque naissance, la mère de mon mari m'offrait une bague. C'est inutile. On n'a que dix doigts et seulement deux annulaires. Quand j'ai eu Jerry, je n'ai pas su quoi faire de la topaze. Mais pourquoi je vous dis ça, Sylvie ? Vous avez des nausées ? C'est bon signe, les nausées. Tout est bon signe. Il passera chez vous demain à treize heures. Il s'appelle Zlatan. Il est yougoslave. Ces gens-là ont beaucoup souffert. La Yougoslavie n'existe plus, ça, je le sais bien. Je n'ai pas compris d'où il venait vraiment. Mais, bon, c'était la guerre partout là-bas. Je compte sur vous pour bien l'accueillir. Vous n'aurez rien à lui expliquer. J'ai tout réglé. Je vous le confie parfaitement formé. »

Après avoir raccroché, Sylvie avait appliqué sa main froide sur son oreille brûlante. Edwina au téléphone, c'était comme un dragon vous soufflant sur la tempe. Elle serait là le lendemain pour accueillir ce monsieur. Elle lui dirait non merci et demanderait à Hector de se débrouiller pour faire comprendre à sa mère qu'elle préférait recevoir une bague (même si ses petites mains courtes n'en portaient jamais).

Le lendemain, à l'heure dite, la sonnette avait retenti. Zlatan était entré, s'inclinant légèrement.

« Je parler français.

– Moi aussi », avait bêtement répondu Sylvie.

Il avait ri, d'un rire tellement juvénile, tellement joyeux qu'elle en avait eu le cœur serré. Avait-elle jamais connu un tel abandon à la gaieté ?

« Toi, ne dire rien. Madame rester assise. Rien faire. Bébé content dans ventre. Je tout m'occuper. »

Le vent pousse la tête de fleurs blanches et jaunes dont Sylvie ignore le nom. Elle s'est assise sur les marches de ce qu'elle appelle la véranda, même si ce n'est pas le terme adéquat, et regarde les quatre carrés qui découpent le jardin sur le devant de la maison. Ses yeux se posent sur chaque plante. Elle n'en reconnaît aucune. Comment les propriétaires réagiraient-ils si elle prenait l'initiative de planter des azalées, avec l'aide de mister Black, bien sûr. Le système d'arrosage automatique la nargue. Les minces tuyaux noirs qui conduisent le goutte-à-goutte d'un pied à l'autre lui signifient qu'on n'a pas besoin d'elle ici. De l'autre côté de la porte, à l'intérieur de la maison, les cartons sont aplatis, vidés, attendant d'être relégués dans le garage jusqu'à la prochaine fois, le prochain départ, le retour. Les livres, les vêtements, les disques, les médicaments sont allés remplir les armoires vastes, les étagères lisses. Hector s'est chargé de tout. Il a plié de nouveau tous les pulls que Sylvie avait pliés, mais mal. Sans remarques désagréables, sans se moquer ni se plaindre. Sylvie l'a regardé faire, reconnaissante, tout en ayant l'impression qu'on lui sciait doucement les poignets. Les jours s'empilent. Pourtant le quotidien semble ne pas se construire ; l'habitude et sa prodigieuse force d'inertie sont absentes. Certains matins, Sylvie se demande si elle existe encore et, juste après, ce que cela signifie d'exister. Elle sent alors, sous ses pas, le rebord d'une spirale d'anxiété. Si elle avance sur cette voie, elle sera fichue. Elle glissera, perdra ses moyens, ne saura plus remonter. Cela lui est arrivé autrefois. Elle se rappelle la sensation. Un anéantissement auquel on assiste en spectateur, jusqu'au moment où l'on se rend compte que l'on est soi-même démoli. On est alors saisi par l'effroi et l'envie de fuir, sauf que l'on n'a plus l'énergie nécessaire pour s'échapper, faire marche arrière. L'énergie, elle aussi a été détruite, absorbée. Mais c'est très différent à présent. Elle est simplement dépaysée. Hector lui parle de repères. Il lui conseille de prendre ses marques, de s'inventer une routine et, assez rapidement, tout s'améliore. Lester se rend au collège avec le bus jaune. Il est plein de vigueur. Il semble avoir grandi d'un ou deux centimètres. Sylvie a étudié les brochures rapportées quelques semaines plus tôt de l'Alliance française. Cours de danse, de tai-chi, de langues, soirées lecture, spectacles pour enfants, semaine gastronomique. Combien de temps vont-ils rester ? Cela vaut-il la peine qu'elle s'inscrive à toutes ces activités ? N'en choisir qu'une. Atelier de poterie, le mardi et le jeudi. Hector la félicite. Il lui confirme que l'important, c'est de structurer sa semaine.

Lester remonte l'allée. Il n'a pas grandi finalement. Il paraît si frêle sous son sac. Il sourit, comme toujours lorsqu'il voit sa mère ou son père. Un bon grand sourire. « Faites que mes parents connaissent la paix et la joie », marmonne-t-il dès qu'il s'approche d'eux.

« Déjà ? » s'étonne Sylvie.

Son garçon vient s'asseoir à côté d'elle et pose la tête sur ses genoux, comme il le faisait quand il était petit.

« J'ai pris le bus jaune, dit-il. Comme dans les films. Comme dans les dessins animés.

– Tu le prends tous les jours. Tu rentres plus tôt que d'habitude. Tu n'as pas raté un cours, dis-moi ?

– Il a roulé plus vite.

– Tu t'es fait des amis ?

– Non, et toi ?

– Personne pour l'instant », répond Sylvie, avant d'ajouter : « À part French Bob bien sûr. »

Et ils se mettent à rire.

« Vous êtes nouvelle, alors je vous explique. Mais en vérité, on est toujours nouveau, chacun de nous, face à la terre. Moi-même, trente ans après, je ne suis pas plus avancée.

– Oh, Lauren ! » lance une voix grave venue du fond de l'atelier.

Sylvie aurait spontanément attribué ces paroles à un gros monsieur barbu, si elle n'avait constaté qu'une petite femme maigre au teint olivâtre, aux épais sourcils noirs et aux cheveux auburn dressés sur la tête, venait de les prononcer.

« Lauren, tu es trop modeste, poursuit l'étrange baryton. Sylvie – c'est bien comme ça que vous vous appelez, n'est-ce pas ? –, Sylvie va croire que tu es une médiocre amatrice comme nous autres. Vous savez que Lauren a déjà fait plusieurs expos à New York et à Washington ? Récemment à Chicago, elle a remporté…

– Yvette, c'est bon. J'ai déjà un attaché de presse. »

Tout le monde rit. Sauf Sylvie. Sylvie qui essaie de comprendre où elle a mis les pieds. L'atelier de poterie indiqué dans la brochure glanée à l'Alliance française se déroule dans un hangar dont l'un des murs est entièrement vitré. Lauren Brazelton est la maîtresse des lieux. Elle a une mâchoire un peu trop large par rapport à son front pour être une vraie beauté, mais il y a dans son visage quelque chose d'attachant, au premier sens du terme, quelque chose qui fait que, quand on commence à la regarder, on ne peut pas s'en détacher, impossible de détourner les yeux.

Une table si longue et si large qu'on la croirait destinée à accueillir le festin d'une famille de géants occupe une bonne partie de l'espace. Dans les coins, on trouve des trépieds, des caisses, des consoles hautes sur pattes sur lesquelles des pièces en attente de cuisson patientent, recouvertes d'un sac en toile de jute, comme, songe Sylvie, la tête d'un condamné à mort. Le four est ailleurs. Lauren l'a annoncé à la nouvelle venue dès l'entrée, sur le ton de la confidence, comme s'il s'agissait d'une information cruciale et secrète.

Tout le monde parle français – évidemment, se dit Sylvie, puisque le recrutement se fait à l'Alliance – et, au début, c'est un soulagement. Plus d'efforts à fournir, plus d'yeux plissés, de front noué, de bouche ouverte comme pour aider au travail des oreilles. Les épaules se relâchent. On respire plus librement. Mais assez vite, on regrette. On regrette de comprendre sans même le vouloir, d'entendre sans écouter. La parlotte. Les commentaires. Le bla-bla ordinaire : « Alors moi, depuis que j'ai arrêté le café, c'est incroyable… Et figure-toi que je lui ai dit ses quatre vérités… Mais c'est toujours pareil avec les grosses cylindrées… Au guichet, le type m'avait dit douze pour cent… Quatre dents de sagesse à la fois, tu te rends compte. »

Le moment où l'on chasse les bulles de la terre n'est pas l'étape la plus silencieuse du processus. C'est un travail qui exige de la force, mais aucune habileté. Il s'agit de pétrir. De balancer son morceau de terre le plus fort possible sur la table, pour le rendre dense, lisse, exempt de canaux, de tunnels, de cavités. Vider l'air, plier, appuyer, mortifier, pense Sylvie qui voit dans cette expiration forcée une violence qu'elle ne s'était pas attendue à exercer.

« Ça te dérange si je te tutoie ? demande Lauren. Le français, c'est bon, pas de problème, j'adore. J'ai enseigné aux beaux-arts de Lyon pendant des années. Mais le vous et le tu, ce n'est pas pour moi. Je me trompe et ça complique tout. Ça ne t'embête pas ?

– Non, non, répond Sylvie. Faites comme vous voulez.

– Bon alors, pour commencer, tu jettes, tu écrases. Il ne faut pas avoir peur de faire du bruit. Ça défoule. C'est bon pour la terre, mais c'est aussi bon pour toi. Vas-y, essaie. »

Sylvie prend la boule que lui tend Lauren. C'est froid et très légèrement humide, comme les écailles d'un serpent, ou le flanc d'un requin, se dit Sylvie qui n'a jamais touché ni l'un ni l'autre. Elle se concentre, lève le coude, tord un peu son poignet et lance de toutes ses forces le bloc, qui heurte le coin de la table et achève son vol désastreux sur le sol. Le paquet grisâtre se déforme sous l'effet de son propre poids. Sylvie est très gênée. Elle a l'impression de commettre bourde sur bourde. Elle ne parvient pas à tutoyer Lauren, elle fait tomber la terre de la table. Peut-être a-t-elle gâché ce matériau précieux, peut-être va-t-on lui demander de rembourser.

« C'est un bel oracle, annonce Lauren.

– Ne jamais oublier la fonction oraculaire de la céramique ! » clame Benoît, un jeune homme à lunettes et à la barbe très fournie. Il lève un doigt vers le ciel comme s'il citait une parole divine.

« La terre retournera à la terre », marmonne Lauren. Puis elle secoue la tête. « Trop littéral. Non. Plutôt un slogan. Quelque chose de plus percussif. Terre à terre. Voilà, comme corps à corps. Terre à terre. On va partir là-dessus, si tu veux bien », propose-t-elle à Sylvie.

Ce n'est pas du tout ainsi que Sylvie s'était imaginé les choses. Lorsqu'elle avait consulté les horaires puis repéré l'adresse de l'atelier sur la carte routière qu'elle continue de préférer au système de guidage de la voiture, elle s'était représenté une salle de classe, sans doute calquée sur ses années de collège ; un écho, un souvenir des cours de « travaux manuels » qu'on prodiguait alors. Par les larges fenêtres entrerait un soleil généreux. Une femme joufflue et au teint rose ferait monter de jolis pots sur un tour électrique qui produirait un agréable vrombissement. Autour d'elle, ses élèves, principalement des femmes à la retraite, l'imiteraient. Les étagères seraient garnies de théières, de tasses, de bols et de cendriers, décorés de pois, de carreaux ou d'étoiles très colorés, dont la surface vernissée jouerait avec la lumière de l'après-midi.

L'atelier de Lauren est bien différent. Il est immense, froid, d'une majesté implacable. Installé dans une ancienne friche industrielle récemment reconvertie en quartier à la mode, il côtoie des cafés végétaliens, une boutique qui vend des tongs en chanvre, une fabrique de soupe artisanale dont une partie des bénéfices est reversée à une association qui lutte contre l'illettrisme, un ostéopathe pour chevaux (mais Sylvie n'est pas certaine d'avoir bien lu), ainsi qu'une crèche parentale accueillant les enfants de parents lesbiens, gays et trans (mais, là encore, Sylvie n'est pas sûre d'avoir bien compris). Les murs de l'atelier sont, pour deux d'entre eux, hérissés de piquets en fer forgé noirs, plantés à l'horizontale, tous les mètres environ, afin d'accueillir ce que Sylvie qualifie pour elle-même de « tuiles géantes », sans doute les œuvres de

Lauren auxquelles celle-ci donne probablement un autre nom. Ces œuvres monumentales, d'une longueur variant entre un mètre cinquante et trois mètres, sont d'un gris bleuté piqueté de taches noires et marqué çà et là de coulées blanchâtres. Ce sont, Sylvie l'apprendra plus tard, des prouesses, des exploits quasiment inexplicables, des pièces censément impossibles à produire et qui, pour elle – mais elle se l'avoue à peine –, sont d'une laideur repoussante.

Elle reprend la boule de terre, fraîche, inerte et, cette fois, le contact lui évoque la peau d'un nourrisson mort-né. Elle chasse cette pensée qui en entraîne beaucoup d'autres. Pas question de revenir là-dessus. Il faut trouver une image neuve. Inventer quelque chose d'agréable : l'ombre impalpable d'un tilleul à la fin du printemps, des pelures de concombre, une écorce de noix, le contact d'une eau de source sur le front. Elle presse, appuie et lance. La boule s'écrase sur la table. Sylvie est stupéfiée par sa propre force. Elle recommence. C'est une drôle de bagarre contre un adversaire amorphe et inerte. Ce n'est pas la terre qu'elle combat. Elle se le rappelle alors, c'est l'air. L'air n'est pas inerte, il est malin, vibrant, il se cache partout. Elle l'aura. Elle recommence encore, plus fort. Le bruit est celui d'un coup de poing asséné dans une poitrine, au creux d'un estomac. Elle y va, elle lance, elle lutte. Ses joues sont bientôt rouges, son crâne en sueur.

« C'est bon, lui dit Lauren. Tu as compris. C'est parfait. Maintenant, à toi de jouer. Chacun a sa méthode. Chacun trace son chemin. Ne regarde pas ce que font les autres. Trouve ta manière. »

Et bien sûr, Sylvie, qui, sans l'interdiction de son maître, n'aurait peut-être pas été curieuse de la pratique de ses voisins, ressent l'urgence irrépressible de les espionner. Feignant de s'occuper de son morceau de terre qu'elle se met à aplatir, elle observe les mains, osseuses, rondes, courtes ou longues, paumes carrées, rectangulaires, ongles sales, ongles vernis, doigts élégants, phalanges bouffies, articulations épaisses. Puis elle se concentre sur les boudins, les boules. Certains creusent avec rage, d'autres étirent et pincent. Une femme sur sa droite, dont elle n'avait pas perçu la présence jusque-là, caresse un amas qui ressemble à une bouse de vache et sur lequel elle paraît prête à déposer un baiser. La femme relève la tête, comme si elle sentait un regard sur elle. Sylvie n'a pas le temps de détourner les yeux. Elles échangent un sourire. La femme a un nez très court, des pommettes hautes et des yeux noisette parsemés d'éclats jaunes. Sa peau est parcheminée, sillonnée de rides en nombre infini, mais tout dans son attitude est juvénile.

« C'est la première fois que vous venez ? demande-t-elle à Sylvie d'une voix timide.

– Oui.

– C'est difficile.

– Oui.

– Moi, je viens depuis quatre ans. Mais je travaille toujours sur la même pièce. Je m'appelle Maryline. »

Sylvie tend la main, comme par réflexe, mais elle se rend compte que ce n'est pas un geste approprié à cause de l'eau grise qui coule de celle de Maryline et aussi parce que Benoît, le jeune homme barbu, se tient entre elles deux. Il produit des boudins magnifiques qu'il empile les uns sur les autres, en rond, à une vitesse étonnante. Il les lisse au fur et à mesure avec de la barbotine et Sylvie comprend qu'il ne faut surtout pas l'interrompre. Elle renonce donc à serrer la main de Maryline et lui adresse une sorte de salut indécis, index près du front.

« Je m'appelle Sylvie. Je ne suis là que depuis deux mois.

– Bienvenue, alors. Vous vous plairez sûrement ici. » Maryline marque une pause, lève un instant les yeux au plafond et précise : « Si vous aimez les grands espaces, la nature, la sauce au vinaigre et le pulled pork.

– J'aime le parfum de la glycine, répond Sylvie, légèrement à côté.

– Je n'ai jamais remarqué qu'elle dégageait un parfum, c'est étrange. Ce qui me frappe, c'est son nom en anglais. *Wisteria*. Cela me fait penser à *Hysteria*. L'hystérie. Je suis psychanalyste.

– Magnifique », répond Sylvie, légèrement à côté, là encore.

Elle se promet de ne plus jamais adresser la parole à Maryline.

La fête a lieu dans un restaurant. Le bâtiment en briques rouges a des allures d'entrepôt ou d'usine désaffectée. Sur un des murs extérieurs, une fresque monumentale représente un taureau bleu aux cornes et aux yeux blancs. Il s'élance vers les passants, comme pour une corrida surprise. Hector et Sylvie ont décidé de ne pas se déguiser. Est-ce une erreur ? Heureusement, Lester s'est aspergé les cheveux de teinture verte, il a emboîté ses dents dans un râtelier de vampire, s'est maquillé le visage en blanc et a enveloppé son corps menu dans une immense cape noire. L'entrée de l'établissement est masquée par une carcasse de citrouille géante dans laquelle un quartier monté sur des gonds permet aux visiteurs de pénétrer au sein de l'antre provisoire des goules, des spectres et des revenants. D'immenses toiles d'araignées factices, garnies d'arthropodes de diverses tailles et diversement poilus, font office de rideaux. La lumière est chiche, verdâtre. Une musique d'orgue sinistre complète l'atmosphère. Au-dessus du saladier rempli de sangria, on peut lire « Fresh blood », sang frais, ha ha, très drôle. Cette fête qui célèbre les saints en se jouant de la mort est un cauchemar, pense Sylvie, qui se sent aussi détonnante dans son jean noir et son pull-over blanc que si elle s'était rendue à un cocktail au palais de l'Élysée en bikini et chapeau de paille. Ce sera l'occasion de lier connaissance, lui a assuré Hector. Il y aura des tas de gens formidables. Je te présenterai. C'est très bon enfant, tu verras. Bon enfant, certes, concède Sylvie. Des adultes vêtus de justaucorps noirs avec les os du squelette fluorescents.

« Nous sommes les seuls, murmure-t-elle à l'oreille d'Hector.

– Les seuls quoi ? fait-il tout bas.

– Les seuls à ne pas être déguisés.

– Nous sommes aussi les seuls Français… Et les seuls vieux », ajoute-t-il en regardant autour d'eux.

Vieux ? Jamais Hector n'a employé ce mot pour parler de lui, et encore moins pour parler de Sylvie. Il la taquine en l'appelant « ma petite », « mon bébé », parce qu'elle lui arrive au milieu de la poitrine, et elle aime ça. Elle aime être sa petite, son bébé, cela lui permet de voyager à travers les âges, d'échapper aux classifications. Elle peut à la fois être la grand-mère de son propre fils et le bébé de son mari. Elle ne s'est jamais sentie femme mûre, femme-femme. Elle a toujours eu l'impression d'être soit beaucoup plus jeune, soit beaucoup plus âgée. Le compte réel des années n'a aucune réalité pour elle. Et même quand ses règles sont devenues irrégulières pour finir par s'absenter, après que son corps a subi cette seconde mutation, aussi perturbante et inattendue (bien que connue) que celle vécue à l'adolescence, elle n'en a conçu aucune amertume, pas de regrets non plus. Elle a enduré le passage avec curiosité. Tiens, voici que mes seins deviennent très durs, ils sont toujours petits, mais plus présents. Elle s'est surprise à espérer qu'ils poussent enfin, comme si la promesse avortée de ses treize ans avait pu se réaliser à plus de quatre décennies d'écart. Certains jours, c'était son ventre qui se faisait lourd et plein, comme prêt à craquer. Toutes sortes de fluides semblaient s'y précipiter, puis en partir. En pleine nuit, elle posait les mains sur la peau de son abdomen, tendue comme celle d'un tambour, et se laissait entraîner dans une étrange vénération, ébahie par la puissance, la constance et l'acharnement de la métamorphose en cours. C'est comme un sabbat, songeait-elle, ensorcelée par sa propre sorcellerie, attendant les périodes de montée de chaleur comme des événements cosmiques. On dort. C'est le milieu de la nuit. Et soudain, on ouvre grand les yeux sur l'obscurité. Voilà que ça grimpe, le long des tibias, dans les cuisses, que ça file entre les hanches pour atteindre le plexus et exploser en ruisseaux de sueur. Les draps, une fois trempés, donnaient froid. Il fallait s'arranger, avoir toujours des linges à portée de main, un drap de bain, des torchons. C'était une organisation secrète, furtive. Cela tenait de la cabane. On finissait par se rendormir et voilà qu'une heure plus tard, cela recommençait, une incandescence infatigable, un volcan qui jamais n'aurait été en repos. D'où vient tout ce chaud ? se demandait Sylvie, stupéfaite. Dans la journée, c'était une autre histoire, une série de strip-teases à laquelle ne manquait que le public. Dans la file d'attente à la poste, dans les rayons d'un grand magasin, pendant une réunion de parents d'élèves, il fallait de toute urgence retirer un pull, un gilet. L'écharpe volait, emportée par une main impatiente, les boutons du chemisier étaient détachés, on rêvait de pouvoir aller plus loin : se débarrasser du pantalon, des collants, se retrouver presque nue, ne garder que les chaussettes et la culotte pour laisser à la peau brûlante la possibilité de se rafraîchir au contact de l'air. C'était interdit, bien sûr, alors on s'éventait à l'aide d'un magazine, d'un agenda, d'un catalogue de produits en promotion, du moindre rectangle offrant suffisamment de résistance à l'air pour qu'agité près du cou il apaise le brasier. On croisait parfois le regard d'une autre femme. Si elle était plus jeune, elle ne déchiffrait rien de ces gestes, si elle était du même âge, elle détournait les yeux, consciente d'avoir assisté à un aveu qui ne lui était pas destiné. Plus âgée, elle offrait parfois un sourire, mais c'était rare. Il y avait une absence de partage, une négation teintée de honte. Quand il lui était arrivé d'en parler à des médecins, de décrire le désordre de ses symptômes, Sylvie avait été frappée par le désintérêt des thérapeutes. Au mieux, ils sortaient leur ordonnancier et griffonnaient une prescription à la hâte. Il y avait ce traitement, oui, certaines femmes le supportaient mieux que d'autres, mais pour la plupart, il était inefficace. Je ne veux pas qu'on me soigne, aurait voulu répondre Sylvie. Je ne suis pas malade. Je suis seulement changeante et j'aimerais en parler, qu'on m'en parle. Les autres, se demandait-elle, celles qui avaient des amies, celles qu'elle voyait partout assises en groupe autour d'une table dans un café, ou sur le banc d'un square, en discutaient-elles entre elles ? Elle aurait parié que non. Il y avait un orgueil, une pudeur, une tristesse aussi, peut-être, qui étranglaient les voix. Dans les livres non plus, on n'en parlait pas. Sylvie avait lu Philip Roth, elle avait lu Romain Gary, d'autres encore, ces écrivains mâles dont l'impudeur était réjouissante. On y apprenait tout, de leurs premiers émois jusqu'à leurs pannes récentes, en passant par leurs idiosyncrasies masturbatoires et leurs fréquentes mictions nocturnes. On demeurait, toutefois, sur la rive masculine. De l'autre côté de l'eau, c'était le silence. Silence sur les marées des montées de lait, sur l'écartèlement des tissus au moment de donner naissance. Les premières règles faisaient sujet, l'avortement aussi, parfois, car ils allaient dans le sens de la conquête, le triomphe de la nubilité, la victoire de la liberté. Il lui semblait qu'elle avait connu le goût du sperme avant de l'avoir sur la langue. Et pendant ce temps, durant toute cette effarante logorrhée de l'homme, sexe brandi page après page, la femme muette tentait de raconter une autre histoire, la sienne, qui paraissait n'intéresser personne, pas plus ses semblables que les garçons dont on comprenait aisément la moue dégoûtée. Mais pourquoi pas, après tout ? Pourquoi ne pas se taire ? Y avait-il vraiment quelque chose à dire ? L'ennui, c'était que, sans paroles, on ne pouvait rien penser. Il le fallait pourtant. Le penser afin de l'éprouver plutôt que de le subir. Cela lui rappelait quelque chose. Une histoire racontée par des muets à une assemblée de sourds. Peut-être aussi n'avait-elle pas lu les bons livres.

Hector a dit « vieux » et voilà que soudain, ils le sont. Vieux, elle et lui. Relégués. Bons à rien. Autour d'eux, perruqués, armés de pistolets à hémoglobine, les professeurs et les assistants du département de langues romanes se trémoussent sur le générique de *La Famille Adams*.

Farah Asmanantou s'approche pour les saluer. Elle porte un magnifique fourreau d'un bel orange potiron. Le décolleté pointu plonge entre ses seins énormes et tendres. Sylvie note que les yeux d'Hector s'y attardent. Ses cheveux sont masqués par un turban savamment enroulé autour de son crâne, découpé dans le même tissu que la robe. Quelle impression cela fait-il d'être aussi belle ? Sylvie est au bord de le lui demander, mais Farah la devance.

« Vous êtes tellement chics, vous, les Français. Comment ça s'explique-t-il ? Vous avez un secret ?

– C'est charitable de ta part de tourner les choses ainsi, répond Hector, après avoir éclaté d'un rire un peu forcé. Nous sommes trop *self-conscious*, voilà tout. On ne se déguise pas parce qu'on est gênés. Parce que l'enfance est derrière nous. On est trop vieux pour… pour…

– Vieux ? Vous avez été élus le couple le plus sexy du campus », leur confie Farah à mi-voix comme s'il s'agissait d'un palmarès dont le résultat serait dévoilé plus tard dans la soirée.

Sylvie secoue la tête, mais tout en rejetant ce compliment inattendu, elle note que quelque chose a changé depuis qu'Hector et elle sont entrés dans le restaurant. En quelques minutes, les groupes se sont défaits pour se reformer autrement. Les yeux des femmes se sont mis à briller. Certaines d'entre elles se sont rapprochées imperceptiblement. Mue, elle aussi, par une force dont elle ignore la nature, Sylvie recule de quelques pas, fait mine de chercher quelque chose, un verre, le vestiaire, les toilettes, et finit par aller s'asseoir dans un coin de la salle un peu plus obscur afin d'observer à son aise la scène en train de se produire, que sa présence n'aurait pas autorisée.

Juchée sur un tabouret de bar (qu'elle a eu quelque peine à escalader), elle songe un instant au ballet grotesque du paradisier, l'oiseau noir et bleu dont elle admire les danses nuptiales sur Internet, mais elle se rend compte que c'est une échappatoire qu'elle déploie pour se protéger du spectacle qui s'offre à elle. Elle décide donc de mieux se concentrer, de regarder plus minutieusement, et c'est alors qu'elle voit ces femmes inconnues, jeunes, belles, déguisées en plante carnivore, en chauve-souris, en fiancée de Frankenstein, massées autour de son mari, lui dessinant comme une haie. Leurs yeux ont un éclat ravissant, vraiment. Elles tentent d'attirer le regard du professeur venu de France, le poète – il est philosophe aussi, dit-on, le nouveau Foucault, c'est ça ? Elles rient très fort, tripotent leurs cheveux, étirent subtilement leur colonne vertébrale pour mettre en valeur leur poitrine. Il y a une joie dans tout cela, à laquelle Sylvie est étonnée de participer. Ça roucoule, ça se dandine, et Sylvie ne peut s'empêcher de trouver toutes ces minauderies cocasses, charmantes. Son mari est le centre absolu de l'attention.

De son côté, peu à peu elle se sent disparaître. Elle s'émiette et s'étonne du fait que cette pulvérisation lui procure une légère ivresse que ne saurait expliquer le nectar de cranberry qu'elle vient de boire. Diffractée, elle voit tout, elle ressent tout, elle est par terre et au plafond, elle est sur les murs, sous les semelles des souliers, autour des interrupteurs, le long de la tuyauterie, c'est une transe. Une transe qui lui rappelle sa première nuit de bergère. Allongée sous les étoiles, elle avait senti son corps se disloquer, s'élancer vers les astres, se dissoudre dans les mousses, et son cœur, dont le rythme était effroyablement chamboulé par la terreur et l'extase, prêt à éclater. Le mélange de splendeur et d'inquiétude était éreintant et bannissait tout repos. Je ne parviendrai jamais à dormir, s'était-elle dit, si petite encore, perdue, absolument seule.

Jamais elle n'avait eu aussi peur. Cette nuit-là. Mais elle ne tient pas à y penser. Pas maintenant, pas dans ce restaurant du centre-ville, ancien entrepôt transformé pour l'occasion en grotte d'enchanteur où tout lui paraît possible. Elle préfère contempler ces femmes déguisées qui assaillent en douceur son mari.

Le visage d'Hector la bouleverse. Les pommettes légèrement rouges, il sourit péniblement, conscient de l'attention excessive dont il est l'objet et s'efforçant de dissimuler le plaisir qu'il en retire. Doit-elle voler à son secours ? Franchir les quelques mètres qui les séparent pour se pendre à son bras et déclarer, par ce simple mouvement : « Ceci est mon homme. » Hector n'apprécierait sans doute pas. Sylvie, quant à elle, n'éprouve pas la vigueur agressive qu'il faudrait déployer pour accomplir un tel acte. Elle est plutôt amusée, touchée, curieuse par-dessus tout de ce qui se passe dans la tête de ses sœurs, ces êtres dont elle partage la physiologie et le destin. Elle tente de s'imaginer à leur place, minaudant, engorgeant son rire, alourdissant ses paupières pour plaire au poète français, au philosophe étalon, à Hector, son mari qu'elle n'a jamais regardé autrement que d'un œil candide et confiant.

Elle a croisé certaines de ces femmes durant les deux mois qu'ils ont déjà passés ici : au supermarché, sur le campus, en forêt. Elle les a vues en jogging, les cuisses quelque peu boudinées par le tissu trop fin qui laisse apparaître le relief attendrissant de la cellulite. Elle les a vues, les yeux cernés, conduisant une poussette chargée de paquets, raisonnant inlassablement un enfant en pleurs pendu au bout de leur bras. Elle les a vues, les cheveux décoiffés, se cachant pour fumer une cigarette entre deux cours, entre deux courses, les épaules basses sous le poids de leur cartable bourré de copies, de livres, et du reste. Elles sont jeunes et épuisées. Enlaidies par la fatigue et l'hybridation inextricable de leur vie. Biberon et stylo, carré de coton et bloc de papier ligné, listes de courses et copies à corriger, diaphragme et figurine en plastique, carton d'invitation à un anniversaire et permis de conduire, parfum (aphrodisiaque ?) et liniment pour fesses fragiles, vitamines pour la repousse des cheveux et compotes sans sucres ajoutés, éditions bilingues de poésie du Moyen Âge et catalogues de jeux éducatifs, mascara et feutres à paillettes, timbres-poste et autocollants de super-héros. Plonger la main dans leur sac provoque l'écœurement ou le fou rire. On en sort n'importe quoi, on y trouve de tout, pansements, pince à ongles, caramels ayant perdu leur emballage et constellés de grains de sable et de filaments de poussière, gélules, élastiques, dinosaures au 1/100e, tampons, miettes, agitateur de boissons à motifs de sirène, fragments de pâte à modeler, baume pour les lèvres sans capuchon. Leur sac. Leur vie. Leur personnalité. Leur joie. Leur croix. Leur condition.

Sylvie n'a pas de sac. Elle met ses clés dans une poche, sa carte de crédit et son permis de conduire dans une autre.

Le sac de ces jeunes femmes exsangues la fait rêver. Elle a renoncé au sien depuis si longtemps. Disparu le réservoir de vie, d'inventivité, cette cavité contenant la solution à tous les problèmes, un poids, certes, mais qui atteste d'un engagement, d'un héroïsme dont son existence est aujourd'hui dépourvue.

Elle se souvient alors de la pochette. Et l'évocation de cet objet, à travers le mot inoffensif qui le désigne et convoque aussitôt des dizaines de modèles différents, lui fait monter les larmes aux yeux. La pochette. On passait le week-end ou le jeudi après-midi à la dessiner, la concevoir, la coudre. On récupérait un morceau de tissu, une cordelette, parfois du cuir. On assemblait tout cela. Les aiguilles à tricoter ou le crochet pouvaient aussi produire de fort jolis résultats. Le projet illuminait la semaine précédente et celle qui suivait. L'émerveillement durait parfois jusqu'à un mois. Une fois qu'elle était terminée, on portait la pochette autour du cou, si elle était petite, ou en bandoulière, si elle était grande. On y glissait un bâton de khôl, une cigarette volée à on ne sait qui, quelques pièces de vingt centimes et une perle ou un caillou porte-bonheur. Cet accessoire modifiait la silhouette, donnait du courage, de l'importance. On se sentait propulsée vers l'âge adulte.

Que sont-elles devenues, toutes ces pochettes fabriquées par les adolescentes pendant les années 1970 ? Même dans les vide-greniers on n'en trouvait pas. Elles avaient disparu avec les jupes en daim, au cours d'un autodafé secret qui n'avait affolé personne. Adieu jupettes, adieu jupons, adieu blouses roumaines et shorts à franges. Il semble à Sylvie qu'une certaine forme de joie s'était envolée avec la fumée de ce feu. Peut-être n'était-ce que l'incendie de sa propre jeunesse. On regrette toujours le passé pour l'unique raison, amère et suffisante, que la distance qui nous séparait alors (théoriquement) de la mort était plus importante. Sylvie demeure pourtant troublée. Il y avait quelque chose de particulier avec ces pochettes. Fabriquer soi-même son sac, et le faire si petit, n'était-ce pas le symbole de quelque chose ? D'une forme d'émancipation ? Aujourd'hui, les sacs des jeunes filles et ceux des mères de famille sont si vastes, si lourds, elles y transportent leur maison. Est-ce une forme plus avancée d'indépendance ? Ou plutôt la résignation à une nouvelle forme de servilité ?

« Madame Vickery ? »

Sylvie sursaute. Elle reconnaît à peine son nom. Là où elle était, dans ses pensées, dans le passé, elle ne s'appelait pas encore Vickery, elle s'appelait Lhorte. L'homme qui s'adresse à elle est petit, même par rapport à elle, il a les bras et les jambes particulièrement courts, la peau mate et des cheveux incroyablement drus, noirs et serrés. Sylvie songe aussitôt à un hérisson. Il lui tend la main et se présente.

« Jhersy Gonçalves, professeur de littérature espagnole, mais polonais d'origine et français d'adoption.

– Polonais ? fait Sylvie d'un ton où pointe une certaine curiosité, liée non à la Pologne, pas plus qu'à ses habitants, mais plutôt au fait qu'elle aurait attribué, sans hésiter, à son interlocuteur des origines sud-américaines.

– Vous connaissez Lublin ? Bien sûr, tout le monde connaît Lublin, à cause de Singer. Grâce à Singer, devrais-je dire. Le feuilletoniste.

– L'écrivain ? demande Sylvie. Isaac Bashevis Singer ?

– Oui, c'est ça. Le feuilletoniste de Lublin. Mais moi, j'habite, pour ainsi dire, à l'opposé. Elblag. Vous connaissez Elblag ? Bien sûr que non. Et pourtant. C'est près de la mer, c'est joli. C'est mon berceau natal. »

Jamais Sylvie n'a entendu personne parler aussi vite. Non seulement Jhersy Gonçalves précipite ses syllabes, en évitant la collision de justesse à chaque mot, mais encore il va, chaque fois, jusqu'au bout de son souffle. Il est impératif que ses poumons soient vides pour qu'il s'autorise une inspiration. Si bien que sa parole évoque le mouvement et le bruit d'un soufflet. Le début d'une séquence est ample et articulé d'une voix sonore, la fin presque chuchotée, apoplectique et dénote un épuisement si remarquable qu'on n'imagine pas de suite possible.

« Et comment avez-vous acquis un français si parfait ? s'enquiert Sylvie.

– Vous me flattez ! » s'écrie-t-il en lui baisant la main et en claquant ses talons l'un contre l'autre.

Il a soudain l'air incroyablement polonais.

« J'avais une bonne amie française. Je l'ai connue à l'université de Cracovie. Elle était historienne et travaillait sur les racines de l'antisémitisme polonais. Un sujet original à l'époque. Aujourd'hui, c'est différent. Aujourd'hui, on ne parle plus que de ça. Vous ne trouvez pas ? Vous n'en avez pas ras la casquette, vous ? J'aime bien ces expressions de votre langue : ras la casquette. Vous dites ça parfois ? Vous dites "j'en ai ras la casquette" ? Elle s'appelait Françoise Pernety. Elle avait de tout petits yeux noirs très enfoncés, comme un ours en peluche. Non, plutôt le contraire d'un ours en peluche. Mais bon, quelle importance ? Elle est morte à présent. Un cancer. Foudroyée.

Que sont devenus ses tout petits yeux noirs ? Quand je marche sur un chemin et que je vois de minuscules cailloux tout noirs, je pense que ce sont peut-être les yeux de Françoise. Mais je vous embête. Je suis sinistre. Aujourd'hui, je suis bien dans ma peau. Je suis marié avec Astrid Milburn. Une vraie Yankee. Nous avons deux enfants à l'université. Heureusement que le père d'Astrid a fait fortune dans le coton. Le coton, c'est plus solide que la pierre. Voilà ce que je dis. Pas de crise des subprimes avec le coton. On fera toujours des jeans, des nappes, des torchons. On en aura toujours besoin. Vous êtes dans quoi, vous ? »

Sylvie ne s'attendait tellement pas à l'interruption de ce flot de paroles qu'elle n'est pas prête à répondre. Elle se demande si elle a bien entendu la question. Elle a cessé d'écouter quand Jhersy a prononcé le mot Yankee. Elle s'est abîmée dans ses propres réflexions autour de la sonorité vibrante de ce terme, de l'esprit de victoire qui le nimbe. Elle a tenté de se remémorer les grandes lignes de la guerre de Sécession. De quel côté étaient les Yankees, voyons ?

« Je suis la femme d'Hector, finit-elle par répondre, en déduisant de l'air interrogateur qu'affiche le visage du professeur que ce dernier attend d'elle qu'elle lui livre, à son tour, un pedigree.

– Andromaque, la fidèle. La fidèle Andromaque. Qui meurt si elle couche. Il en a de la chance, le professeur Vickery. »

Sylvie sourit, embarrassée. Oserait-elle dire qu'elle ne songe jamais à Racine et toujours à Georges Brassens ? Son regard est alors attiré par la tignasse verte de son fils dont elle ne se souciait plus, dont elle avait presque oublié la présence. Elle aperçoit Lester, à quelques mètres d'elle, entouré d'enfants plus jeunes que lui. Il parle avec de grands gestes calmes. La scène évoque le joueur de flûte de Hamelin. À ses côtés, une jeune fille au crâne à moitié rasé, vêtue d'un drap blanc, le visage aussi blanc que le tissu et les yeux entourés de cercles écarlates, le regarde avec admiration. Est-ce Zelda ? se dit Sylvie. La fille de French Bob ? Mais point de Bob à l'horizon, ou alors si bien déguisé que méconnaissable.

« Fidèle au point de refuser d'en parler, insiste Jhersy Gonçalves. Pardon. Vous êtes professeur aussi ?

– Non, réplique doucement Sylvie. Je ne suis rien. »

Cette phrase prononcée innocemment – parce qu'elle tombe, par hasard, dans le silence qui sépare deux morceaux de musique – résonne affreusement fort. Sylvie se demande comment échapper au pathétique. Elle voudrait expliquer à Jhersy qu'être rien est un idéal qu'elle poursuit, que son parcours s'inspire du dogme du non-agir, que cela n'est pas le signe d'une défaillance, d'une situation humiliante, mais d'une éthique, d'un choix de vie.

« C'est mon fils, là-bas, lâche-t-elle en montrant Lester.

– Le jeune Astyanax ?

– Pitié. Il finit mal, celui-là, non ? Lester, c'est tout le contraire. Il est heureux partout où il se trouve. Il s'adapte. Regardez, il s'est déjà fait des amis.

– Pardon ! s'exclame Jhersy. J'étale ma culture classique. Ma culture française. Françoise disait merveilleusement les alexandrins. Ariane, ma sœur, de quel amour blessée vous mourûtes aux bords où vous fûtes laissée. »

Sylvie écoute Jhersy réciter *Phèdre* et, pour la première fois, observe son costume. Une robe de moine sur laquelle il a passé une sorte de brassière agrémentée de deux faux seins rose cochon dont les tétons saignent. « Je ne suis rien », se répète-t-elle en silence et cette phrase l'apaise, l'isole et la protège.

« Protégez mes parents », murmure Lester, à genoux, face au mur de sa chambre.

Il se balance d'avant en arrière, les cheveux toujours verts, et tâte, de temps en temps, du bout des doigts, la pellicule de la décalcomanie représentant une morsure de vampire qu'Iris lui a appliqué à la naissance du cou. Deux petits trous écarlates d'où suintent trois gouttes de sang.

« Protégez-les d'eux-mêmes et des autres. Protégez mon père de la tentation et ma mère de l'envie. Faites que la sagesse les embrasse, que votre grâce les touche. Montrez-leur votre lumière. Montre-leur ta lumière. Dieu. Mon amour. Amour. Dieu toi qui es amour. Prends-les sous ton aile et fais qu'ils ne connaissent ni le froid ni la tristesse. Guide-les vers le pardon. Guide-les l'un vers l'autre et non pas loin l'un de l'autre. Fais-leur entendre ta voix sublime, ta voix adorable, comme je l'entends moi-même. Insinue-toi dans leur oreille. Accorde-leur le souffle qui manque à leur cœur. Dieu, mon tendre. Dieu, mon joli. Sois clément avec eux, comme tu l'es avec moi. Comme tu l'es avec tous tes enfants. Protégez mes parents. Protégez-les d'eux-mêmes et des autres. »

Une fois sa prière accomplie, Lester exécute une quarantaine de pompes, puis il se démaquille, se lave les cheveux, sèche son corps menu, presque chétif, se demande si la crise de croissance dont lui a parlé le docteur Ben Ali se déclenchera bientôt. Pour l'instant, il est petit comme sa mère. Deviendra-t-il grand comme son père ? Il se sent écartelé entre eux deux. Il est important que ses parents demeurent proches l'un de l'autre afin que lui-même conserve son intégrité. Jusqu'à présent il n'a jamais eu d'existence autonome, n'en ressent ni la responsabilité, ni le poids, ni le plaisir. S'il se regarde dans un miroir, il ne se voit pas. Il voit son père. Il voit sa mère.

DEUXIÈME PARTIE

Hector avait effectué le voyage préparatoire en solitaire. Il y avait beaucoup de choses à organiser. Le personnel de l'université lui avait conseillé cette méthode lors des derniers entretiens. Cela pouvait sembler onéreux, les dépenses étaient importantes, certes, et le temps apparemment perdu, mais il ne le regretterait pas. Tout serait prêt pour l'arrivée de sa famille, et la tranquillité d'une famille, ça n'avait pas de prix.

Il l'avait reconnu.

« Vous, les Français, vous avez été très éprouvés ces derniers temps avec les attentats. Le climat est tendu dans votre pays et vous avez vraiment besoin de prendre du recul. Ce séjour va représenter un nouveau départ. Je voudrais que vous sachiez une chose, professeur Vickery, nous avions aussi un candidat portugais francophone, mais nous avons choisi de vous faire venir, vous. Le comité scientifique a, bien sûr, appuyé votre candidature, en raison principalement de la pertinence de votre œuvre. Mais sachez que le conseil d'administration a été unanime dans son élan de solidarité. »

Le doyen McRevor avait exprimé son empathie en effleurant à plusieurs reprises d'une main légère l'emplacement de son cœur, comme s'il voulait signifier sa sincérité sans toutefois risquer de froisser sa chemise.

Hector n'aimait pas se rappeler cette scène. Il n'aimait pas la cravate en tricot rouge du doyen. Il n'aimait pas son français ampoulé, ni son nez trop petit, de la forme et de la couleur d'un haricot lingot, planté haut dans son immense face rouge. Hector aurait dû être touché par l'élan de ses confrères, mais il se sentait dévalué par leurs remarques chargées de bons sentiments. Il était embarrassé de se trouver au cœur d'un si vaste courant de pitié. Car ce n'était rien d'autre que ça. De la pitié pour ces pauvres Français qui se faisaient massacrer dans des rédactions de journaux, dans des magasins, par des bandits stupides, jeunes, fiers d'être filmés, enivrés par la puissance de leurs armes et la force avec laquelle les convictions de leurs maîtres à penser pétrissaient leurs cervelles immatures. Des abrutis, pensait Hector. Être à la merci d'abrutis, c'était cela qui générait la pitié, l'indignité de la situation. Le ridicule se mêlait à l'horreur et cela provoquait une défiguration intolérable. Depuis quelques mois, Hector luttait de toute son intelligence contre les réactions convenues, les atermoiements, l'anxiété, le découragement.

Il n'avait plus de temps à perdre. Ces événements le contrariaient particulièrement à cause du moment où ils étaient survenus. Dix ans plus tôt, pourquoi pas ? Mais pas cette année, non. C'était une sacrée déveine. Cela tombait on ne peut plus mal. Car, dans sa vie personnelle, il fallait que quelque chose se déclenche, et dans sa carrière aussi. Et pour cela, il fallait du calme. Une période sans vagues. Les nominations, les succès s'accommodaient mal des tragédies. Son mentor, Édouard Laligue, était mort un an plus tôt et la voie était enfin libre. Ce n'était pas le discours qu'Hector se tenait à lui-même, bien entendu. Pas plus qu'aux autres. À Sylvie, à Lester, à ses confrères et consœurs, il présentait sa théorie du doute raisonné, les éblouissant par les contre-pieds constants que marquait sa pensée, car il était aussi leste dans son discours que Fred Astaire sur les planches des studios. Ce n'était pas le moment de s'attendrir, expliquait-il. Il ne fallait surtout pas chercher à comprendre. Il fallait rectifier par la rectitude. Une droiture, essentiellement syntaxique, devait s'imposer. Elle seule leur en imposerait. Il ne fallait surtout pas utiliser le mot « barbarie ». C'était l'impasse. Il fallait suspendre, se déprendre, s'éprendre. On hochait la tête autour de lui. Personne n'avait pris le temps de questionner son honnêteté. On avait le tournis. On l'admirait. On voulait qu'il se taise. Et lui ne désirait qu'une seule chose (sans se l'avouer, sans même le savoir) : que l'oubli gagne, que l'on passe à l'étape suivante.

C'est alors que l'invitation d'Earl University était apparue sur l'écran de l'ordinateur. Hector avait senti les larmes lui monter aux yeux et un fou rire le saisir à la gorge.

C'était au mois de mai dernier. Le joli mois de mai, et c'était urgent. Il avait du mal à y croire. Comment ? Pourquoi lui ? Les États-Unis, vraiment ? Il avait postulé pour une bourse d'écriture en Slovénie, l'automne précédent, et ne l'avait pas obtenue. Earl University. Ce n'était pas Harvard ni Columbia, mais c'était tout de même très bien. C'était à la fois le pied à l'étrier et le retour aux sources. Le retour à l'étrier et le pied dans la source. Cette nouvelle le rendait gaga.

Sylvie avait immédiatement accepté. Comme elle faisait toujours. Dire oui pour être tranquille. Et regretter après.

Dès qu'il avait foulé le sol en marbre miroitant de l'aéroport de Raleigh-Durham, Hector s'était senti différent : un homme complètement neuf. Il ne ressentait plus aucune douleur physique. Pas même l'engourdissement naturel lié aux longues heures de vol. D'où venaient-elles, toutes ces douleurs, depuis tant d'années ? Au cœur de l'oignon qui avait déformé l'articulation de son pied, dans la pointe de l'omoplate gauche, le long de la nuque, sur le côté de la rotule droite, elles semblaient s'être installées pour toujours, colonisant peu à peu son corps, pareilles à une mousse, un lichen, un lierre, douées de la même vigueur, circulant selon des trajets tout aussi sinueux. D'où venaient-elles ? Où s'étaient-elles enfuies ? Reviendraient-elles à son retour à Paris ?

Il aimait la vie avec Sylvie. C'était une femme si inefficace, si sauvage, l'exact opposé d'Edwina, sa mère, toujours si affairée, si mondaine. Il adorait que sa vie avec Sylvie évoquât si peu celle qu'avait menée le couple formé par ses parents.

Leur vie, à Sylvie et à lui, ne ressemblait à rien. Parfois le pain était frais, parfois, il était rassis, parfois il n'y en avait pas durant plusieurs jours. Ils dînaient au café pendant deux mois et, le mois suivant, ne mettaient pas le nez dehors. Edwina parlait de leur côté bohème et elle avait, en prononçant ce mot, la grimace de qui goûte un mets potentiellement avarié. C'était beau, cette liberté. C'était une victoire sur le passé. Mais là, dans l'aéroport, Hector avait eu soudain envie d'une existence structurée, et là, dans ce lieu moderne éclairé par un plafond ondulé à demi translucide, il avait entrevu la possibilité d'une organisation nouvelle, d'un mode de vie. À l'époque où il fumait, les cigarettes l'aidaient à structurer sa journée. Il avait dû arrêter à cause des brûlures d'estomac. Peut-être devrait-il reprendre. Ses poumons étaient splendides.

À son retour, Hector avait dit à Sylvie qu'il avait noué beaucoup de contacts. Elle avait été surprise par cette formulation et aussi par l'expression sur son visage. Était-ce une traduction littérale de l'anglais ? Elle qui n'était pas d'un naturel jaloux s'était sentie piquée. Qu'y avait-il de l'autre côté de l'Océan ? Qui y avait-il ? Elle n'avait jamais accompli cette traversée. Pour elle, outre-Atlantique ça s'arrêtait aux îles Scilly, aux confins de la mer Celtique. Elle se sentait des virginités de conquistador. Elle avait vu des westerns, mangé des hamburgers, connaissait le grand roman américain mieux que les classiques français, mais elle ne savait de ce continent que ce qu'on lui en avait raconté. Des mots, toutes sortes de mots, des noms propres aussi, inondaient son cerveau. Nouvelle-Angleterre, tipi, barmaid, revolver, maccarthysme, Cochise, Boston, Tea Party, tuniques bleues, prohibition, pancakes, Duke Ellington, Nasa, Hollywood, Henry James, rodéo, milk-shakes, lasso, Santa Monica, cow-boy, William Faulkner, Bette Davis, Jefferson, base-ball, bourbon on the rocks, Gatsby, la route 61, la route 1, le *New Yorker*, Gershwin, Miami, Marilyn Monroe, le clan Kennedy, Manhattan, la guerre du Vietnam. Elle irait. Elle irait et elle verrait toutes ces choses qu'elle avait imaginées sans effort, guidée par les voix qui n'avaient fait que se multiplier, que s'amplifier. Les États-Unis étaient devenus le centre, et le reste de la planète en était la province. Les vêtements étaient fabriqués en Chine, en Inde, mais les idées, la musique, les images affluaient du grand continent nord-américain en rafales d'un vent tiède qui vous décoiffait pour vous recoiffer aussitôt. L'horreur et l'espoir serrés comme deux osselets jumeaux au creux d'une main unique.

L'espoir, oui. C'était peut-être le mot le plus juste pour qualifier le sentiment qui avait envahi Hector dès sa première rencontre avec Farah Asmanantou venue l'accueillir à l'aéroport. Elle l'attendait de l'autre côté de la douane, plus grande qu'il ne se l'était représentée, la peau souple et brune comme la surface vernissée d'un gâteau. Ses cheveux dégageaient un parfum de vanille. N'était-ce d'ailleurs que ses cheveux ? Un léger affolement, depuis longtemps disparu, s'était emparé de lui. Il avait relevé le col de sa chemise. Le petit triangle de tissu auquel il s'accrochait dans les moments de nervosité. Farah avait ouvert grand les bras en le voyant. Il l'avait imitée, lâchant la poignée de sa valise. Ils avaient hésité un instant, face à face, ne sachant s'ils allaient adopter le « hug », cette étreinte chaste qu'on ignore comment pratiquer en France, ou la « bise », code précieux qu'on échangeait dans le département d'études romanes d'Earl University pour signifier une européanophilie sincère. L'hésitation avait eu raison d'eux. Leurs bras étaient retombés le long de leurs flancs sans que le moindre contact ait eu lieu. Ce moment de maladresse partagée était touchant, comme un premier baiser contrarié par les nez qui se heurtent. Hector s'était senti rajeuni, puissant. Les heures suivantes lui avaient paru enchantées. La large route sur laquelle les voitures roulaient paisiblement, presque sans bruit entre les pins, le ciel lavé, les champs fleuris par des corolles jaunes abritant un minuscule visage sombre.

« Qu'est-ce que c'est ? avait-il demandé.

– Du coton, avait répondu Farah.

– Non, les fleurs, là, dans les champs.

– C'est le coton en fleur. La fleur de coton. »

La fleur de coton, s'était-il répété pour lui-même, ébahi par la douceur des mots. De ce continent, il ne connaissait que les villes : New York, Boston, Chicago, à peine. Il avait aussi séjourné deux mois, durant ses études, à San Antonio, mais il n'en gardait que peu de souvenirs. L'ivresse de la nature l'avait gagné aussitôt. Une nature exotique, démesurée.

« Vous allez vous plaire ici, j'en suis sûre, avait affirmé Farah. Vous serez aussi heureux qu'on peut l'être. »

L'oracle avait commencé de se matérialiser dès son entrée dans la salle du pavillon de français où l'attendaient ses futurs collègues. Huit femmes et deux hommes. Il avait eu toutefois le sentiment que les deux hommes étaient plutôt les eunuques de ce qu'il considérait déjà comme son futur harem. Jhersy Gonçalves et Matthieu Puitsdevant portaient des sous-pulls à col roulé en jersey léger qui soulignaient leur poitrine molle. S'étaient-ils donné le mot ? Était-ce un uniforme ? L'un était couleur aubergine, l'autre d'un beige poudré. Bien que de morphologie et de type différents, les deux professeurs, l'un spécialiste du théâtre classique, l'autre de linguistique de l'énonciation, semblaient être deux frères. Les femmes ne les regardaient pas. Elles leur parlaient, leur demandaient de leur servir s'il te plaît un café avec un peu de sucre, mais elles ne les regardaient pas.

Lorsqu'il avait quitté Paris, Hector était un membre de l'université proche de la retraite, aux pieds déformés et douloureux, aux joues légèrement couperosées, aux fesses plates, aux épaules tombantes. À peine arrivé en Caroline du Nord, voilà que, telle la baudruche qui s'emplit d'hélium, il s'élevait sans effort, gonflé d'une euphorie inattendue. Il avait espéré la reconnaissance et voilà qu'il obtenait mieux. Il obtenait ce à quoi il n'avait pas envisagé de goûter, ce à quoi il avait renoncé depuis des années et dont il n'aurait su prononcer le nom. Une chose… Une chose étonnante. Une chose émoustillante. À une époque, il s'en était approché, avec certaines de ses étudiantes, troublées un temps par son statut, sa verve. Mais ces jeunes femmes ne l'intéressaient pas et elles-mêmes se lassaient vite du petit jeu de la séduction qui ne menait nulle part. À Nanterre, la concurrence était rude. À Nanterre, il n'était rien. Ici, elles avaient faim. Ici, il devenait la proie et le prédateur. Archéologues d'un jour, Véronique, Eleanor, Nolwenn, Marie-Pierre, Joan, Louise, Rosy et Latifa venaient de mettre au jour un des derniers spécimens de mâle alpha.

« C'est le moment, non ? demande Hector en déposant sur la table de la salle à manger un poulet qu'il a mis à rôtir en rentrant de l'université.

– Le moment ? » dit Sylvie qui, déjà assise, se rend compte qu'elle a oublié de disposer les couteaux et les serviettes.

Elle n'a jamais su mettre la table correctement.

« Absalom, fait-elle tout bas, comme pour ne pas attirer l'attention sur son erreur. Va chercher trois couteaux et des serviettes en papier, s'il te plaît. »

Lester lui sourit. Il est heureux qu'elle l'ait appelé par le nom qu'il s'est choisi, même si elle s'est contentée de la première partie. Il s'exécute aussitôt et caresse les cheveux roux poivre et sel de sa mère avec une bienveillance qui la fait défaillir et l'inquiète tout à la fois.

« Le moment de quoi ? demande-t-elle de nouveau à Hector, d'une voix plus forte.

– Le moment du bilan. Cela fait trois mois qu'on est installés. Ce serait une bonne idée que chacun prenne la parole à tour de rôle pour dire aux autres où il en est. »

Sylvie et Lester le regardent, interdits. Ils n'ont pas l'habitude de ce genre de formalisme. Hector découpe la viande dont la chair paraît trop molle, trop rose, comme si la volaille, malgré les deux heures passées au four, n'était toujours pas cuite.

« Si vous voulez, je commence », propose-t-il en s'acharnant sur les articulations saignantes qui refusent de se détacher.

Ses gestes sont sûrs, son calme parfait. Lorsque la lame dérape contre le fond du plat, produisant un crissement désagréable, il ne cille pas, alors que Sylvie et Lester grimacent. Un message passe, ainsi, de ses mains à leurs oreilles : il est déconseillé de critiquer, il est recommandé de se réjouir.

Sylvie pense : Nous sommes des naufragés. Seuls sur une île peut-être pas déserte, mais hostile.

Lester pense : Protégez mes parents, protégez-les d'eux-mêmes et des autres. Ce sont de braves gens. Il pense aussi : Je n'aime pas la nourriture que l'on mange ici. Les aliments ont un goût furtif. À l'instant où on les croque, ils dégagent un suc puissant, mais quelques secondes après, on a l'impression de mâcher du polystyrène, qu'il s'agisse d'un légume, d'une viande ou d'un fruit. Il pense ensuite à Zelda, Nurith, Iris, Andy et Greg, à la paume de leur main au creux de laquelle il a tracé une croix du bout de son index trempé dans la rosée qu'il recueille au petit matin dans une fiole dérobée à sa mère. Ils sont déjà cinq. Voilà son bilan.

« Alors je commence », annonce Hector en servant des morceaux de viande étrangement sanguinolents à sa femme et à son fils. Il ajoute des pommes de terre, des patates douces et du chou kale. « Vous m'interrompez quand vous voulez, bien sûr, si vous n'êtes pas d'accord ou si vous avez une remarque. »

Nous prend-il pour ses étudiants ? se demande Sylvie.

« J'avoue que je n'aurais pas cru que ça irait si vite et si bien, déclare Hector. J'ai l'impression d'avoir toujours vécu dans cette maison. D'habitude, quand je change d'endroit, il m'arrive d'être déconcerté durant la nuit. Je me lève pour aller à la salle de bains et je me trompe de porte, ou je bute contre un mur, parce que je crois que je suis ailleurs. Ici, je n'ai eu besoin d'aucune adaptation. C'est très curieux. Et je vous trouve resplendissants. Tous les deux. C'est fou ce que ça nous change d'être ici. »

Il sourit en les contemplant, fourchette à mi-course entre son assiette et sa bouche. Puis il engloutit avec gourmandise la viande insipide et d'une tendreté inquiétante, avant de poursuivre : « C'est à ça qu'on reconnaît ce qu'est une terre d'accueil au sens le plus concret du terme. L'espace s'offre littéralement à nous. Il s'ouvre. Pas de haies entre les jardins, pas de volets aux maisons. J'ai rencontré le shérif, c'est un type formidable, très ouvert, assez calé en poésie moderne. Pas du tout l'idée qu'on se fait du policier raciste et bas de plafond. Un humaniste en uniforme. On circule facilement. Des axes simples, sans encombrements, une bibliothèque universitaire ouverte vingt-quatre heures sur vingt-quatre… »

C'est un cours ? s'interroge Sylvie. Une conférence ? Qu'est-ce qui lui arrive ? Hector lui paraît si lointain, si solennel. Elle aimerait qu'il se taise, qu'il lise elle ne sait quoi sur l'écran de son téléphone, se cure le nez, lui fasse un reproche, se lève de table pour ne pas rater le début d'un match. Elle ne veut pas de ce monsieur parfait, de ce père de famille responsable et organisé qui veille au bien-être des siens comme si la ligne de leur bonheur allait se dessiner entre les abscisses et les ordonnées d'un diagramme artificiel. Elle songe à la dernière fois qu'ils ont fait l'amour, toutes lumières éteintes, comme pour oublier le visage de l'autre, s'était-elle dit. Sous les draps, Hector s'était promené, si agile, avait-elle remarqué, malgré sa taille, malgré son âge, lui léchant la cheville, avant de s'en prendre à son coude. Combien êtes-vous là-dessous ? avait-elle failli demander, étonnée par l'inventivité de son mari. Y avait-il un atelier de Kâma-Sûtra à Earl University ? Ce n'était pas particulièrement agréable, trop distrayant. Cela menaçait sa propre concentration, fabriquait des contretemps fâcheux. Leur partition habituelle était au point. Elle s'y abandonnait comme à un morceau de musique connu par cœur, dont on ne se lasse pas et que l'on chante mentalement avec le disque ou l'orchestre, les yeux clos, bercé et emporté, confiant dans la résolution qui ne manque jamais d'advenir, une coda qui varie, certes, du baroque au classique, mais tient sa promesse. À un moment, elle lui avait tapé sur l'épaule, comme pour le rappeler à l'ordre, et s'en était voulu aussitôt, se traitant de conformiste et se disant que n'importe quelle femme à sa place aurait été reconnaissante à son mari de tenter d'innover après quarante années de vie commune.

« Il paraît que mon professeur de maths est un homme battu », lance Lester alors que son père, après leur avoir asséné l'organigramme du département d'études romanes dans son intégralité, marque une pause pour goûter les légumes qu'il a accommodés selon une recette de Farah.

« Qui te l'a dit ? demande Sylvie.

– Personne et tout le monde, répond Lester. On sait des choses. Il a parfois des marques sur le visage et il dit toujours du mal de lui-même. C'est un des symptômes, je crois. L'autodévaluation. C'est une façon pour la personne battue de justifier ce qui lui arrive. Sinon, en plus d'avoir mal aux côtes et au visage, la victime se torturerait à comprendre.

– Qui t'a expliqué ça ? dit Sylvie.

– Je l'ai vu dans une série.

– On n'a pas la télévision. On ne l'a jamais eue.

– Ça passe sur Internet.

– Comment s'appelle ce programme ? fait Sylvie d'un ton qu'elle espère détaché.

– *Wisteria Road*, je crois.

– C'est bien pour son anglais qu'il regarde des séries sur le Web, remarque Hector. C'est le meilleur conseil qu'on aurait pu lui donner.

– Mais son anglais est déjà excellent, rétorque Sylvie. Lester est bilingue. Lester, tu es bilingue, n'est-ce pas ?

– Absalom Absalom, répond seulement le garçon.

– Et tes autres professeurs ? demande Hector.

– Ils ne sont pas battus », dit Lester avec le plus grand sérieux.

Sylvie éclate de rire. Elle ignore comment son fils s'y prend pour redonner sens à la vie. Elle l'a mis au monde et lui, comme en retour, comme en remerciement, ne cesse de réorganiser ce même monde afin qu'elle puisse y vivre. Il est soudain possible de parler, de raconter, de dîner en famille.

Alors elle raconte. Et tandis qu'elle décide d'évoquer son atelier de poterie, sa mémoire déroule un autre récit.

« Les expats », s'exclame-t-elle.

Elle explique que c'est une espèce à part. D'ailleurs on dirait le nom d'un animal. Les expats sont des gens qui s'ennuient, ont trop d'argent et se fréquentent entre eux. Ils redoutent d'entrer en contact avec les indigènes et espèrent être invités à toutes les fêtes du consulat. Ça, c'est la définition du dictionnaire, enfin, presque. Ceux qui viennent à l'atelier de céramique ne correspondent pas à la description. Benoît porte des pulls troués et Maryline, des bottes en caoutchouc. Peut-être qu'à l'atelier d'écriture ou au cours de zumba, ils sont différents.

Et puis, ici, il n'y a pas de consulat. Lauren Brazelton, le professeur, est une artiste reconnue. On peut lire des articles sur elle. Elle a inventé une technique qui permet de réaliser des pièces d'une taille extraordinaire. C'est très laid, mais vraiment impressionnant. Enfin, Sylvie ne sait pas si c'est laid. Elle n'y connaît rien. Mais les tuiles géantes la laissent complètement indifférente, alors qu'elle trouve les pots de Benoît très réussis, avec de jolies couleurs. La couleur, c'est presque le plus difficile en céramique. On pose une nuance et après la cuisson c'est une teinte totalement différente qui apparaît. C'est imprévisible et il faut apprendre à prévoir l'imprévisible.

Hector est étonné par la quantité de paroles qui jaillit de la bouche de Sylvie. C'est comme si une source tarie redonnait une eau claire et abondante. Il hésite à lui faire remarquer qu'eux aussi sont des « expats ». Il se demande s'il doit lui conseiller de lire un excellent livre consacré à la poterie qui explique les phénomènes physiques intervenant lors de la cuisson et propose des méthodes permettant de les maîtriser.

Il se tait.

Il la regarde parler, sans écouter vraiment. Son menton avance légèrement quand elle exprime une chose qui lui tient à cœur, et, bien que cela l'enlaidisse un peu, Hector aime cette tension de la mâchoire qui témoigne de sa difficulté à prendre la parole. Il aime la dominer, être plus fort et plus intelligent qu'elle. Dès qu'il se l'avoue, il a honte et considère ce penchant comme indigne de lui, indigne d'elle, du couple qu'ils forment. Dès qu'il se l'avoue, il redoute la revanche de Sylvie et pense à la formule de Napoléon Ier sur la Chine. Quand Sylvie s'éveillera, songe-t-il, le monde entier tremblera. Il voit son inertie comme une menace. Il se souvient d'une époque où elle était différente, agitée, rapide. « Petite chèvre », l'appelait-il, moquant son passé de bergère et reprenant le sobriquet affectueux de Julia Prinsep Duckworth Stephen pour surnommer Virginia, le futur grand écrivain. Quelque chose s'était brisé, ou avait reflué – comment savoir ? –, avec la mort de l'enfant. Enfin, plutôt du nouveau-né. Un bébé femelle. Hector en avait pleuré, secrètement, jusqu'à en avoir des douleurs aux clavicules. La petite fille lui manque encore aujourd'hui. Trente ans plus tard, elle a des tresses roux vénitien, de longs yeux noisette presque bridés, le teint blanc et une petite moue malicieuse quand elle tord la bouche sur le côté. Il s'efforce de ne jamais penser à elle, mais elle apparaît, comme de sa propre initiative, éternellement âgée de sept ans, docte et tendre. On dirait qu'elle le surveille de là-haut, d'en bas, de tout autour, depuis les limbes liquides qu'elle n'a jamais quittés. Il lui arrive aussi de penser que cette enfant n'est autre que Sylvie, la Sylvie sauvage et campagnarde d'avant leur rencontre, celle qui se débrouillait seule et savait tout faire avant qu'il ne se mette à commenter chacun de ses gestes, au point qu'elle était devenue cette étrange manchote pourvue de mains, une femme inutile, inactive, illustration vivante du dogme taoïste du non-agir. Quel repos c'est, mais quel regret parfois, proche de l'épouvante. Est-ce un crime qu'il a commis ? Elle avait semblé si consentante, réclamant presque l'amputation, comme si ses jeunes années d'efficacité l'avaient épuisée pour le restant de ses jours.

« On aurait dit les azalées de mister Black ! » s'exclame-t-elle.

Hector sort de sa rêverie.

« Mister Black ? demande-t-il.

– Tu sais bien, le paysagiste qui ne connaît qu'un genre de

fleurs. Celui dont le jardin ressemble à la surface de la lune. Je t'ai parlé de lui. Je l'ai rencontré quand je m'étais perdue.

– Oui, ça me revient. Et toi, alors, qu'est-ce que tu fabriques dans ton atelier ? Pourquoi tu ne rapportes jamais rien à la maison ?

– J'attends de faire une pièce qui en vaille la peine. Pour l'instant, je passe mon temps à regarder la terre en espérant qu'il en sorte quelque chose. Une idée. Je n'ai pas d'idée. Il en faut une pour commencer, même si on ne parvient pas à la réaliser. Par exemple, Marie-Christine, elle a décidé de faire un masque mortuaire de son mari. Il est mort subitement, il y a deux ans, alors qu'ils déjeunaient ensemble au restaurant. Il s'est tourné vers le garçon, a précisé qu'il ne voulait pas de salade, même sur le côté, avec son steak, et quand il s'est retourné vers elle, il était mort. Il est resté comme ça, quelques secondes, droit sur sa chaise, mort. C'est ce qu'elle m'a expliqué. Elle m'a dit qu'elle ne comprenait pas ce qu'il avait parce qu'il avait l'air opérationnel – c'est le mot qu'elle a employé – sans doute grâce au maintien que procurent les fauteuils très enveloppants de cet établissement. D'ailleurs il avait demandé l'adresse du fournisseur et voulait le même pour son bureau. Donc il s'est retourné vers elle, déjà mort, et il est resté un instant comme ça, là, mais vide, avant de s'effondrer. Marie-Christine essaie de reproduire le visage qu'il avait durant ces quatre ou cinq secondes. Elle dit qu'elle ne pourra jamais l'oublier.

– Et donc, ça donne quoi ? C'est pas très gai.

– Laisse-moi finir. C'est pire que ça. Au bout d'un an d'atelier, elle est toujours sur la même pièce, un visage. Elle repart de zéro à chaque séance, et à chaque séance, le résultat est le même. Elle repart en disant : “Quoi que je fasse, je n’y peux rien, j’essaie de reproduire le visage de Raymond et chaque fois, il ressemble à ma mère.”

– Peut-être que Raymond et la mère de Marie-Christine avaient la même tête, suggère Lester.

– Je n’y avais pas pensé, mais tu as raison. Ce genre de ressemblance est courant. »

Sylvie se demande si Lester lit dans les pensées et, si oui, avec quel degré de clarté. Car, tout en parlant de l’atelier, elle a laissé refluer en elle un souvenir auquel elle n’aimerait pas qu’il ait accès. Cela s’est produit quand elle a prononcé le mot pot. « Les pots de Benoît, a-t-elle dit, sont très réussis. » Un terme qu’elle emploie rarement, du reste Benoît les appelle ses « timbales ». Lorsqu’il lui arrive de le prononcer, elle ne peut s’empêcher de remonter trente-cinq ans en arrière. Elle entend de nouveau la remarque d’Edwina, surprise au téléphone avec une amie, quelques semaines avant le mariage. Sylvie, depuis l’entrée qu’Edwina s’évertuait à appeler « l’antichambre », avait entendu sa belle-mère dire : « Un pot de yaourt ! Je ne peux pas te dire mieux. Ou plutôt si, un pot à tabac. Des petits bras, le dos long, les fesses basses, les hanches larges et avec ça, pas du tout de poitrine. Aux antipodes de la taille mannequin que nous avions toi et moi. Tu te rappelles, au concours de plongeon ? On nous appelait les sirènes. Nos corps, c’était tout de même quelque chose. Alors que là ! Elle est jeune en plus. Qu’est-ce que ce sera avec les années ? Impossible de savoir ce qu’Hector lui trouve. L’année dernière il sortait avec une certaine Coralie, fille de militaire, une sacrée pouliche, et fine en plus, futur médecin. Mais bon, que veux-tu ? Le mariage est pour bientôt, on ne peut plus reculer. Elle va être affreuse dans sa robe. J'en rirais presque. » Sylvie avait entendu tout cela. Elle aurait eu envie de nuancer en précisant que son corps, bien que disharmonieux, était très fonctionnel. Ses jambes courtes avaient beaucoup de force et son buste étroit ne pesait rien. Elle n'était jamais encombrée par sa poitrine, et ses bras, courts eux aussi, avaient la puissance d'un étau. Elle aurait également pu, pour sa défense, raconter à Edwina la scène avec John, son beau-père, le mari d'Edwina, le père d'Hector. Sauf qu'elle n'avait pas encore eu lieu à l'époque.

Ce serait huit ans plus tard. John lui avait demandé de passer le voir à son bureau. Quoique à la retraite depuis près de vingt ans (il était plus âgé que son épouse), il continuait d'avoir un bureau à lui dans la banque dont il avait hérité, qu'il avait dirigée et aurait aimé voir reprise par un de ses fils. Un neveu avait sauvé Hector et ses frères – Simon était chirurgien esthétique à Moscou et Jerry musicien à Goa – de ce mauvais destin. On aurait dit une chambre plus qu'un lieu de travail. Les rideaux en velours vert bouteille masquaient le soleil sur quatre mètres de hauteur, ne laissant filtrer qu'une lame qui découpait la pièce comme un hachoir d'or. Une table et un fauteuil étaient ainsi tranchés par le milieu. John était assis dans l'autre fauteuil, celui qui demeurait dans l'ombre. Il avait invité Sylvie à s'installer sur la banquette, dans l'ombre elle aussi, mais de l'autre côté du glaive de lumière. « Voilà », avait-il dit de sa voix douce, juvénile, émoussée par une consommation quotidienne de cigares. Son accent était léger, presque imperceptible. Il parlait si peu qu'on n'avait pas le temps d'en distinguer la trace. Ses phrases étaient toujours courtes, souvent interrompues. Il se contentait de l'amorce et comptait sur l'auditeur pour en déduire la suite. Sylvie avait, dès leur première rencontre, apprécié sa discrétion proche du mutisme. Elle aimait son visage parcheminé et les taches brunes sur ses longues mains d'adolescent.

« Voilà », avait-il répété.

C'était à elle de trouver la suite, mais elle n'y parvenait pas. Qu'attendait-il ?

« Vous me faites penser à… avait-il fini par dire avec un soupir, comme si l'effort produit pour prononcer ces mots l'épuisait déjà. Vous me faites penser à une statuette inca. Ramassée, énigmatique, primitive. Votre corps… »

Il s'était arrêté de nouveau et l'intimité soudaine qu'avaient fabriquée ses paroles paraissait irrésistible. Ils ne pourraient plus retourner en arrière, en amont. C'était étrange aussi que ce discours incongru, inattendu, indécent semblât, aussitôt prononcé, parfaitement naturel, presque inévitable, comme s'il n'était que l'expression d'un sous-entendu qui se serait depuis longtemps installé entre eux.

« Votre corps est tout à fait merveilleux. Il est antique. Les corps aujourd'hui se ressemblent tous, vous avez remarqué ? Modelés par la nourriture, le sport. Vous êtes une femme des cavernes. La femme originelle en somme. J'aimerais beaucoup… »

Il avait marqué une nouvelle pause, en pleine phrase, comme à son habitude. Sylvie avait senti un désir absurde monter en elle, un désir archaïque, antique, de femme des cavernes.

« Je suis très âgé, vous savez ? Quand j'ai épousé Edwina, j'avais déjà cinquante-trois ans. Je n'avais jamais songé à me marier. J'avais été amoureux une fois, très jeune. J'avais dix-neuf ans. Elle était majeure. Elle m'avait détourné. Elle est morte alors qu'elle était enceinte de moi. Ses parents n'ont pas voulu me dire à quoi elle avait succombé. Dans le journal non plus ce n'était pas précisé. “Nous a quittés”, disait le carnet. J'ai été aussi malheureux qu'on peut l'être. Je m'en souviens, mais plutôt comme d'une chose que l'on m'aurait racontée. Comme si c'était arrivé à quelqu'un d'autre. Parce que, après ça, pendant très très longtemps, j'ai absolument perdu de vue ce qu'était un sentiment. Edwina était la fille d'un ami. Je l'ai connue presque enfant, mais elle était déjà très autoritaire. Elle aime gouverner, vous avez remarqué, je pense, et j'avais finalement besoin d'être gouverné. Ce n'est pas une femme très sensuelle. Nous sommes inégaux de ce point de vue. Je veux dire, nous tous, les humains. Certaines peaux ont faim et soif. D'autres… »

Il s'était interrompu encore une fois et avait regardé Sylvie qui le dévisageait, fascinée comme par le spectacle d'une mer déchaînée, quelque chose d'indomptable.

« Cela fait très longtemps que je n'ai pas… Heureusement, l'âge, en même temps qu'il vous prive de vos fonctions vous prive aussi de l'envie. On dort moins, on mange moins. C'est une rengaine connue et rebattue. Mais parfois, on s'interroge. Vous est-il déjà arrivé de regarder un enfant sautiller d'un pied sur l'autre en vous demandant pourquoi, tel jour, à telle heure vous avez définitivement renoncé à vous déplacer ainsi ? Non pas que ce mode de locomotion soit plus rapide ou plus élégant qu'un autre. Seulement, c'était le vôtre. J'aimerais beaucoup. Accepteriez-vous ? C'est sans conséquence aucune. Cela resterait entre nous. Ne vous sentez pas obligée. C'est une faveur que je vous demande. Vous n'avez aucune raison de m'obéir car ce n'est pas un ordre. Je ne sais pas comment vous le dire. C'est très simple, pourtant. J'aimerais. Mais sans que vous vous sentiez obligée. Je suis votre beau-père et c'est sans doute affreusement déplacé. Ce n'est presque rien. C'est une chose qui aurait pu survenir d'elle-même. Imaginez que nous habitions la même maison. Cela se faisait autrefois. Vous auriez été dans la salle de bains et je serais entré par mégarde. Rien. Presque rien. Un regard. Une fois. Avant de mourir. Encore une fois. Pour voir. »

Alors Sylvie s'était levée. Sans lenteur, sans affectation, elle avait retiré son pull-over, son tee-shirt, sa jupe, ses bottes, ses collants, sa culotte et s'était retrouvée nue. Les bras le long du corps, elle regardait John la regarder.

« J'en étais sûr, avait-il murmuré. Une femme des cavernes. »

Puis il avait fermé les yeux et d'épaisses larmes grises, presque opaques, s'étaient échappées de ses paupières.

Sylvie s'était rhabillée en vitesse, essoufflée comme si elle venait de courir, comme si elle venait d'éprouver une grande peur. Elle sentait le muscle de son cœur se contracter, frapper contre ses côtes, enfler dans sa poitrine. Ses jambes tremblaient, ses genoux se dérobaient sous elle. Saurait-elle encore marcher ? Qu'avait-elle fait ? Pourquoi ? Était-ce une faute ? Elle pensait à Hector et avait honte. Lui avait-elle plongé un couteau dans le ventre ? La nudité n'était pas si grave, en elle-même. Ce qui l'était davantage, c'était la puissance du désir, d'avoir ressenti cela, en vain, à contre-courant, à contretemps.

Un mois plus tard, elle avait découvert qu'elle était enceinte pour la première fois. John était mort pendant la grossesse. Hector semblait ne pas en éprouver le moindre chagrin. Pas plus qu'Edwina. Sylvie, les mains sur son ventre, pleurait beaucoup en se répétant « femme des cavernes ».

La machine à laver ne fonctionnait plus. Voilà que les problèmes, les vrais, commençaient. Sylvie avait remarqué plusieurs fois, au cours de sa vie, que les appareils électroménagers œuvraient comme autant de Cassandre inanimées et modernes. Un moteur lâchait, un boîtier électronique rendait l'âme, et c'était le signe avant-coureur d'une catastrophe plus grande, d'une mauvaise période qui ne prenait pas forcément fin avec la réparation. La semaine précédente, un premier indice s'était manifesté. Cette fois, c'était venu du lave-vaisselle. Hector avait démontré tant de fois à Sylvie qu'elle ignorait comment y ranger correctement les assiettes et les plats qu'il avait fini par renoncer à lui enseigner cet art et à prendre lui-même en charge cette tâche plus délicate qu'il n'y paraissait. Sylvie, lorsqu'elle ouvrait l'appareil, ne pouvait que constater l'efficacité et la sagesse de son mari. Chaque ustensile trouvait sa place, s'imbriquait dans un autre sans gêner la circulation de l'eau ni le ballet des tourniquets dispensateurs. Les couverts, rangés dans le panier supérieur, étaient si méticuleusement alignés qu'on aurait cru un bataillon prêt à lancer l'assaut. Tout brillait. Tout répondait à une volonté raisonnée, à un ordre suprême. C'était une forme d'expression à part entière, mineure certes, mais tout de même. On ouvrait le battant et un sentiment esthétique se dégageait du caisson, irrépressiblement.

Pourtant, quelques jours plus tôt, lorsque Sylvie avait tiré le plateau supérieur (elle avait le droit de ranger la vaisselle dans les placards, une fois le programme terminé), elle avait ressenti une inquiétude immédiate en découvrant l'anarchie qui régnait dans l'arrangement des couverts. Les cuillères à soupe chevauchaient les fourchettes, les couteaux se croisaient à angle droit, les cuillères à café s'empilaient, piégeant des miettes humides et des résidus de confiture. Elle en avait conçu une terreur enfantine. Avant même qu'une phrase ne se formule dans son esprit, avant que son cerveau ne comprenne. Quelque chose avait changé. Quelque chose d'important. C'était un augure. Un fort mauvais augure. Mais comment le déchiffrer ? Fallait-il tout laisser en l'état et attendre le retour d'Hector, lui montrer l'affreux bazar, étudier sa réaction, deviser avec lui du sens à donner au scandaleux désordre ? Était-ce arrivé pendant le lavage ? C'était l'hypothèse la plus rassurante, mais elle manquait de logique. Il y avait de plus fortes chances pour que ce fût le fruit d'un mauvais geste, d'une distraction, ou pire d'un tremblement. Le début d'une maladie neurologique, le tout premier symptôme d'une atteinte irrémédiable du système cognitif. Hector ne distinguait plus les couverts, bientôt il ne les reconnaîtrait plus, Lester et elle. Il ne fallait pas l'alarmer. Il fallait plutôt l'observer avec tendresse et, peut-être, consulter un spécialiste. Mais c'était idiot. Elle était idiote. Ce n'était rien. Rien d'autre qu'un hasard, un incident mécanique. Au moment de repousser le plateau, parfaitement organisé, quelque chose s'était coincé, Hector avait forcé, à peine, un cliquetis s'était fait entendre, mais parce qu'il pensait à autre chose, que son téléphone avait sonné au même instant, ou qu'elle-même l'avait appelé, il n'avait pas pris le temps de vérifier et avait enclenché le programme, sans imaginer le chaos du panier supérieur. Oui. C'était ça, l'explication, bien sûr. Et ça n'avait aucune importance. Ce n'était pas un signe. Il n'y avait rien à interpréter. C'était le résultat d'une infime brusquerie.

Elle collecta les couverts et les plongea dans une bassine d'eau chaude pour les laver de nouveau. Tandis qu'elle les remuait doucement, ses mains disparaissant sous la mousse, la rengaine de lady Macbeth lui vint à l'esprit : « Out damned spot ! Out, I say ! » Elle murmura : « Va-t'en, maudite tache ! Va-t'en, te dis-je ! » La peau conserve la trace de nos crimes, les objets aussi.

Le soir venu, elle interrogea Hector qui rentrait de l'université, les cheveux et le cou chargés d'une odeur de forêt, de ruisseau. Elle prolongea leur baiser pour mieux s'enivrer de ce parfum dont il se parait dès qu'il mettait un pied dehors.

« C'est toi qui as rangé le lave-vaisselle, ce matin ?

– Pourquoi tu me poses cette question ?

– Je ne sais pas. Parce que, en fait… C'est bête. C'est que les couverts étaient tout en désordre.

– Oui ?

– Ça n'était jamais arrivé avant.

– Et alors ? Tu comptes me renvoyer pour ça. Tu veux passer une annonce pour trouver un meilleur mari ? Un domestique peut-être. Comment s'appelait-il déjà ? Tu peux le faire venir si tu n'es pas satisfaite de mes services. »

Tout en parlant, il lui chatouillait les côtes d'un doigt farceur. Sylvie rougit à cause de l'allusion à Zlatan. À cause de la honte qu'elle ressentait de s'être montrée inquiète pour rien. À cause aussi de Lester qui observait la scène d'un œil soucieux tout en remuant les lèvres bizarrement. Qu'avait-il à toujours marmonner ainsi ? Que pouvait-il bien raconter dans sa barbe pas encore poussée ? « Bande de nases. Sont complètement nuls, mes vieux. » Non. Sylvie était incapable de trouver les mots justes. On ne disait plus « nase », on n'appelait plus ses parents « mes vieux ». Quelles étaient les nouvelles formules ? Elle aurait pu se creuser la tête des nuits durant et enquêter auprès de milliers de jeunes gens sans pour autant mettre au jour l'argot personnel de son fils, son sabir secret : Protégez mes parents. Protégez-les d'eux-mêmes et des autres.

Sylvie détourna ses yeux de Lester et les plongea dans ceux de son mari qui la dévisageaient avec une légère fixité, une infime froideur. C'est un combat, se dit-elle. Quelque chose comme un affrontement à fleurets mouchetés, ou plutôt un de ces arts martiaux fantomatiques où l'on ne touche jamais l'adversaire tout en déployant la plus grande rapidité, la plus grande violence possibles. Hector et elle. Cela leur arrivait parfois. Cycliquement. De manière imprévisible pour l'un comme pour l'autre. Ils se retrouvaient sur un ring imaginaire et se cognaient, sans toutefois l'avouer, sans élever la voix. Elle lui reproche les couverts, il répond Zlatan. Une parade impeccable, mais qui, d'une certaine façon, le découvre. Le mari jaloux répond à la femme jalouse. Le désordre dans le lave-vaisselle était donc bien un signe. Le signe d'une distraction liée à une préoccupation plus importante. Qu'importe d'imbriquer les plats quand on rêve d'emboîter les corps ? Pourquoi ranger les couverts quand on se rappelle, ému, une tendre bagarre sous la couverture ? Mais que répondre alors ?

« Oui, fit Sylvie sans appliquer la censure indispensable. Zlatan ! L'homme idéal.

– Moi, déclara alors Lester, cessant brusquement son murmure indéchiffrable, je l'aimais beaucoup, Zlatan. Et il me manque. »

Sylvie se souvint de la tête de son fils nichée au creux de l'épaule de Zlatan, presque sous son aisselle, endormi, bienheureux. Elle quittait l'appartement en début d'après-midi et demandait à son homme de ménage s'il aurait la gentillesse de faire faire la sieste à l'enfant épuisé qui, malgré la fatigue d'une matinée au square, clamait du haut de ses deux ans : « Je refuse catégoriquement de dormir. » À son retour, elle les trouvait, enlacés, comme un grand frère protecteur et son cadet. L'aîné avait aussi les yeux fermés. Elle s'asseyait un instant, face à eux, sans faire de bruit, et écoutait leurs souffles mêlés avec le même recueillement ravi que pour une fugue de Bach. Jamais elle n'avait surpris son mari dans un pareil abandon avec leur enfant.

Hector appelait son fils « jeune homme », aimait lui taper virilement sur l'épaule et semblait s'ennuyer bien vite à son contact. Il tendait une oreille distraite aux discours que Lester s'évertuait à lui servir sans parvenir jamais à l'intéresser ni à l'impressionner. « Imagine si la Terre s'arrêterait de tourner sur elle-même, commençait Lester, quatre ans, le menton appuyé dans la main pour se donner l'air d'un érudit. Alors ce serait toujours la nuit d'un côté et toujours le jour de l'autre. La moitié de la planète mourirait de froid, pendant que l'autre mourirait de chaud. Alors les gens du côté de la nuit viendraient envahir les pays de l'autre côté et ce serait la guerre avec des millions de milliards de morts. Alors il y aurait un savant qui trouverait la solution et il pousserait la Terre pour qu'elle se remette à tourner, mais ce serait trop tard, parce que les humains seraient détruits. Et si ça arriverait, qu'est-ce qu'on ferait ? De quel côté tu crois qu'on serait, nous, la France ? »

Hector ne répondait pas. Il avait perdu le fil dès le quatrième mot.

« La Terre ne peut pas s'arrêter de tourner, finissait-il par déclarer.

– Pourquoi ? demandait Lester.

– Parce que, c'est comme ça. C'est de la physique. C'est une histoire de masse et de... Écoute, c'est très compliqué à comprendre, mais ne t'en fais pas. Elle tournera toujours.

– Oui, mais si elle s'arrêterait ? Et s'il y avait le Bing Boum. »

Hector regardait son Lester avec un mélange de lassitude et d'étonnement.

« Qu'est-ce que c'est que ça, le Bing Boum ?

– C'est le contraire du Bing Bang.

– On dit Big Bang.

– Oui, le Bing Bang. Le Bing Boum, c'est pareil, mais c'est à l'envers. C'est quand c'est la fin du monde. C'est quand il n'y a pas d'après. Parce que, avant le Bing Bang, il n'y avait pas d'avant. Plusque le temps n'existait pas.

– Puisque.

– Pluisque.

– C'est l'heure de te coucher, non ?

– Se coucher, c'est comme se réveiller, mais à l'envers. »

Hector appelait Sylvie à la rescousse. Il fallait mettre Lester au lit. Il était très fatigué.

Une fois que l'enfant était remisé dans sa chambre, Sylvie s'interrogeait :

« Il est très intelligent, tu ne trouves pas ?

– Qui ça ?

– Lester. Je me demande s'il n'est pas surdoué.

– Tous les petits garçons se posent des questions. Moi aussi, à son âge, je me passionnais pour l'Univers. »

Sylvie éprouvait parfois le besoin d'attirer l'attention d'Hector sur le fait qu'ils n'avaient qu'une vie et qu'un enfant. Un enfant unique et merveilleux qu'il fallait entourer de soins, protéger et admirer.

« Tu en feras un égoïste, répliquait Hector. Il faut laisser les enfants se dépatouiller avec la métaphysique. C'est privé. C'est comme… comme les caleçons. »

La métaphysique comme les caleçons ? Vraiment ? se demandait Sylvie. Quelle étrange comparaison. Surtout venant de la bouche d'un philosophe, d'un poète. Elle ne pouvait, toutefois, s'empêcher d'y voir une certaine sagesse. Se dépatouiller seul avec la métaphysique. Oui. Hector avait raison, à sa manière. Il s'agissait de laisser l'enfant tracer sa propre voie, trouver sa propre voie. Peut-être était-ce cela un père. Quelqu'un qui, tout en vous entendant, ne vous écoutait pas, comme pour vous signifier que l'interlocuteur, le vrai, était encore à venir, une chimère, une découverte, un graal.

Tout cela, Sylvie se le remémorait face au tambour immobile de sa machine à laver qui refusait de fonctionner. La Terre ne cessera jamais de tourner, mais les lave-linge obéissent à d'autres règles. À genoux devant l'appareil, elle ouvrit le hublot, introduisit sa main à l'intérieur du cylindre, palpa le métal moins froid qu'elle ne l'aurait cru, sentit les alvéoles, douces sous ses doigts, tenta de faire tourner l'ensemble en appuyant du plat de la main. Impossible. C'était bloqué.

Quelque chose coinçait. Il faudrait appeler un plombier. Un plombier dans un pays étranger, quelle épreuve ! Autant sauter d'une falaise.

Alors elle sauta. Elle appela French Bob au téléphone et lui demanda conseil. C'était facile. Elle voulait savoir pourquoi c'était facile ? Il allait lui dire pourquoi c'était facile. Parce qu'il était ami de l'enfance avec Doctor Pipes en personne, le meilleur plombier de toute la Caroline du Nord. Un expert et pas cher. Il parlait français. Elle voulait savoir pourquoi il parlait français ? Il allait lui dire pourquoi il parlait français. Parce qu'il était originaire de La Nouvelle-Orléans. Easy. Elle l'appellerait de sa part. De la part de French Bob. Pourquoi ? Parce que Doctor Pipes était très, très pris. Mais si elle l'appelait de sa part, alors le docteur des tuyaux il viendrait en troisième vitesse.

« Comment vous remercier, cher Bob ?

– C'est mon plaisir », répondit-il, d'un ton si mielleux que Sylvie regretta de lui avoir demandé ce service.

Elle n'avait pas eu le choix. Le docteur viendrait. Elle espérait qu'il ne porterait pas un short d'explorateur.

Pour se distraire de cette avalanche de soucis domestiques, Sylvie décida de s'accorder une promenade en voiture. Elle avait pris cette habitude et développé pour cela une méthode simple mais très satisfaisante. Comme Hector avait entré leur adresse dans le système de guidage de l'automobile sous le terme *Home*, elle filait au hasard, dans n'importe quelle direction, se laissant attirer par une couleur, un nom sur un panneau et, quand elle en avait assez, il lui suffisait d'actionner le GPS. Elle appuyait sur *Home* et, c'était magique, où qu'elle soit, son énorme 4 × 4, dont elle arrivait à peine à atteindre les pédales, s'en retournait, tel un cheval muni d'œillères, à la maison.

Ce jour-là, son errance la mena aux confins de la ville, elle prit la direction de Chapel Hill et s'arrêta sur le bord d'une route qui longeait un champ de coton. Le soleil déclinait et bientôt, il tomba de l'autre côté de l'horizon, enflammant les rameaux nus qui bordaient la parcelle, un très bref instant, comme pour un incendie minute. Les boules blanches pendaient, tendres et mélancoliques, au bout des tiges brunes qui ressemblaient à du bois mort. Le contraste entre la douceur immaculée des pompons et l'austérité des brindilles qui les soutenaient prêtait à rire, ou à douter. Quelqu'un, nuitamment, armé de nombreux paquets d'ouate hydrophile, était venu en coller partout pour décorer les branches mortes. Il y a de la vie sur la mort, se dit Sylvie, submergée par une tristesse dangereuse. Un sentiment profond à donner le tournis, au point de perdre ses réflexes, d'oublier de respirer, de ne plus se souvenir comment il fallait s'y prendre pour vivre. Elle écarquilla les yeux, comme au réveil d'un cauchemar, et fit demi-tour, sans prendre le temps de cliquer du bout de l'index sur la petite icône en forme de maison qui correspondait au mot *Home*. Elle retrouverait son chemin toute seule.

C'est le milieu de l'après-midi et Lester regarde attentivement sa main droite. Assis sur son lit, il tire de son sac à dos une feuille de papier avec laquelle il masque son index, son majeur, son annulaire et son auriculaire gauches. Il examine sa paume et son pouce, très concentré, en s'efforçant d'oublier le reste de sa main dissimulé par le rectangle jaune. Il respire péniblement. Renifle. « Dieu, mon joli. Où étais-tu ? Mon tout tendre, mon hôte, mon bienfaisant, pourquoi détournais-tu les yeux ? Dieu, fais que les doigts de Lucas repoussent. Ou alors fais qu'il soit plus heureux sans doigts. » Lester tremble trop. La feuille bouge, découvre ses premières phalanges. Tout son corps s'agite, se secoue comme s'il sanglotait, pourtant aucune larme ne vient. Son ventre se soulève comme pour vomir, mais rien ne sort de sa bouche.

Il a entendu la première rumeur dans les couloirs du collège. A voulu ne pas y croire. Se boucher les oreilles. Refuser les mots anglais. Se réfugier dans l'innocence du monolinguisme. Mais les mots, bien que prononcés par des Américains, sont les mêmes : attack, terrorist, France, concert, Paris, football, Bataclan, stadium, restaurant. Pas de traduction nécessaire, un simple changement d'orthographe, de prononciation : attaque, terroriste, concert, football, stade, restaurant. Pourquoi fallait-il que les langues fussent soudain transparentes, superposables. On ne pouvait pas ne pas comprendre. Même Sylvie comprendrait.

Il ne fallait pas qu'elle sache. Comment l'en empêcher ? Protégez mes parents. Protégez-les de la violence du monde, de la tristesse.

Il a quitté l'établissement sans prévenir personne. Il a couru. Un goût de sang a coulé dans sa gorge au quatrième kilomètre, comme si chaque pore de sa muqueuse avait exsudé de minuscules gouttelettes ferrugineuses, mais il a continué, ses jambes comme des roues, déployant une foulée régulière, absorbant les aspérités de la route, des trottoirs. Il a filé en sens inverse du flot des voitures qui s'écartaient sur son passage, le klaxonnant à l'occasion lorsqu'il empruntait des voies interdites aux piétons. Il a longé des autoroutes, s'est enfoncé sous des tunnels, aveuglé par la lumière des phares. Il ne connaît que ce chemin, celui qu'emprunte le bus jaune. Il a suivi le fil déroulé par sa mémoire. Au bout d'une heure, il a atteint Beech Drive. S'est rassuré en constatant qu'il n'y avait pas de véhicules garés dans l'allée. Ses parents étaient à l'abri, quelque part, ailleurs. Pourvu qu'ils ne sachent rien, que leurs appareils cessent de capter, que les personnes qu'ils rencontrent se taisent. Lester aurait voulu, comme dans *La Belle au bois dormant*, plonger le royaume entier dans un sommeil de cent ans, tout figer, appliquer un index sous la taille étroite du sablier, arrêter le temps.

Il s'installe devant l'ordinateur familial et cherche comment le déconnecter, en modifier les contenus. Il veut croire que ses parents seront préservés, qu'ils ne croiseront pas le moindre écran, que lui, Absalom Absalom, dit Lester par certains, parviendra seul, seul contre le flot de l'information, à protéger leur ignorance. Mais c'est comme construire une digue de sable contre une marée montante. À peine a-t-il ouvert l'appareil que cela suinte et inonde. Les alertes, les messages. Pourquoi Sandra a-t-elle posté ces phrases ? Qu'est-ce qui lui prend de parler des doigts de Lucas ? Comment a-t-elle su ? Si vite ? Est-ce qu'elle y était aussi ? Le concert au Bataclan, combien d'élèves du collège ? *C'est trop horrible. Je suis mal. Lucas a perdu quatre doigts. Trop dégoûtée. J'ai envie de mourir. J'ai envie de les tuer.* Lester ne veut pas lire les mots de Sandra – Sandra qui n'a jamais été une amie, dont il déteste les heueueu-heueueu, les écharpes molles parfumées à la cigarette –, mais les mots de Sandra forment comme des lianes, une jungle qui envahit tout, qui suggère, donne à voir et transforme. Peut-être était-elle à côté de Lucas. Là, dans la salle de concert, soumise à la terreur, avec des hommes cagoulés qui tiraient sur la foule en hurlant, comme dans un film, comme dans les autres pays, pas comme en France, pas comme de nos jours. Avec des gens qui mouraient autour d'elle. Sandra a marché à quatre pattes, s'est faufilée entre les corps, a glissé sur du sang, s'en est barbouillé le visage en remettant une mèche en place. Elle a survécu parce qu'elle était à un endroit où les attaquants ne la voyaient pas. Ils criaient, elle entendait leurs voix. Elle a réussi à gagner une issue et, dès qu'elle a été dehors, alors que les policiers l'éloignaient, s'occupaient d'elle, elle s'est connectée sur Facebook et elle a écrit, comme si c'était urgent, comme si la vie des autres coincés à l'intérieur en dépendait, quelques mots à propos de quatre doigts coupés. Elle a parlé des doigts de Lucas avant que les parents de Lucas, ceux qui avaient fabriqué les quatre doigts à présent pulvérisés, ne sachent ce qui était arrivé à la main de leur fils. Lester en est certain. Sandra l'a su, l'a dit, et d'autres gens de son âge qui l'ont su l'ont dit à leur tour avec une rapidité, une violence, qui l'effraient presque autant que celles développées par les armes. C'est une boue semblable à celle qui suit les inondations et cause autant de dégâts que l'eau elle-même. Les vieux sont plus lents, plus longs à atteindre. C'est vendredi soir, ils dînent dehors, ils sont au cinéma ou regardent une série dans leur salon. Ils ont laissé leur portable dans un sac à main, l'ont éteint, l'ont oublié dans la cuisine. Ils ne savent rien du sang de leur fils qui coule sur le plastique d'une civière, ils ne soupçonnent pas les échanges lyriques, pathétiques qui se répandent à l'instant sur la Toile à propos des Lost Raphaels, le groupe dans lequel Lucas était bassiste et qui va devoir se dissoudre, faute de doigts. Ils ne participent pas à la polyphonie horrifiée des contacts, des amis, ceux de la vraie vie et ceux que le Réseau nomme ainsi. Disons que le père de Lucas a emmené sa nouvelle petite amie dans un restaurant italien spécialisé dans la gastronomie des Pouilles et qu'à l'instant où des dizaines d'adolescents pleurent la perte des doigts de Lucas, il pose les siens sur le genou de celle avec qui il commence sérieusement à envisager de faire un nouveau bébé. De son côté, la mère de Lucas, ancienne minime du Paris FC, savoure sa soirée foot entre copines, les yeux rivés sur un écran géant, tout en mangeant des chips jusqu'à l'écœurement parce qu'elle cherche en vain à prendre du poids ; elle lèche le sel sur ses doigts ; les doigts de sa main gauche, les doigts de sa main droite ; ses dix doigts, quoi de plus normal ? tandis que son fils – mais elle l'ignore encore – n'a plus qu'un pouce à la main gauche.

Et encore, ce n'est rien, songe Lester en imaginant les parents, les enfants, les amants, maris, maîtresses, amantes, amis, neveux, petits-enfants joyeux, tranquilles, trinquant, dormant déjà, lisant un livre, faisant l'amour, dégustant une choucroute, nageant dans un lagon à des milliers de kilomètres, triant les médicaments périmés, s'engueulant avec un voisin, buvant un biberon, pendant que leurs enfants, leurs parents, leurs maîtresses, leurs femmes, leurs amants, leurs amis, leurs tantes, leurs grands-parents sont criblés de balles, écrasés sous d'autres corps, blessés à mort, amputés, visage sali par des morceaux de cervelle. Ils ne savent encore rien et lui, Lester, qui ne les connaît pas, sait tout. Il voit tout sur l'écran, sur son mur. Un mur qui ne le protège pas mais l'expose, expose la mort avec une indécence qui la rend presque grotesque.

Mais peut-être Sandra était-elle ailleurs, en sécurité. Peut-être a-t-elle appris la disparition des doigts par un autre, par une autre, assoiffés comme elle de communication, de lien. La seule chose qu'elle pouvait faire : le dire à son tour, s'émouvoir, exhiber la grandeur de son cœur qui n'a d'égal que la rapidité de sa connexion. Lester voudrait fermer les yeux, éteindre l'ordinateur. Il voudrait surtout que le monde se taise, que la rumeur reflue et emporte vers le large l'horreur de l'assaut, enferme le réel dans un sanctuaire, une crypte impénétrable, afin de le confiner dans un coffrage, tel un déchet radioactif. Lester pose les mains sur ses yeux. Il ne supporte pas le contact de ses propres doigts sur la peau de ses joues. Son visage est brûlant. Ses mains lui font horreur. Il éteint l'ordinateur et monte dans sa chambre. Il tire de son sac à dos une feuille de papier avec laquelle il masque son index, son majeur, son annulaire et son auriculaire gauches. Il examine sa paume et son pouce, très concentré, en s'efforçant d'oublier le reste de sa main dissimulé par le rectangle jaune. Il respire péniblement. Renifle. « Dieu, mon joli. Où étais-tu ? Mon tout tendre, mon hôte, mon bienfaisant, pourquoi détournais-tu les yeux ? Dieu, fais que les doigts de Lucas repoussent. Ou alors fais qu'il soit plus heureux sans doigts. »

Sylvie est arrivée en avance à l'atelier et Lauren lui propose de boire un thé vert en attendant les autres. Frappée par l'élégance et le naturel de cette proposition, Sylvie se promet de retenir la formule. Dès demain, elle achètera du thé vert ; ainsi, lorsque Hector et elle recevront de la visite – s'ils en reçoivent un jour –, elle dira, d'un ton parfaitement naturel : « Je vous sers un thé vert ? » et, quelle que soit la personne invitée, celle-ci se sentira immédiatement à l'aise, confiante dans le sérieux et le bon goût de la maison.

Lauren pose deux tasses en porcelaine ordinaire, à motifs de fleurettes, sur l'immense table en bois qui trône au centre de l'atelier, une planche d'auscultation pour géants, le lit de Gulliver chez les Lilliputiens. Sylvie est déçue par la vaisselle. Elle se serait attendue à déguster sa boisson verte aux relents d'algues et de riz complet dans une timbale irrégulière et vernissée, un magnifique objet d'artisanat.

Lauren pousse un soupir, se prend la tête dans les mains et se met à parler de ces cours qui sont tellement assommants. Mais pour un artiste, c'est important d'avoir une activité régulière, quelque chose qui rythme les journées, leur donne un cadre. Le problème, ce n'est pas vraiment l'astreinte, le temps pris sur la création, le problème, c'est la confrontation avec ces gens.

Sylvie a un infime mouvement de recul. Ces gens, c'est-à-dire elle-même, mais elle n'ose pas interrompre Lauren.

Ces gens… pffff… qui ne sont tellement pas des artistes. Ils veulent fabriquer quelque chose. Ils ont une idée, une ambition, un but. C'est tellement bourgeois. Ils se fichent du geste. Ce qu'ils veulent, ce qu'ils visent, c'est le résultat. Et après, la gratitude, les félicitations, la récompense. Ils passent complètement à côté du travail de la terre. Le travail de la terre est un travail sur soi, un travail sur l'homme. Adam, c'est *adama*, la terre en hébreu. Si tu touches la terre, tu touches l'humain. Adam n'est ni mâle ni femelle, ni mal ni bien. Quand tu touches la terre, tu touches la création, la seule vraie création. L'invention de la forme. L'incarnation. L'enfantement.

Elle pose une main sur la joue de Sylvie et la caresse longuement.

« Tu n'es pas comme eux, déclare-t-elle d'un ton rêveur, presque interrogateur. Tu es plus… »

Plus bête, aurait envie de répondre Sylvie, mais elle se retient.

« Toi, tu vas nous faire du brutalisme, sans béton. Un brutalisme terre à terre. L'architecture est ma plus grande source d'inspiration. La terre. La maison. Nous. »

Lauren continue de caresser le visage de Sylvie, comme si c'était une pièce qu'elle venait de sortir du four, un biscuit encore un peu brut qu'elle prendrait le temps de polir et de limer. Sylvie se laisse faire, curieuse du contact, étrangement détachée. Soulagée aussi que sa peau parle à sa place, car elle serait bien en peine de devoir s'exprimer sur l'art, et plus encore sur la brutalité, bien qu'elle ne soit pas certaine que ce soit le mot exact qu'a employé son professeur.

« Je te regarde faire depuis plusieurs séances. Normalement, je m'ennuie pendant les cours. Mon urgence, c'est qu'ils repartent, qu'ils repartent tous pour me laisser travailler. Ça me fait comme une démangeaison. J'ai besoin d'aller à la terre, mais je sais qu'il ne faut pas. Je suis payée pour ce que je fais ici, avec vous. Je veux exécuter correctement mon travail. Gagner de l'argent, ce n'est pas rien. Je prends l'argent au sérieux. Alors je me rends disponible. J'écoute, j'assiste. Et toi, je te regarde. »

Sylvie se demande ce que Lauren peut trouver de si intéressant dans cette contemplation bihebdomadaire. Car elle, Sylvie, ne fait rien avec la terre. Elle demeure face à la table et, les mains sur les genoux, elle attend que quelque chose vienne. L'inspiration, pense-t-elle. Un mouvement qui fuserait du cœur, ou du ventre, ou peut-être de l'extérieur, d'en haut, du ciel. Une lumière comme un halo se poserait sur son front, et alors, sans avoir besoin de réfléchir, de rien prévoir, ses pattes courtes, ses doigts malhabiles et inexpérimentés entreraient en action.

Après plusieurs heures passées ainsi à ne rien fabriquer, à observer les autres du coin de l'œil, timidement, clandestinement, elle s'est mise, prenant exemple sur Benoît, à rouler des boudins, des boudins qu'elle a empilé en cercles afin de produire quelque chose qui ressemblerait à un objet. Mais la terre s'est affaissée rapidement et ses cylindres se sont effondrés. Devant elle, une collection de trompes d'éléphant du même gris humide, possédant la même souplesse et une tristesse dont ces animaux hypersensibles semblent avoir le secret.

« Tu ne fais rien, poursuit Lauren. Tu restes là, presque les mains dans les poches, comme si tu refusais quelque chose, comme si tu faisais la tête. Et c'est précieux pour moi, cette bouderie, cette attente, cette reluctance – c'est français ce mot ? Il existe ? Pas d'impatience chez toi, pas de volonté de prouver quoi que ce soit. C'est l'humilité première, primaire, le douloureux et nécessaire constat de l'incapacité. Commencer par penser que l'on n'est pas capable, c'est le préalable à tout ce qui suit. Tu n'imagines pas les heures que j'ai passées, ici même, le corps entier paralysé, comme serré dans une gangue, à vouloir être ailleurs, à prier pour qu'on me libère, pour que le sol s'ouvre sous mes pieds, que le toit soit soufflé par une tornade, que la police débarque et m'emmène en prison. Tout, plutôt que d'affronter la terre. Comme si c'était aller forcément au-devant d'une souffrance, une souffrance intolérable. Et parfois, quand mes mains, mes bras, mon dos travaillent, je me demande ce que je redoutais, car, à cet instant, celui du travail, je ressens un bonheur plus fort qu'à n'importe quel autre moment de ma vie. Je me sens évadée et puissante, et je m'amuse follement. »

Sylvie a du mal à s'imaginer comment quiconque pourrait trouver de la joie, encore moins de l'amusement, dans la fabrication de ces immenses tuiles sinistres qui se ressemblent toutes. Elle ne comprend pas davantage comment on peut éprouver de l'effroi à l'idée de « s'y mettre », de commencer une œuvre. Est-ce le bon mot, d'ailleurs ? Une œuvre, un objet, quelle est la différence ? Ce qui la retient, de son côté, ce n'est pas la frayeur, c'est le vide. L'absence d'idée. Elle aimerait être comme les autres, même si Lauren se moque d'eux. Elle aimerait, comme ses collègues d'atelier, avoir une ambition, poursuivre un objectif, être bourgeoise. Cela lui paraît bien plus reposant, plus satisfaisant aussi qu'être pareille à Lauren, une artiste donc, avec ces questionnements alambiqués, ce discours dont Sylvie se demande s'il n'a pas été appris par cœur, tant il est articulé, saupoudré de termes et de tournures complexes. Sans doute que Lauren a dû répondre à un entretien ou produire un article et qu'à partir de là, elle s'est construit un boniment. Oui, un boniment, comme on dit pour les camelots qui vendent des casseroles antiadhésives en pierre volcanique sur les marchés de France.

Lauren a cessé de caresser la joue de Sylvie. Elle la regarde à présent, avec ses beaux yeux en amande brun clair, presque jaunes. Sa bouche large aux lèvres pulpeuses et pâles s'est tue. Sa mâchoire un peu lourde, qui rend son visage à la fois si attrayant et légèrement repoussant, pointe vers l'avant, comme le menton d'un enfant qui en défie un autre, ou qui simplement s'imagine fort comme il ne le sera jamais, sur le point d'affronter un dragon.

« Tu me fais penser à une espionne du temps de la guerre froide, lui lance-t-elle soudain. Ton visage impassible face à la terre. Je suis experte. Ça n'arrive jamais. Les gens se jettent dessus. Certains la malaxent à n'en plus finir, d'autres la tabassent, l'aplatissent. C'est intéressant à observer et très révélateur, on voit qui a des comptes à régler, qui manque d'affection, qui s'abstient ou se retient depuis trop longtemps. On voit les frustrations, les désirs, les langueurs. Cela pourrait devenir gênant. C'est un peu embarrassant parfois, comme ces personnes qui te racontent un rêve et parlent d'un concombre géant qui était là, qui les poursuivait ou qui les menaçait, ils n'arrêtent pas de répéter “concombre géant” et toi tu entends “pénis géant”, mais tu ne dis rien, tu essaies de ne pas rougir. »

Sylvie n'est pas d'accord. Elle pense qu'un concombre géant est parfois ce qu'il est. Elle ne considère pas ce rapport entre légume et sexe comme évident. Toutes les formes sont voisines. Et quand bien même. Pourquoi le pénis aurait-il plus d'impact, de sens, de poids que n'importe quel autre élément du corps, de la nature, du cosmos ? Une fois qu'on a traduit concombre par pénis, qu'est-ce qu'on découvre ? Rien de spécial. C'est un jeu de substitution qui, selon Sylvie, ne se résout jamais, n'aboutit nulle part et qui possède, comme unique mérite, celui de clouer le bec au rêveur, de ridiculiser celui qui se confie.

« Il se peut que ton œuvre, reprend Lauren, soit, au fond, une œuvre en creux. Une œuvre du non-faire, de la résistance à la terre. J'aimerais beaucoup te filmer à la table. Toi et la terre, face à la terre. Toi qui ne fais rien. Avec tes mains cachées et ta tête d'énigme. Tu accepterais ? Je suis vidéaste aussi. On ferait une cosignature… »

Tout d'un coup, Sylvie sent monter en elle une envie qui la terrasse. Pareille à un rongeur débusqué dans sa cache, elle revoit entièrement son itinéraire, son parcours, ses besoins. À toute vitesse. Dans un sursaut de survie. Et elle sait alors très exactement ce qu'elle va faire avec la terre.

C'est alors que Thibault, le jeune homme de l'accueil à l'Alliance française, apparaît à la porte de l'atelier. D'un côté, son écharpe rouge lui descend jusqu'aux genoux, de l'autre, elle atteint péniblement sa poitrine. Cela lui donne un air étrangement déséquilibré. Son visage aussi est bizarre. Comme si on en avait retiré tous les éléments – nez, yeux, bouche, sourcils – et qu'on les avait recollés à la va-vite sur sa figure, pas exactement au bon endroit. Avant de pouvoir parler, il ouvre la bouche et pousse un long vagissement, le cri d'un veau que l'on arrache à sa mère. Des larmes ruissellent sur ses joues. Il grimace dans un vain effort pour maîtriser les manifestations désordonnées de son corps rendu fou par l'effroi et la peine. Il répète : « Le Bataclan, c'est tout près de chez moi. »

« Tu avais d'autres amis là-bas ?
– Oui.
– Ils ont été blessés ? Ils sont vivants ?
– Oui.
– Blessés ou vivants ?
– Les deux.
– Regarde-moi, Lester.
– Oui.
– Regarde-moi, chéri. Mon chéri. Je ne sais pas quoi te dire. Je n'avais pas pensé te mettre au monde pour vivre ça. Je pensais – c'est bête, je sais –, je pensais que le pire était derrière nous. Que nous étions, en quelque sorte, protégés par l'horreur du siècle dernier. Je sais bien que c'est idiot, parce que ce n'est pas une affaire de probabilités et que le répit entre deux catastrophes a toujours été court, même en Europe. Mais je n'arrive pas à y croire. Qu'ils aient recommencé, que ça continue, comme si maintenant, ça allait être ça, notre vie : une vie en guerre sans la guerre. Une vie de rats qui n'osent plus sortir de chez eux. Parle-moi, mon chéri. Tu es choqué ? Dis-moi. Tu es choqué ? »

Ils sont dans la cuisine. La nuit est tombée alors qu'il est encore tôt. Ni l'un ni l'autre n'a allumé la lumière. Mère et fils se tiennent dans une pénombre bleue qu'électrise la guirlande lumineuse entortillée autour des montants de la véranda de la maison d'en face. Sur le fronton, en lettres orange, clignote l'inscription « Thanksgiving Is Coming Soon ». Leurs visages sont alternativement indigo ou dorés, suivant le rythme d'allumage des différentes loupiotes.

Sylvie prend les mains de son fils dans les siennes. Elle s'approche encore et le serre dans ses bras. Lester lui semble étrangement inerte. Plutôt que de la rasséréner, le contact du corps mince de son fils la bouleverse et elle se met à sangloter.

« Je suis désolée, mon chéri. Je me sens coupable. On aurait dû faire quelque chose pour éviter ça, pour qu'on n'en arrive pas là. On aurait dû prendre garde. Mais à quoi ? Parle-moi, mon chéri. Dis-moi qui était là-bas.

– Des gens que tu ne connais pas.

– Mais toi, tu les connaissais ?

– On se connaît tous.

– Comment ça ?

– On est reliés.

– Qu'est-ce que tu racontes, mon poussin ? »

Sylvie s'éloigne de son fils, fait trois pas en arrière. Elle tire un tabouret de dessous la table et s'assied. Comme si cette révélation lui coupait les jambes.

« On est reliés par Internet. On se connaît plus ou moins tous dans un quartier, et même dans une ville.

– Mais c'est affreux ! Enfin, je veux dire, c'est merveilleux !

– C'est affreux, répète lentement Lester en articulant exagérément.

– Pourquoi c'est affreux ? demande Sylvie, dont la voix tremble. Comment c'est affreux ?

– C'est toi qui l'as dit, Sylvie. C'est toi qui as dit que c'était affreux. Ce n'est pas la peine que je t'explique.

– Mais si, c'est la peine. Parce que tout est tellement affreux que je ne sais même plus ce que ce mot signifie. Et appelle-moi maman, s'il te plaît.

– D'accord. Je t'appelle maman, maman. Mais alors c'est toi qui dois m'expliquer, parce que ce sont les poules qui font la leçon à l'œuf, pas l'inverse.

– D'où sors-tu ce dicton ?

– C'est une comptine qu'on avait apprise en maternelle.

– Je ne te crois pas, dit Sylvie en caressant tout doucement les cheveux de son fils qui s'est assis face à elle, sur une chaise un peu basse. Je ne crois presque plus rien de ce que tu me dis. Je suis bête, mais je suis ta mère. »

Ton corps parle à mon corps, pense-t-elle en regardant le visage de son fils inondé de candeur. Parfois il a l'air plus âgé qu'il ne l'est et, d'autres fois, c'est le contraire, il a son visage de bébé. Ton corps parle à mon corps, songe-t-elle sans oser lui reprendre la main. Même quand tu ne dis rien. Nous sommes reliés, nous aussi. Pas par Internet. Par quelque chose de plus mystérieux et de plus puissant. Chaque onde que tu émets, je la reçois, même si elle ne m'est pas destinée. Je passe beaucoup de temps à colmater, à empêcher l'information de me parvenir parce qu'il ne faut pas que je sache tout de toi.

« Tu devines tout, déclare Lester, qui sent le regard de sa mère pénétrer en lui comme un fluide d'une température parfaitement identique à celle de son propre corps. C'est parce que tu es une sorcière.

– Non. Toutes les mères sont comme ça. Mais certaines prennent la précaution, très tôt, presque dans les premiers jours de la vie de leur enfant, sans même le savoir, de fermer ce canal qui les relie. Elles ont sans doute raison. Moi, je l'ai laissé ouvert. Ce n'est pas de la sorcellerie. C'est à cause du chagrin. Je ne te l'ai jamais dit mais… »

Durant les quelques secondes que dure le silence, le panneau lumineux glorifiant l'arrivée imminente de Thanksgiving, sur la maison d'en face, cesse de clignoter pour ne plus diffuser qu'une lumière orange, plus vive, plus intense, et c'est comme si mère et fils prenaient feu. Et puis le clignotement reprend et Lester dit :

« Je sais, maman. Je sais que, papa et toi, vous avez perdu un bébé. Une fille. Longtemps avant ma naissance.

– Comment le sais-tu ? demande Sylvie d'un ton presque sévère. Si tu me réponds que tu l'as vu dans un dessin animé, je te préviens, je te donne une gifle. »

Lester sourit.

« Le canal dont tu parles, je crois qu'il fonctionne dans les deux sens. J'ai toujours su qu'il y avait eu ce bébé. Ce que je ne sais pas, c'est s'il était mort avant de naître, pardon, si elle est morte avant de naître ou après.

– Juste après.

– Combien de temps.

– Cinq ou dix minutes, je ne sais pas.

– Mais c'est tellement long, cinq ou dix minutes de vie. C'est aussi long que cent ans.

– Exactement, mon chéri. Exactement aussi long.

– Maman ?

– Oui ?

– Dis-moi pourquoi c'est affreux.

– Quoi, mon chéri ?

– D'être reliés comme nous le sommes. »

Sylvie réfléchit. Elle est intimidée à l'idée de s'adresser

à son fils qui sait tant de choses. Elle craint de dire une banalité.

« Ça m'est venu sans réfléchir. C'est à cause du choc. On a besoin de parler, alors on dit n'importe quoi. Je crois que… je crois que c'est parce que je suis quelqu'un de solitaire. Enfin, disons, j'imagine que, pour quelqu'un d'assez solitaire comme moi, cela paraît un peu effrayant…

– Qu'est-ce qui est effrayant, maman ?

– Je ne sais pas comment l'expliquer, mon chéri. Je me suis toujours rangée du côté des œufs, jamais du côté des poules.

– Au fait, ce dicton, je l'ai trouvé dans un recueil de sagesses juives.

– Merci. Merci de me dire la vérité. En échange, je vais essayer de t'expliquer pourquoi j'ai employé le mot "affreux". »

Sylvie prend une profonde inspiration, comme si elle s'apprêtait à battre un record d'apnée. « Nous sommes faits pour recevoir des chocs », déclare-t-elle d'un ton étrangement docte, un ton qui la surprend elle-même. Elle a l'impression d'être sous l'influence de Lauren, fortifiée par l'assurance de son professeur. Elle envisage d'improviser un boniment. Cela doit être si rassurant d'avoir quelque chose à dire. Elle se concentre, respire de nouveau profondément et se laisse guider par les mots eux-mêmes, comme s'ils précédaient sa pensée. « Ce sont les chocs qui nous façonnent, reprend-elle. Comme la terre à l'atelier de céramique. On assène des coups à une masse informe et, peu à peu, elle se dresse, elle se distingue. Je ne dis pas que les chocs sont nécessaires, mais ils font partie de l'histoire. Ils différencient les individus les uns des autres. Il peut y avoir des chocs positifs, bien sûr. » Elle s'interrompt un instant, suçote son auriculaire, comme pour se donner du courage, se remettre en confiance. « Donc… J'essaie de ne pas perdre le fil, mais c'est difficile. Les chocs. Voilà. Oui, des chocs, il en faut, mais pas trop. S'il y en a trop, au lieu de nous façonner, ça nous détruit. C'est comme si, au départ… Non, je n'y arrive pas. »

Lester fronce les sourcils, revêtant soudain une expression ancienne, une grimace qui déformait son visage de nourrisson lorsque quelque chose le contrariait.

« Maman, tu m'as promis, dit-il presque en gémissant.

– Alors, voyons… voyons voir… C'est une question de géographie. Un corps correspond à un espace. Par exemple, quand j'étais enfant, autour de mon corps il y avait la maison, le village et, un peu plus loin, la vallée et, plus loin encore, de l'autre côté, la haute montagne. Je connaissais les gens du village et ceux de la vallée. S'il arrivait malheur à une connaissance, on pleurait – surtout si on l'aimait bien, mais même si on ne l'aimait pas –, on allait lui rendre visite, on apportait quelque chose à manger, des fleurs. Et, à l'inverse, ou plutôt pareillement, si quelque chose de bien arrivait, on se réjouissait, on en reparlait toute la journée et on apportait aussi quelque chose à manger ou des fleurs. Tu comprends ?

– Oui », répond Lester d'un ton hésitant.

Il ne voit pas vraiment où sa mère veut en venir. Il pourrait presque regretter d'avoir insisté. Sans le vouloir, il cesse de l'écouter. Une autre voix en lui prend le dessus. « Dieu, mon ami, mon si cher, faites qu'elle se console. Faites que plus rien ne l'atteigne ni ne la blesse. Cette femme est ma mère. Elle est votre servante. Elle n'a plus de peau. Elle n'a plus de mots. Protégez-la, accordez-lui la douceur de votre protection. »

« Bon, alors, je continue, fait Sylvie. Maintenant, comme

tout le monde est relié, comme tu dis, on reçoit les malheurs de beaucoup plus de gens. Oh, c'est terrible. Je m'exprime mal. Quand on ne connaît pas les gens, le chagrin n'est pas tout à fait le même. Il est plus opaque. »

À cet instant, elle se met à crier. Elle est en colère. Elle ne maîtrise plus ni son débit ni le volume sonore de sa voix. C'est très rare que cela se produise et Lester la regarde et l'écoute, fasciné, comme s'il assistait à une mue indispensable et potentiellement fatale. Le ballet des lumières augmente l'étrangeté du moment, comme si on était au théâtre et qu'un effet, un peu lourd, avait été tenté par un metteur en scène amateur.

« Tu as remarqué ? Du matin au soir, presque tous les jours, des catastrophes, des crimes. Ça me donne l'impression d'être criblée, en morceaux. On écope, on écope. Mais la plupart du temps, on reste assis à côté de la radio, devant l'ordinateur, complètement cons. »

Elle éclate en sanglots et Lester la prend dans ses bras.

« Le monde n'est pas pire qu'avant, murmure-t-il dans les cheveux de sa mère, sans savoir si elle l'entend. Le monde n'est pas meilleur non plus. Il se manifeste différemment. On peut pleurer pour des gens que l'on ne connaît pas. Il faut pleurer pour ceux que l'on ne connaît pas. » Puis il ajoute, plus bas encore : « Et prier. Prier pour eux.

– Qu'est-ce que tu marmonnes ? demande Sylvie en reniflant. Tu te moques de moi ?

– Non. Je t'aime. »

Sylvie s'écarte soudain de son fils. Elle le dévisage. Quelque chose ne va pas dans cette réplique. Elle pense : Je n'ai pas élevé un enfant pour qu'il me rassure. Je n'ai pas élevé un enfant pour qu'il me dise « je t'aime » avec bienveillance. Quelque chose cloche chez ce garçon.

Lester, percevant qu'il s'est trop découvert, se met à rire et plaisante : « I love you, on est aux États-Unis, maman. Ici, on dit I love you comme chez nous on dit bonjour. Tu sais ? Dans les films. Même dans les publicités. I love you. I love you. »

Il exécute une danse en chantonnant des *I love you* sur tous les tons. C'est très convaincant, drôle, plein de grâce, mais Sylvie n'est pas dupe. Quelque chose cloche chez ce garçon.

Doctor Pipes avait sonné. Il fallait lui ouvrir. Il s'était déplacé un samedi. C'était une attention remarquable. Il n'avait actionné la sonnette qu'une seule fois malgré l'absence de lumière dans la maison, malgré le silence qui y régnait, et il attendait, droit dans ses souliers raffinés. Doctor Pipes était un homme élégant. C'est ce que découvrit Sylvie quand elle se résigna enfin à aller lui ouvrir. Il lui sourit aussitôt, avec un petit air pincé qui n'était pas l'effet de sa timidité mais plutôt d'une forme de circonspection.

« Hello, dit Sylvie d'une voix hésitante, une voix de lendemain de catastrophe, très proche de celle qu'on a parfois les lendemains de fête.

– Bonjour, madame, lança vigoureusement Doctor Pipes dans un français à peine teinté d'accent. C'est Robert Gurzinsky qui m'envoie. Robert est un ami. Un très bon ami. Je m'appelle Edward Reynolds, voici ma carte. »

Sylvie empocha la carte sans prendre le temps de la regarder, après tout, elle connaissait le nom et l'emploi de l'individu.

« Vous devriez regarder ma carte, elle est amusante », ajouta-t-il avec un petit rire, légèrement trop aigu.

Sylvie lui obéit, ressortit le morceau de bristol et examina l'éléphant dont la trompe formait un nœud. Une souris, à ses pieds, lui conseillait, par le biais d'une bulle de bande dessinée, la marche à suivre : « You should call Doctor Pipes. » Au verso, on trouvait les coordonnées d'Edward Reynolds, ainsi que sa photo, avec plus de cheveux qu'il n'en avait à présent.

Sylvie sourit péniblement.

« Oui, c'est… c'est…

– Je suis de tout cœur avec vous. Mon cœur est français.

– Entrez, entrez. C'est par ici.

– Ma femme dit que vous avez mérité, mais je ne suis pas d'accord. La France est une grande nation.

– Que nous avons mérité quoi ? » demanda Sylvie en ouvrant la porte de la buanderie.

Elle avait l'impression de se déplacer dans un rêve. Lentement, sans aucun bruit. Monsieur Reynolds, docteur en tuyaulogie, était une chimère. Il n'avait pas la moindre consistance. Sylvie avait passé une partie de la nuit à envoyer des messages, à en recevoir. « Tout va bien chez vous ? » Et parfois tout n'allait pas bien et c'était terrifiant et presque obscène de lire sur l'écran les récits concernant ceux que l'on connaissait ou que l'on ne connaissait pas vraiment, mais qui, étant des amis de relations… Elle aussi était reliée. Ils étaient tous reliés. Les cercles concentriques s'élargissaient inexorablement. Le cousin de la voisine du beau-frère de la marchande de fleurs d'en bas, c'était proche, c'était triste, c'était déchirant parce qu'il avait deux enfants en bas âge, ou qu'il allait se marier, ou que rien, rien, déchirant parce qu'il était mort.

« Mérité parce que, enfin, on ne se moque pas de la religion des gens. Ma femme demande "Qui a commencé ?" Elle n'a pas aimé les dessins dans le journal. C'était il y a presque un an, mais si ma femme n'a pas oublié, alors eux, les muslims, ils ont encore moins oublié. C'est leur religion. C'est la liberté. Pour nous, Land of Freedom, c'est important, la liberté. Chacun pratique sa religion, chacun fait comme il veut. Mais je ne suis pas d'accord avec Jennifer. Mon cœur est français. J'ai hissé le drapeau sur la maison. Jennifer l'a retiré. Elle a dit que je le mettrai quand je suis à la maison. Mais quand je vais au travail, alors, elle l'enlève. C'est sa liberté, non ?

– Non », répondit machinalement Sylvie. Mais lisant l'expression d'effroi qui se peignait sur le visage du plombier, elle se reprit : « Oui. Je veux dire oui, bien sûr. Alors voilà, c'est la machine. Elle ne tourne plus. J'ai regardé le mode d'emploi, mais je ne comprends rien. Elle n'est pas à nous. Rien n'est à nous ici. C'est une maison de location. Mais je ne veux pas inquiéter les propriétaires, je paierai la réparation moi-même. »

Edward Reynolds retira sa veste de costume, la plia, la déposa sur un tabouret, sortit une blouse bleu pervenche qu'il enfila par-dessus sa chemise blanche et se mit à genoux devant la machine. Il enfourna la tête dans le tambour, et Sylvie pensa, en observant son corps décapité : Ainsi j'aurai la paix quelques instants.

Elle aurait aimé aller voir Hector. Poser la tête sur sa poitrine et entendre son cœur. Après la mort de l'enfant, c'était le seul son capable de l'apaiser. Comme les cailloux blancs déposés par le Petit Poucet qui lui avaient permis de retrouver son chemin. Elle fermait les yeux et n'entendait plus rien d'autre, ni les voitures dans la rue, ni les avions dans le ciel, pas plus que les oiseaux ou la chanson échappée de la fenêtre d'un voisin. Les pulsations dessinaient une ligne à peine distincte, un tracé blanc comme les cailloux, comme les étoiles dans un ciel d'été, plus nombreuses qu'il n'y paraît à première vue. On s'absorbe, menton levé, aspiré par l'éclat de la nuit, dispersé par l'immensité, anesthésié par le nombre incalculable de points, certains gros, d'autres minuscules, émancipé de la recherche d'un sens par le vertige du décompte impossible. Hector s'allongeait et elle se blottissait contre son flanc, posait la tête sous son sein et lui, son mari, tellement plus grand qu'elle, tellement plus solide, la laissait faire, sans la toucher, sans même poser une main sur son épaule. Il l'accueillait avec la même hospitalité involontaire qu'une vaste pierre chauffée par l'été. Elle ne voyait pas les yeux d'Hector se plisser, ses sourcils se froncer pour retenir les larmes. Des larmes abondantes, lourdes, exigeantes qui torturaient ses orbites et crispaient son visage jusqu'au-dessous des mâchoires qu'il conservait serrées. Elle n'entendait que son cœur placide, régulier, et sentait, sans rien se dire, car les mots n'avaient plus aucune signification, que si cet organe continuait à battre, égrenant les secondes, pendule inépuisable, la vie elle-même ne pouvait que se poursuivre. Une autre vie, peut-être, songeait-elle parfois, car celle qu'elle avait vécue jusque-là avait pris fin brutalement lorsque l'obstétricien leur avait dit : « Désolé, vous êtes jeunes. Désolé, on l'a perdu. » Perdu ? Comment perdu ? Le corps était pourtant là. Petit, rond, encore chaud, doux comme de la farine de riz.

Mais Hector était dans son bureau. Enfermé. Il écrivait. Il recevait des messages, en envoyait. Il construisait la seconde digue, celle qui saurait circonscrire l'événement, le réduire, le mater. Il notait le mot massacre, le rayait. Sa table était couverte de papiers, de notes. Il tapait sur le clavier, puis le repoussait pour prendre son stylo, entourait certains termes, traçait des flèches pour relier des mots entre eux. Il préparait un discours. La vie devait reprendre ses droits – c'était indispensable à son entreprise, indispensable pour que le désir… non, rayer ce mot. Il faudrait parvenir à conférer à tout cela une teneur politique forte. C'était une occasion comme une autre de se montrer admirable, de prouver et d'éprouver la supériorité de la pensée. Il entrevoyait une échappée possible vers un nouvel héroïsme. Il suffirait de placer les chevilles aux bons endroits. La rhétorique toute-puissante repriserait l'accroc, elle remettrait l'homme occidental d'aplomb, le dresserait. Hector ne ferait pas l'impasse sur l'indicible, l'impensable, l'irreprésentabilité, il les confronterait et les dépasserait. Cela exigeait le même genre d'effort que celui requis pour se hisser hors des flots sur des skis nautiques. Tout part du ventre. Le ventre qui engage le haut des cuisses. Il faut que le corps calcule le rapport entre son poids et la vitesse du bateau, sans oublier l'axe de la colonne vertébrale et l'angle qu'il forme avec le câble relié à l'arrière du hors-bord. Un calcul bref, éclair, immédiat. Exactement la même chose. Se redresser. Tout était là.

« Madame Vickery ? Madame Vickery ? »

Une voix appelait Sylvie. Sylvie assise dans l'escalier. D'où venait-elle ? La maison n'avait jamais été aussi silencieuse. Les oiseaux dormaient dans des trous d'arbres ou sous la terre. Les enfants, tous les enfants de la ville, demeuraient immobiles dans leur chambre, face à un puzzle, les automobilistes eux-mêmes semblaient faire une trêve.

« Madame Vickery ?

– Oui », répondit enfin Sylvie.

Doctor Pipes se tenait à présent au pied de l'escalier, le visage étrangement rouge.

« La machine est réparée.

– Qu'est-ce que c'était ? » demanda Sylvie en relevant la tête qu'elle avait abandonnée, front sur les genoux.

Le plombier tendit une bassine au fond de laquelle reposait un être extraordinaire, terrible, beau, étrange. Sa peau transparente et nacrée luisait d'un éclat bleuâtre, ses membres liquides, semblables aux tentacules d'un calamar ou plutôt à ceux d'une méduse, s'entremêlaient mollement dans un résidu d'eau de lessive.

« Qu'est-ce que c'est ? insista Sylvie.

– J'ai trouvé ça à l'intérieur, déclara le plombier, sans vraiment répondre à la question. C'était emmêlé dans le moteur. C'est pourquoi la machine ne tournait plus. Ça bloquait.

– Qu'est-ce que c'est ? répéta Sylvie en se penchant sur la créature.

– C'est peut-être ancien, expliqua Doctor Pipes. Peut-être que c'était là depuis longtemps et que ça s'est coincé juste maintenant. On ne peut pas savoir. La panne aurait pu arriver, il y a six mois.

– Dites-moi ce que c'est, monsieur Reynolds.

– C'est… vous savez… comment on appelle ça ? »

En voyant le visage du plombier s'empourprer jusqu'à la racine des cheveux, Sylvie comprit soudain de quoi il s'agissait : une dizaine de préservatifs noués les uns aux autres, enchevêtrés. Elle eut un mouvement de recul et dévisagea le plombier qui, comprenant qu'elle avait compris, rougit de plus belle.

« C'est sûrement ancien », dit-il de nouveau. Puis, comme illuminé par la clarté d'une trouvaille, il s'écria : « Vous avez un fils !

– Oui.

– Quel âge ?

– Quatorze ans.

– Ah les jeunes ! » s'exclama-t-il en riant.

Son soulagement faisait plaisir à voir.

« L'énigme est résolue, triompha-t-il.

– Bien sûr », acquiesça Sylvie avant d'ajouter : « Mais j'ai aussi un mari.

– Impossible », affirma Doctor Pipes. Et comme Sylvie levait les sourcils en signe d'interrogation, il développa : « Pas avec une femme comme vous. Non, non, non. Impossible. Je fais ce métier depuis quarante ans et je vois toutes sortes de choses et toutes sortes de gens. Vous n'imaginez pas tout ce qu'on peut trouver dans les tuyaux. Au commencement j'avais appelé mon entreprise "Pleasant Plumbing". Ça sonnait bien, à mon avis. Mais j'ai changé pour "Doctor Pipes" parce qu'il y a plus de cochonneries dans les tuyaux que dans le corps d'un humain, et plus de maladies aussi. Moi, si j'avais une femme comme vous… Non, c'est sûr, c'est le fils. »

Il se mit à rire à gorge déployée. Chaque cascade en entraînait une autre. Le gloussement suivait le cri qui provoquait une nouvelle salve.

« Qu'est-ce que c'est que ce bordel ? » tonna Hector en sortant de son bureau qui donnait au pied de l'escalier.

Doctor Pipes cala la bassine dans son dos et se mordit les lèvres.

Hector secoua la tête et repartit comme il était apparu, claquant la porte derrière lui.

« Donc, vous pensez que c'est mon fils ? fit Sylvie.

– Absolument positif. »

Elle prit la bassine des mains du plombier et lui proposa de boire un café. Qu'allait-elle faire de son butin ? La créature aquatique se déformait et se reformait au rythme des vaguelettes imprimées par les infimes mouvements. Elle paraissait presque vivante. Les rares bulles de lessive résiduelle lui dessinaient des yeux, une bouche, contribuaient à la rendre bizarrement attachante. Sylvie n'avait aucune idée de l'endroit où elle devrait l'abandonner, la reléguer, la jeter. Elle déposa le récipient et son contenu au pied de la machine remise à neuf. Une chose était certaine, elle ne désirait pas que son mari le découvre. Il lui semblait que sa propre dignité en dépendait. Elle ne tenait pas non plus à ce que Lester le voie. Pendant qu'elle mettait de l'eau à bouillir, elle songea que son fils serait encore moins prompt qu'elle à identifier l'espèce à laquelle appartenait la bête translucide. Lester était encore un enfant. Que connaissait-il à tout cela ? Son corps était un îlot, inconscient de l'archipel qui l'entourait. Cette image la fit sourire. Et tandis que ses lèvres très rouges s'étiraient avec douceur pour découvrir ses dents, elle sentit la pointe d'un couteau fouiller ses entrailles, quelque part juste au-dessous du plexus. Tristesse ? Dépit ? Humiliation ? Regret ? Elle n'était pas certaine de pouvoir nommer cette douleur.

« Votre café est excellent, madame Vickery, dit le plombier. Quel est votre secret ? Le café dans notre pays est toujours tellement fade.

– La chance du débutant », répondit Sylvie. C'était la première fois qu'elle en préparait depuis son arrivée aux États-Unis.

« Qu'est-ce que c'est, la chance du débutant ? Mon français n'est pas si bon.

– Oh, rien. Ne faites pas attention. C'est une plaisanterie. Je crois qu'il suffit de mettre beaucoup de poudre. »

Le plombier reposa son café à moitié bu et se mit à tourner

la cuillère dans la tasse. Il n'avait pourtant pas pris de sucre. Il touillait furieusement, sans raison, les yeux rivés sur le minuscule vortex brun.

« Quelque chose vous tracasse ? demanda Sylvie qui percevait sa gêne.

– Quelque chose ? » fit-il.

Il cessa d'agiter la cuillère pour retirer sa blouse, qu'il replia avec soin. Sa chemise blanche était impeccablement repassée. On l'eût dit amidonnée. Était-ce madame Reynolds – cette épouse qui refusait de pavoiser les couleurs françaises et attachait tant d'importance à la liberté de culte – qui l'avait javellisée puis pressée sous la semelle de son fer à vapeur ?

« Et la liberté d'expression, alors ? lança Sylvie, comme si Edward Reynolds avait pu suivre les méandres de sa pensée au fur et à mesure qu'ils se dessinaient dans son esprit.

– Je vous demande pardon ? murmura-t-il.

– Je pense à ce que vous disiez tout à l'heure, à propos de Land of Freedom. De madame Reynolds.

– Ah, madame Reynolds ! » s'exclama le plombier, comme si on évoquait une vieille connaissance aux habitudes cocasses. Il secoua la tête en souriant. « Madame Reynolds est une patriote.

– Vraiment ?

– Une grande patriote, répéta-t-il avant de boire son café jusqu'à la dernière goutte.

– Et vous-même ?

– Mon cœur est français. Absolument français. Les droits de l'homme. Liberté, égalité, fraternité.

– Combien je vous dois ? » demanda Sylvie, soudain pressée de se débarrasser du plombier francophile.

Assise en tailleur face à la bassine qui contient la méduse de silicone, Sylvie agite la surface de l'eau à l'aide d'une baguette chinoise, résidu d'un repas commandé la semaine précédente chez un traiteur du centre-ville. Elle observe la danse des tentacules translucides en s'efforçant d'étudier la nature du sentiment qui l'envahit. C'est impossible. Il est aussi mouvant, multiple et trompeur que la créature que Doctor Pipes a extraite des entrailles du lave-linge. Tout s'y mêle. L'ancien, le nouveau, le gai, le triste. Et, d'une certaine façon, c'est apaisant de contempler les remous et les sinuosités dans le fond du récipient. Pour Sylvie, c'est comme si on lui avait offert l'occasion de se pencher sur son propre cerveau. Elle traduit pour elle-même ce que ses yeux déchiffrent lentement. L'animal aquatique est composé d'une dizaine de préservatifs. Hector, se dit-elle, a fait l'amour avec une autre femme. Ou avec plusieurs autres femmes. Au moment où l'information se formule, une peine grandit entre les côtes de Sylvie, aussitôt rejointe par un sentiment de surprise proche de la curiosité. C'est presque de la joie, ou peut-être simplement un soulagement.

Mon mari m'a trompée, insiste-t-elle. Il me trompe. Mais cette pensée ne s'installe pas. Elle se dissout sans cesse, à peine formée, pour laisser place à la fascination pure du mouvement.

Les signes prennent sens, s'organisent, et Sylvie reconnaît volontiers qu'il y a quelque chose d'agréable, une sorte de détente euphorique, dans cet ordre nouveau, pareille à celle que l'on éprouve quand, soudain, plusieurs pièces d'un puzzle s'emboîtent pour composer un motif.

Elle l'avait pressenti dans le chaos des couverts, mais aussi, un autre jour, quelque temps plus tôt, en regardant les chaussures rangées dans l'entrée, au pied de l'escalier. Elle était sur le point de les ramasser pour les entreposer dans le bas de la penderie lorsque, sans le vouloir, elle avait laissé traîner son regard trop longtemps sur les souliers d'Hector. C'était une paire qu'il possédait depuis longtemps, presque une quinzaine d'années, et qu'il se refusait à jeter. Elles dessinaient avec une précision quasi morbide la forme de ses pieds, en particulier à l'endroit des oignons, comme des embauchoirs ectoplasmiques. Chaque fois qu'il les enfilait, il poussait un soupir de satisfaction : elles étaient tellement plus confortables que les autres ! Sylvie n'aimait pas ces chaussures, une bonne marque pourtant, anglaise, increvable, mais lorsque Hector les avait aux pieds, il perdait quelque chose de son élégance, de sa jeunesse. Il semblait vieux et borné. Je suis comme ces chaussures, s'était-elle dit. Je ne contrarie rien chez lui, mais je ne le mets pas à son avantage. Et l'espace d'un instant, elle avait souhaité, oui souhaité, qu'il s'en débarrasse. Qu'il les jette, et moi avec, avait-elle ajouté dans une folle intrépidité.

À présent, elle se surprend à nuancer son jugement. Elle possède sur les autres femmes, sur toutes les autres, les jeunes, les étrangères, les séduisantes, les amoureuses, une supériorité considérable qui vient de sa très longue fréquentation d'Hector : elle comprend son mari. Elle est la seule à le connaître suffisamment bien. Je sais ce qu'il faut et ne faut pas lui dire. Je suis experte dans ses manières d'animal sauvage. Ses manières insoupçonnables, en contradiction avec sa bonne éducation, son exactitude, sa serviabilité. Hector ne fait jamais quelque chose quand on le lui demande, même s'il est d'accord, même si c'est le bon moment. Le « bon » en général n'existe pas, il n'est bon que s'il est « bon pour lui ». Si c'est l'heure de quitter la maison pour aller prendre le train, il s'enferme dans son bureau afin de lire un article, ou il commence à jardiner. Il arrive, bien sûr, qu'il soit prêt à temps et se mette en route sans histoires, mais seulement si cela lui permet de jouir d'un contretemps parallèle, de résister sur un autre terrain. Au début de leur relation, Sylvie ignorait cette particularité. Elle prononçait des phrases dangereuses comme : « Il est l'heure », « Allons-y ». Hector se détournait aussitôt pour vaquer à une tâche aussi intense qu'urgente. Il ne consentirait à lever le camp que lorsqu'il l'aurait décidé. Il lui fallait choisir son moment, qu'il fût en amont ou en aval de l'heure prescrite. Il devait conserver l'illusion d'un choix, et pourquoi pas ? – luxe suprême – d'un coup de tête de dernière seconde.

Les autres femmes l'ignorent. Elles commettront l'erreur. Elles diront : « Tu viens, mon chéri ? » ou « On va être en retard ». Sylvie voit d'ici Hector se hérisser, se rétracter, les maudire, les vomir. L'attrait qu'il a pour elles, pour l'élasticité de leur peau, la nouveauté de leur corps, leurs gestes intimes, délicieux, secrets, tout cela se flétrira pour laisser place à l'agacement, puis à l'exaspération. L'irritation est un sentiment noble aux yeux d'Hector. Cela aussi, Sylvie le sait. C'est, selon elle, une habitude d'aristocrate.

Mais peut-être que cet agacement, cette irritation ne sont

réservés qu'à elle, l'épouse. Sylvie s'imagine Hector suivant sans broncher une jeune femme qui indiquerait du bout de son index manucuré le cadran de la montre à la fois fine et sportive qu'elle porte au poignet (un cadeau d'Hector ?). « Il va être temps d'y aller, mon cœur », dirait-elle de sa voix flûtée, ou de sa voix grave, ou de sa voix d'imbécile. Et il lui emboîterait le pas. Elle serait là, la véritable trahison.

« Est-ce que je peux sortir cet après-midi ? » demande Lester, à l'entrée de la buanderie.

Sylvie dissimule précipitamment la bassine derrière le lave-linge et dit :

« Où vas-tu ? Tu veux que je t'accompagne ?

– Non, pas la peine. On va juste faire un tour en forêt avec des gens du collège.

– Tu t'es fait de nouveaux amis ?

– Non, enfin oui. Les mêmes, Iris, Zelda, Nurith, Andy et Greg… et les autres.

– Ça fait beaucoup de monde.

– Ce n'est que le début.

– Comment ça ?

– Rien. J'ai répondu machinalement.

– Ils sont dans ta classe ?

– Non. Certains oui. Certains non.

– Ils savent ce qui est arrivé, j'imagine. Comment le prennent-ils ? Cet abruti de plombier, enfin pas lui, mais sa femme…

– Le plombier est venu avec sa femme ?

– Peu importe. Pas de problème pour cet après-midi. Tu rentres avant la nuit, d'accord ?

– OK. Bien sûr. »

Alors que Lester se détourne pour regagner sa chambre et préparer ses affaires, sa mère l'interpelle :

« Lester ?

– Oui.

– Je voulais te poser une question sur les jeux vidéo.

– Oui ?

– Est-ce qu'une fois qu'on a atteint le niveau le plus élevé d'un jeu, il arrive qu'on recommence à zéro, depuis le niveau le plus facile. Pour essayer de terminer plus vite, par exemple, ou plus en beauté ?

– Non.

– Ça n'arrive jamais qu'on ait envie de le reprendre depuis le début ? Imagine un jeu auquel on a beaucoup aimé jouer. Un jeu à la fois difficile et… »

Voyons, comment se qualifierait-elle si elle devait se comparer à un jeu vidéo. Mais Lester ne lui laisse pas le temps d'affiner son propos.

« Non, ça n'arrive jamais.

– Alors qu'est-ce qu'on en fait du jeu, une fois qu'on en a fait le tour ?

– On le revend. »

Sylvie sent sa gorge se serrer. La métaphore qu'elle a mise en place dysfonctionne.

« Mais toi, tu les gardes. Tu gardes tous tes anciens jeux. Pourquoi ?

– Parce que je ne m'intéresse pas à l'argent.

– Tu es sûr qu'il n'y a pas une autre raison ? »

Lester prend le temps de réfléchir, puis il déclare :

« Parce que ça me rappelle mon enfance.

– Et c'est… agréable… pour toi ?

– Non. Ce n'est pas agréable. Mais c'est nécessaire. »

Comme souvent, l'intelligence de son fils fait un peu mal à Sylvie. Elle ne saurait dire pourquoi. Ce n'est pas parce qu'il lui échappe, plutôt parce qu'elle considère qu'un certain degré de bêtise permet de ne pas perdre espoir, de mettre un pied devant l'autre. Mais peut-être est-elle partiale. Peut-être que Lester est bête à sa façon. Un genre de bêta inédit, moderne. La nouvelle génération d'idiots, comme on le dit aujourd'hui des appareils électroménagers ou des téléphones.

La nouvelle génération est consciente de tout, des périls, des enjeux. Le monde est sans mystère pour nos enfants, songe Sylvie, effrayée. Ils ne croient ni au père Noël, ni aux choux, ni aux roses. Ils croient ce qu'ils voient et ils voient tout. Ils voient des hommes et des femmes faire l'amour sur des écrans géants, ils voient les seins, les sexes. Ils voient les yeux exorbités de personnes que l'on brûle au napalm, les yeux bordés d'autant de mouches que de cils d'enfants qui meurent de faim, ils voient les yeux sans vie de jeunes militaires dont les membres ont été tranchés, et se demandent, tout en grattant une croûte sur leur propre genou, si l'amputation a eu lieu avant ou après la mort. Sylvie repense avec une nostalgie qui l'étonne à Rémi, le petit camarade de Lester qui ne se souvenait pas d'une fois sur l'autre où se trouvaient les toilettes. Le bienheureux, se dit-elle. Saint Lester et ses ouailles stupides, ses dessins animés et ses comptines puériles. Cette manière qu'il a de détourner la connaissance, de la dissimuler. Absalom Absalom est le nom d'un lézard, et *Les Confessions* de saint Augustin servent à s'entraîner aux jeux vidéo. Lester et son enfance éternelle.

On ne peut pas désirer une chose pareille, en terminer avec

le savoir, avec l'aventure de l'apprentissage et de la compréhension. Voilà que tout se mélange de nouveau.

Sylvie tire la bassine au fond de laquelle gît la pièce à conviction, et se remet à touiller, lentement, du bout de sa baguette chinoise. Elle s'apaise. Elle somnole presque, hypnotisée par les circonvolutions nacrées. Elle n'entend pas Hector qui l'appelle à travers la maison. Elle n'entend pas Hector qui la cherche partout et soudain la trouve.

Une main, la main large, sûre et toujours si merveilleusement chaude de son mari se pose sur son épaule.

« Viens, ma chérie. Viens, Sylvie. On va à la cérémonie. C'est l'heure. »

Une minute de silence. C'est ce que propose le doyen McRevor à la communauté des francophiles, des francophones, des professeurs, des étudiants, des expatriés, réunis dans une salle qui a des allures d'église. Les murs sont peints en bleu Vierge Marie. Ils sont divisés en plusieurs panneaux séparés les uns des autres par de hauts piliers de chêne sombre, qui semblent soutenir un plafond en ogives où d'anciennes dorures subsistent par endroits. Les fenêtres, qui s'ouvrent à plus de trois mètres du sol et se dressent, étroites et gigantesques, comme les vitraux d'une cathédrale, laissent entrer une lumière faible, dorée, qui sublime les visages, les regards, le dessus des mains. Bientôt, on allumera les lustres. Des projecteurs illumineront l'estrade. Mais, pour l'instant, on se contente du jour déclinant, propre à entretenir la mélancolie et la méditation. Les chaises, munies d'un pupitre escamotable, sont du même bois sombre que les piliers. Hector a précisé à Sylvie qu'ils se trouvaient dans les locaux de la faculté de théologie. Une odeur de cire réconfortante flotte dans l'air. Debout, mains le long du corps, dans le dos, ou bras croisés, on regarde de préférence ses pieds, parfois le dos de la personne installée devant soi.

Lorsque *La Marseillaise* a retenti, certains ont chanté, d'autres ont posé une main sur leur poitrine. Et lorsque la musique s'est interrompue, le doyen a proposé « une minute de silence en mémoire des blessés, des disparus, en l'honneur des familles éprouvées et d'un pays frère dont la jeunesse a été sauvagement atteinte, dont le cœur a été terriblement touché ». Sylvie perçoit une satisfaction troublante dans la voix de McRevor, amplifiée par le micro. Au moment de prononcer son discours, il n'est plus le directeur d'une université américaine moyennement prestigieuse. Il est propulsé au rang de grand homme. Les efforts qu'il produit pour exprimer sa contrition, son empathie, la petitesse de son être face à l'immensité de la tragédie le font enfler. La baudruche est prête à rompre quand il demande enfin le silence.

Certains toussent. Une petite toux sèche, nerveuse. D'autres se mouchent. Pourquoi est-il si difficile à ces personnes d'attendre soixante secondes pour émettre des bruits qui rompent le pacte ? On a demandé le silence, aurait envie de leur rappeler Sylvie, pas simplement la fin des bavardages. Un silence total, comme celui qui suit la mort. Un silence comme une manifestation du néant. Soixante secondes, ce n'est pas long. Elles s'écoulent cependant avec une lenteur accentuée par l'incapacité de tous, et d'elle la première, à se concentrer, à se réprimer, à interrompre le flot des pensées parasites pour se concentrer sur le souvenir, l'émotion, sur la prise en compte de ce qui s'est passé.

Hector la tient par le bras. Il est très attentionné depuis qu'ils ont quitté la maison. Il semble vouloir la protéger, la réconforter. Mais à quoi songe-t-il ? Parvient-il, lui plus que les autres membres de l'assemblée présents dans la salle, les figurants de leur nouvelle vie – Farah Asmanantou, Lauren Brazelton, French Bob, Jhersy Gonçalves, Matthieu Puitsdevant, Thibault de l'Alliance française – et tous les autres, ceux qu'elle ne connaît pas, qu'elle n'a encore jamais vus, ceux qu'elle a croisés sur le campus ou au supermarché, ceux qui découvrent que le professeur Vickery a une femme, beaucoup plus petite que lui et dont les cheveux frisent facilement, celles qui la regardent avec un mélange d'affection et de pitié parce qu'elles ont couché avec son mari et que c'était – oh, mon Dieu, c'était magique, parce que cet homme connaît le corps des femmes et en joue comme d'une viole, parce qu'il vous dit à l'oreille des mots, des phrases qui, parce que c'est du français, peut-être, mais aussi parce que c'est du sexe, des mots crus qu'il prononce avec douceur et naturel comme si c'était une langue qu'il maîtrisait mieux que quiconque, des phrases qui vous mènent à des paroxysmes, à des espaces où le désir se déploie, flamboie et dure… parvient-il donc, lui, Hector, son mari, à se concentrer, à se recueillir ? Pense-t-il aux ravissantes fesses, au poignet gracieux, à l'intérieur doux à mourir d'une cuisse à peine grasse, à l'arrière d'un genou qu'un réseau de veines bleues presque invisibles sous la peau ambrée rend délicieusement vulnérable, au parfum que dégage une nuque à la naissance des cheveux, au talon qui cogne de plaisir contre le sol ? Pense-t-il à la bouche ? À toutes les bouches ? Celles qui parlent, celles qui se taisent, celles qui lèchent, celles qui sucent, celles qui s'offrent, celles qui se serrent ? Pense-t-il à l'ardeur de la débauche ? Mais peut-être ne pense-t-il à rien, comme il le lui a expliqué un jour.

« La plupart du temps – lui avait-il confié, des années plus tôt, dans un café à l'angle du boulevard Saint-Germain et du boulevard Saint-Michel, un café qui n'existe plus, comme de si nombreux lieux de leur jeunesse – quand je ne réfléchis pas spécifiquement à quelque chose, je ne pense à rien. »

Sylvie tient cette phrase pour un trésor. Il ne pense à rien, se dit-elle parfois, et l'apaisement qu'elle en retire est souverain. Combien de fois, lorsque, la tête blottie sur sa poitrine, elle écoutait son cœur battre en exigeant de ce son répétitif et persistant qu'il la guidât hors de la jungle du chagrin, n'avait-elle pas invoqué la formule ? Hector, songeait-elle, à cet instant, ne pense à rien. Il ne pense à rien, comme un arbre contre lequel on se colle ne pense à rien, comme le ciel que l'on contemple ne pense à rien. Un court moment, alors, grâce à l'envoûtement de la phrase, elle parvenait elle-même à accéder au vide, un lieu terne, froid, mais un lieu dans lequel son enfant n'était pas mort, car dans ce lieu, il n'avait jamais existé.

Elle se trompait.

Durant ces matinées où ni l'un ni l'autre ne réussissait à se lever, Hector ne pensait pas à rien. Il pensait à la toute petite fille bleue, à ses joues rondes et grises, à sa minuscule bouche dont l'arc supérieur était la plus belle chose qu'il eût jamais vue, au bout de ses doigts presque pointus, tant ils étaient fins, ornés d'ongles longs absolument transparents, à ses pieds rectangulaires et mous qui lui avaient paru si grands, à l'arrière de son crâne dont il percevait encore la perfection de l'arrondi au creux de sa paume. Il pensait à la fillette courageuse et endurante qu'elle serait devenue, à l'adolescente insolente et bornée, à la jeune femme fière et spirituelle.

Il avait mal dans tout le visage à force de retenir ses larmes. Mal au ventre aussi à cause des sanglots qu'il ne laissait pas échapper. Il ignorait lui-même la raison pour laquelle il se contraignait tant. Pourquoi ne se frappait-il pas la tête contre les murs en hurlant ? Pourquoi s'interdisait-il le cri qui aurait, pour un temps, desserré l'étau de sa gorge ? Sylvie et lui auraient pu, front contre front, ou dans les bras l'un de l'autre, passer des journées à gémir, à se vider d'eau salée par les yeux et d'eau gluante par le nez. Mais comment faire après ? Comment raccrocher le wagon des jours ? Revenir à la surface de la vie ? Là où se trouvaient les autres, ceux qui, durant un temps, préféreraient éviter leur regard, par crainte, par horreur, par superstition aussi, peut-être. Quand on a été touché par la mort, on se change en paria. D'avoir été touché, on devient intouchable. Ils auraient eu besoin qu'on les soutienne, qu'on les enlace, qu'on les embrasse, mais personne n'osait. Ils étaient devenus tabous et, d'une certaine façon, l'un pour l'autre, ils l'étaient devenus aussi, tabous, intouchables, comme si le nourrisson sublime par sa taille, sa beauté et le gris bleuté de sa peau, nuée d'orage, les avait, en les quittant, nimbés d'une substance particulière, sacrée, magique. Pendant quelque temps, ils avaient tourné sur eux-mêmes, en silence, dans l'appartement dont les interrupteurs, le frigo, la cuisinière, le rasoir électrique, la cafetière ne servaient plus à rien. Lentement, ils tournaient sur eux-mêmes, à peine, comme le mobile pendu au-dessus du berceau vide que, bientôt, ils descendraient à la cave.

Si Hector ne pleurait pas, c'était – mais il l'ignorait parfaitement – pour rassurer Sylvie. Il ne connaissait aucun autre moyen de la secourir. Il ne se disait pas qu'elle souffrait plus que lui, que c'était plus âpre pour elle parce qu'elle avait porté leur enfant, qu'elle l'avait senti vivre en elle, que le bébé s'était vaillamment frayé un chemin entre ses jambes et que son corps s'en souvenait. Il pensait – contrairement à ce que croyait Sylvie –, il pensait : J'aime cette femme, cette petite femme si étrange, si têtue et si courageuse. Je veux qu'elle revive.

Qu'elle soit de nouveau joyeuse. Qu'elle rie. Quand elle rit, le monde bascule, comme sur une balançoire, on voit tout différemment. Je veux qu'elle ronge les os du poulet, qu'il y ait des traces de grenadine aux commissures de ses lèvres, qu'elle s'entraîne à faire la roue, qu'elle fasse son abrutie en relisant mes articles avec de grands yeux de hibou comme si elle ne comprenait rien, alors qu'elle comprend tout. Je veux qu'elle m'énerve, qu'elle m'énerve de nouveau, qu'elle m'énerve tant que j'aie envie de l'étrangler.

Un jour parmi tous ces jours, tandis qu'elle avait la tête posée sur la poitrine d'Hector, Sylvie avait lu, sans vraiment faire exprès, ce qui était inscrit sur la tranche d'un livre. Il était là, sur le sol, près du lit, depuis des semaines sans doute, mais c'était comme si elle le voyait pour la première fois. Il y avait, tout à fait à gauche, le nom de l'éditeur, au milieu, le titre, et à droite, le nom de l'auteur. Elle avait lu et relu ces arrangements de lettres sans entendre les syllabes qu'ils formaient dans un premier temps, comme s'il s'était agi d'un exercice oculaire abstrait. Le lendemain, elle entendit les sons associés. Les mots se mirent à résonner et elle recommença à les lire, encore et encore, mentalement, sans remuer les lèvres, mais en écoutant. Le surlendemain, elle hasarda son regard sur le dos du roman et déchiffra le nom de l'auteur, tout en haut, puis, plus bas, rangées en un pavé d'une quinzaine de lignes, des phrases qui racontaient quelque chose. Une histoire. *Le révérend Timothy Fortune, autrefois employé de la banque Lloyds, a déjà passé dix années de sa vie dans les mers du Sud en tant que missionnaire lorsqu'il accepte, sur un coup de tête, de partir en mission dans l'île de Fanua, aussi reculée qu'inaccessible. Sur ce territoire l'homme blanc est une rareté. Durant les trois années qu'il y passe, toutefois, il ne parvient à faire qu'un unique converti : un garçon nommé Lueli qui l'aime avec dévotion. Cet amour ainsi que la liberté sensuelle des insulaires produisent en Monsieur Fortune un bouleversement irréversible.* Combien de fois avait-elle lu ce résumé, jusqu'à le connaître par cœur ? Il se déclenchait sans qu'elle eût besoin d'avoir le livre sous les yeux, parfois à partir du milieu, et c'était comme un mantra, un voyage qu'elle aurait fait elle-même dans les mers du Sud, que l'on ne nommait plus ainsi, ce qui faisait que son voyage dans l'espace était aussi un voyage dans le temps. Elle commença bientôt à distinguer les traits du révérend Fortune et ceux du jeune Lueli. Elle rêvait de cocotiers, d'ananas, de lianes, de ruisseaux, de serpents endormis, de murs en terre sèche, de fleurs exotiques au parfum entêtant.

Un matin, Hector la trouva, dans la chambre, assise par terre, le dos contre le lit, genoux repliés sur la poitrine. Elle lisait. Il pensa : Elle n'a plus besoin de moi, et il retourna travailler.

Dès qu'elle eut terminé ce roman, elle en prit un autre : *Lolly Willowes, après avoir enduré vingt années d'effacement complet dans son rôle de tante célibataire et gouvernante des enfants de sa sœur, décide de quitter sa famille pour aller s'installer dans un petit village du Bedfordshire. Là, heureuse et sans entraves, elle goûte une existence nouvelle troublée seulement par le sentiment d'un secret qu'il lui reste à découvrir. Avec l'aide de son chat et du Diable, Lolly Willowes apprivoise son don pour la sorcellerie et accède à une liberté absolue.* Toutefois, de peur de revivre le vertige de la fin du livre – quand, dès la dernière phrase lue, elle avait senti le chagrin et l'écœurement du chagrin lui nouer le ventre –, elle avait déjà préparé le suivant, déterminée à ne laisser aucun interstice entre une lecture et une autre, et ce, jusqu'à avoir lu tous les volumes que la bibliophilie de son mari avait entassés du sol au plafond, sur des étagères, au sommet des placards, sur le plan de travail de la cuisine, dans les moindres recoins, et jusque sous leur lit.

« Merci, chers amis, chers confrères. »

La voix du doyen McRevor tonne dans le micro. Quelques toux supplémentaires se font entendre, plus décidées, plus grasses.

« Nous allons à présent enchaîner, même si c'est difficile, même si cela peut vous paraître artificiel, avec le programme qui était prévu en cette soirée spéciale consacrée à l'art d'aimer dans la poésie médiévale, je vous demande donc d'applaudir nos invités : Jessica Hartford de l'université de Norwich, actuellement en résidence chez nous, qui présentera sa préface à la nouvelle édition savante des chansons de Conon de Béthune, en conversation avec Graziella Fornetti de l'université de Venise, qui nous fait la grâce de nous rendre visite avant de se rendre à San Francisco – un sacré détour pour vous, Graziella ! – où elle participera, en tant qu'auteur, ou autrice – comment doit-on dire ? –, au festival international Words Without a Cause, et qui va nous parler ce soir de sa lecture très originale des *Lais* de Marie de France. Merci à vous, donc, de les accueillir chaleureusement car, quoi qu'il arrive et malgré le sang versé, la vie continue ! Plus que jamais ! »

Des applaudissements enthousiastes suivent.

Hector, qui n'a pas lâché le bras de son épouse, ne se joint pas à l'ovation générale.

Sylvie remarque une femme qui quitte la salle précipitamment.

Elle se dit : C'est elle. C'est la maîtresse de mon mari. Et puis non. Ce n'est peut-être qu'une expatriée parmi d'autres, séparée depuis trop longtemps des siens, ravagée par le mal du pays et peut-être – qui sait – par la perte d'un proche que cette minute de silence chahutée, abrégée par l'annonce de discussions autour de l'amour courtois, a déroutée ou choquée. Oui, c'est la bonne hypothèse. D'ailleurs, plusieurs après elle, après cette femme qui n'est sûrement pas la maîtresse de son mari, quittent les lieux, aussi discrètement que possible, car il faut être poli avec les universitaires invitées qui n'y sont pour rien et qui vont sans doute éprouver quelque gêne à exprimer leur vision de poèmes écrits en des temps non moins barbares, mais différemment barbares.

Et puis Sylvie n'a aucunement envie d'être ce genre d'épouse, suspicieuse, inquiète, qui contrôle et surveille. Ce serait avilissant. Cela ne l'intéresse tout simplement pas. Elle s'avoue cependant à elle-même qu'elle aimerait connaître son visage, le visage de l'autre femme. Celui non pas de la concurrente, de l'ennemie, de la salope, mais le visage qui a ému son mari, si difficile à émouvoir. Elle songe aux silhouettes qu'elle a croisées et remarquées depuis son arrivée. Des femmes plus jeunes qu'elle, beaucoup plus jeunes mais si fatiguées, comme brûlées de l'intérieur par on ne sait quoi. Des femmes autonomes, indépendantes, qui travaillent, élèvent leurs enfants, paient un loyer avec l'aide ou non de leur conjoint. Car, après tout, je suis un genre de princesse, pense Sylvie, puisque je n'ai jamais eu à gagner ma vie. Qu'ai-je fait tout ce temps ? Toutes ces années ? J'ai lu la totalité de la bibliothèque d'un philosophe français qui est aussi poète et se trouve être mon mari. J'ai couvé deux enfants. J'en ai élevé un, et encore, pas tout à fait et si mal.

TROISIÈME PARTIE

« Vous, vous n'êtes pas une femme comme les autres », lui dit Jhersy Gonçalves en secouant la tête avec une ardeur toute méditerranéenne, et malgré ses origines polonaises dont il semble si fier.

Il a abordé Sylvie à l'issue de la soirée du 14 novembre, alors qu'Hector venait de l'abandonner pour féliciter ses consœurs, Jessica Hartford, rousse au large faciès de carlin, et Graziella Fornetti, blonde décolorée, un peu trop maigre, un peu trop grande, au front luisant de sueur. Jhersy n'y est pas allé par quatre chemins. Il a annoncé à Sylvie : « Il y a quelque chose dont j'aimerais beaucoup vous parler. Quand puis-je passer boire un café chez vous ? » Sylvie n'a pas demandé de quoi il s'agissait. Elle a fixé un jour, une heure, sans s'interroger sur son envie, ou pas, de laisser entrer cet inconnu chez elle.

Mais il est là, à présent, dans sa cuisine. Il boit le café qu'elle lui a préparé et la regarde d'un air curieux, avant de poursuivre.

« Je l'ai tout de suite remarqué, vous êtes différente. C'est votre style peut-être. Je ne vous ai jamais vue en jupe. Mais je ne vous ai pas beaucoup vue. C'est surtout votre mari que je vois. Hector. Remarquable. Très apprécié. Très très apprécié, vous voyez ce que je veux dire ? Peu importe. Nous y viendrons, nous y viendrons. Parce que le couple, c'est la grande affaire, vous ne croyez pas ? Plus compliqué à gérer que le gouvernement d'un pays. Rien ne fonctionne plus mal qu'un couple et pourtant… Alors pourquoi ? Oui, pourquoi le couple ? »

Sylvie se rend compte qu'elle n'aura pas besoin de faire la conversation. Le professeur Gonçalves est une sorte de ventriloque inédit. C'est reposant. Elle cale son dos contre le dossier de sa chaise, ne boit pas son café (elle déteste vraiment le goût amer et l'écœurement qu'il laisse après qu'on l'a ingéré). Elle retrouve cette drôle de manière qu'a Jhersy de s'époumoner en parlant, comme s'il refusait de perdre son temps à reprendre haleine. C'est aussi une façon de ne pas laisser à l'interlocuteur le loisir de l'interrompre, d'intervenir. Il veut converser seul, se dit Sylvie. Cela me convient.

« Le couple, une fois passés les émois, les envies des premiers temps, c'est une mascarade. La mascarade des courses : "On a encore du lait, chéri ?", "Tiens, attrape-moi la moutarde sur l'étagère du haut, elle est meilleure". Les faux enthousiasmes au jardin, quand les enfants sont petits : "Tu as vu comme il s'en sort bien avec le toboggan ? !", comme si le petit venait de descendre les rapides du Niagara en kayak. J'exagère, bien sûr. Les enfants sont vraiment mignons. Ils ont une grâce naturelle qui pourrait presque sauver le couple, lui donner une raison d'être. Quand ils viennent vous voir, le matin, au réveil, la tête qu'ils ont ! Mais bon, les enfants sont le sous-produit ; moi, c'est le couple en lui-même qui m'intéresse. Madame et monsieur. Et surtout comment il s'abîme. Ça se passe au niveau des hanches le plus souvent. Elles s'alourdissent. Chez les femmes comme chez les hommes. Elles basculent vers l'avant, elles meurent. On n'est plus soi-même quand on est en couple, cela prend quelques années, néanmoins, mais on finit par être raboté, ridiculisé, à la fois plus petit et plus lourd. On craint de faire du mal à l'autre, de le déranger, de le contraindre, alors on se déforme soi-même pour mieux adopter ses contours, et, pendant ce temps-là, l'autre fait pareil et on devient deux déformations qui se meuvent côte à côte, inséparables. »

Sylvie reconnaît la justesse de cette description et pourtant, elle ne s'y reconnaît pas. Elle est fière, mais vexée aussi, comme souvent, de ne pas appartenir au groupe.

« À un moment, continue Jhersy tout en se resservant du café, je ne saurais dire quand, ma femme, comment dire ? Je ne veux pas que vous le preniez mal, que vous pensiez que je l'accuse ou que je la diffame, mais voilà, ma femme s'est mise à lâcher des gaz devant moi, enfin, pas exprès, mais sans se soucier que je sois là ou pas. »

Sylvie pense deux choses : elle préférerait que le professeur Gonçalves dise que sa femme s'est mise à péter. Sa première réflexion tourne donc autour du lexique employé. Quant à la seconde, elle concerne sa propre expérience. Hector et elle n'ont jamais éprouvé de pudeur de ce côté-là, si l'on peut dire. Ils pissent l'un devant l'autre. Leurs corps ne recèlent pas le moindre secret. Ils ont tout fait ensemble, alors quoi ?

« C'est à ce moment-là, déclare Jhersy, que j'ai jugé que notre couple était fini. Terminé. Alors, moi aussi, je me suis mis à lâcher des gaz. Mais ce n'était pas une réaction adéquate. J'ai donc proposé à ma femme d'aller consulter un thérapeute. Mais qu'est-ce qu'on lui aurait dit au docteur : Nous venons vous voir parce que nous pétons ? J'ai décidé de surmonter l'obstacle seul, enfin, seul avec elle, car c'est ça un couple, c'est "seul avec l'autre". Nous avons travaillé nos sphincters ensemble. Nous avons pris des cours de yoga. Depuis, miracle ! Nous nous entendons comme jamais. Quelque chose s'est perdu, cependant, une tension, un mystère. Nous sommes devenus aussi proches qu'un frère et une sœur. Cela peut paraître excitant, faire l'amour avec son frère, avec sa sœur. Le piment de l'interdit. Mais non. Nous faisons l'amour comme des machines. Ou plutôt, comme des morts-vivants. Mon corps est mort et mon cerveau est vivant. Ou l'inverse. Mais pourquoi je vous raconte tout ça ? »

Sylvie se pose la même question, au même instant. Elle se sent dégradée par cette avalanche de confidences intimes. Cet homme n'essaie tellement pas de me plaire, se dit-elle, que c'en est vexant. Elle sait qu'elle pourrait déclencher quelque chose en lui, l'ébranler. Elle possède un volcan en elle, une source de joie, mais elle n'a aucune idée de la façon dont il conviendrait d'en faire la promotion. Lui passe par la tête : « Avec moi, tu baiserais ta sœur, ta mère, l'inspecteur des impôts et même ton chien. » Elle se décide à boire son café qui, devenu froid, est encore plus répugnant. Elle grimace.

« Je vous gêne avec mes histoires, c'est ça ? Mais c'est une manière de nous mettre à égalité, voyez-vous, parce que ce que je suis venu vous dire aujourd'hui est quelque chose de si personnel, de si privé que je dois commencer par me livrer. Ce n'est pas une stratégie, cela m'est venu naturellement. Je sais des choses sur vous que vous ignorez vous-même et cela m'ennuierait que vous vous sentiez défavorisée. Disons qu'ainsi nous avons un point chacun. Nous sommes à égalité. »

Sylvie n'ose pas lui demander à quelle sorte de jeu il pense jouer avec elle. Elle ne prend pas non plus la peine de lui signaler qu'il lui est indifférent de perdre. En vérité, elle préfère toujours perdre au jeu, car la culpabilité qu'elle éprouve à l'emporter sur son adversaire lui gâche systématiquement le plaisir de la victoire.

« Vous êtes prête ?

– Prête pour quoi ?

– Pour la révélation.

– Je me sens anesthésiée, lui confie-t-elle. Pas vous ?

– Comment ça ?

– J'ai eu tellement peur ces derniers jours, j'ai ressenti tellement d'angoisses que je me sens absolument vidée. J'ai perdu le fil des émotions ordinaires. Ce n'est pas la première fois que cela m'arrive, mais…

– Oh, pardon, bien sûr. C'est terrible. Le monde est dans un état ! Et vous, je veux dire, votre pays, la nation des Lumières, le phare de l'Europe.

– Vous croyez ? »

Sylvie voit bien que Jhersy n'a aucune envie de commenter l'actualité. Pour cet homme, les morts du 13 novembre constituent un encombrement. Ils barrent la route à quelque chose d'infiniment pressant pour lui. Avec leurs poitrines déchirées, leurs aortes percées, leurs crânes défoncés, ils empêchent Jhersy Gonçalves de se ruer vers l'événement qui le fascine et l'envoûte. Sylvie a entendu un psychanalyste parler à la radio, la veille. Il disait que, depuis les attentats, les séances se ressemblaient toutes. Il n'était question – que le patient fût une femme, un homme, un adolescent, un chômeur, un patron, une directrice, une fillette – que des massacres, de la peur, de la menace, de la culpabilité, de la colère. Une seule catégorie échappait à cette récurrence : les amoureux. Qu'ils en soient à la conquête, à l'accomplissement irrépressible des premiers temps, à la découverte d'une infidélité, à l'éclosion d'une passion, les amoureux ne parlaient pas de mitraillettes, d'islamisme, d'avenir sombre. Les amoureux continuaient à parler d'amour, de sexe, de désir, de mensonge, de jouissance, de culpabilité. Les amoureux étaient… amoureux. Sylvie s'était demandé, en écoutant les propos du spécialiste, qui était dans le vrai, la masse des personnes endeuillées, affaiblies, effondrées, ou le groupuscule égoïste d'hédonistes arrachés au chagrin par leur préoccupation du moment ? Qui était honnête ? Qui avait du cœur ?

Elle se doute que l'urgence qui tenaille le professeur Gonçalves est liée, d'une façon ou d'une autre, à l'amour. L'amour qui prend tant de visages qu'il en devient méconnaissable, mais c'est toujours lui, selon Sylvie, sous le masque du désir, de la passion, de la jalousie, de la tendresse, qui gouverne nos destinées, même lorsqu'il revêt son déguisement ultime en se faisant passer pour de la haine.

« Je veux vous parler très franchement, déclare Jhersy. Je ne veux rien vous cacher. Ce n'est pas une dénonciation, attention ! Pas de délation chez moi. En tant que Polonais, vous imaginez bien que mon passé, enfin, plutôt le passé de mes ancêtres. »

À cet instant, le regard de Sylvie est presque vide, si terne que Jhersy renonce à préciser sa pensée. Il faut qu'il avance, qu'il dévoile. Il ne s'était pas attendu à cela. À cette indifférence. Il se croyait capable de piquer la curiosité de cette femme en trois mots. Les femmes sont toutes des fouineuses, non ? Toujours à vous espionner, à surveiller le courrier, les résidus de parfum sur le col d'une chemise, de rouge à lèvres dans le cou. Combien de couples se sont dissous à la suite d'une simple enquête menée nuitamment sur le téléphone ou l'ordinateur ? « Tu m'as trahie. Tu lui as écrit des choses que tu ne m'as jamais écrites. Des poésies pornographiques. Et tous ces petits noms que tu lui donnes. Même dans les premiers temps, je n'avais pas droit à ça. » Les femmes fouillent et trouvent. Mais celle-ci semble indifférente. Elle doit pourtant se douter qu'il s'agit de son mari. Le professeur Vickery, l'étoile montante du département de langues romanes. Ils ne sont plus tout jeunes, ces deux amants, certes, mais la jalousie n'a pas d'âge. Se sentir abandonné aux alentours de la soixantaine n'est pas moins douloureux. Jhersy hésite. À quoi bon lui révéler quoi que ce soit ? Il prend le temps de l'observer. Ce n'est pas difficile dans la mesure où elle ne montre aucune impatience. Son regard s'est à présent tourné vers la fenêtre. Elle respire profondément et calmement, un peu, songe Jhersy, comme une personne qui donne son sang, les yeux fuyant sans crainte particulière l'endroit où l'aiguille pénètre dans le bras, indiquant ainsi son consentement, un vague sourire aux lèvres pour confirmer que la douleur est absente. Le menton légèrement en avant, Sylvie ressemble davantage à une enfant qu'à une femme proche de la retraite. La peau de ses joues est tendue sur ses mâchoires, veloutée, sans la moindre marque, son cou non plus n'est pas ridé (Jhersy pense aux plis qui fripent celui de son épouse dans certaines positions, c'est une vision triste et affaiblissante), ses sourcils, parfaitement tranquilles, ne creusent aucun sillon au sommet de son nez. Assise en tailleur sur sa chaise de cuisine, elle est intemporelle, peut-être parce que ses cheveux n'ont pas de coupe, ne sont ni permanentés ni teints. Elle paraît appartenir à un autre temps, à une autre civilisation. Il songe à une statuette qui avait attiré son regard dans un vide-garage quelques années auparavant. Le docteur Williams, un psychanalyste connu pour ses cures rapides et respecté pour la sagesse des conseils qu'il prodiguait dans des ouvrages dont les titres avaient le mérite de ne pas être prétentieux (*Apprendre à se connaître, Élever son enfant, Vivre en famille…*), était mort des suites d'un très long et pénible cancer. Son fils unique, un chef en vogue à San Francisco, avait organisé la vente de tous les biens personnels du docteur avant de confier la maison à une agence. Les pelouses, à l'avant comme à l'arrière, étaient couvertes d'objets hétéroclites allant de la claquette de plage en plastique, à la pipe d'écume, en passant par la lampe à huile ancienne, la pince à cornichons, ou les œuvres complètes de Marcel Proust en cinq langues. Jhersy avait éprouvé de la gêne à voir ainsi exposés les reliefs d'une vie dans un déballage qui mettait sur le même plan la bouillotte recouverte de tissu écossais et la loupe ancienne à monture en corne et argent qui avait sans doute servi à déchiffrer des textes épineux. Mais le fils était à la fois si triste et si accueillant – un grand gars de plus de deux mètres avec une imposante barbe rousse et des mains longues comme l'avant-bras du professeur Gonçalves –, si touchant dans son chagrin et si enthousiaste à l'idée de voir les affaires de son père trouver de nouveaux propriétaires bienveillants qu'il était malaisé de se laisser gagner par la mélancolie. Après avoir tourné dans les allées qui serpentaient entre les différents amas, Jhersy était tombé en arrêt devant une statuette : une maternité aux seins pointus, petits, dressés vers l'avant, à angle droit avec le buste étroit, né d'un bassin large et stable sur le socle des jambes croisées. Il avait saisi la petite bonne femme qui tenait tout entière au creux de sa main. La tête était ornée d'une couronne. Du visage, on ne distinguait presque rien, à part un nez, légèrement busqué, qui lui avait paru particulièrement spirituel. Sans comprendre pourquoi, Jhersy s'était senti rassuré par le contact de la sculpture, ses proportions, sa densité sans poids conférée par l'âge et la qualité du bois. Face à Sylvie, il ressent le même apaisement à peine ourlé de désir. Quelque chose en elle ne saille pas. Quelque chose est enfermé, loin, profondément, une source, une paix. Il ne saurait dire. Elle tourne alors ses yeux vers lui et il est frappé par sa beauté. Jamais il ne l'avait remarquée. C'est comme si l'harmonie bouleversante de ses traits ne se donnait qu'à regret, exceptionnellement et par intermittence. Lorsqu'elle-même baisse la garde et cesse, durant quelques minutes, de la celer.

« Je… je… bredouille-t-il. Par où commencer ? Comprenez que c'est une mesure de sauvegarde. L'idée n'est pas de stigmatiser ni de juger. Il s'agit plutôt de prévenir. Prévenir pour guérir. Comprenez-vous ? »

Pour toute réponse, Sylvie se contente de verser du café dans la tasse du professeur, se penchant légèrement vers l'avant afin d'atteindre l'anse de la cafetière. Le col bateau de son tee-shirt bâille alors un peu et laisse apparaître, sans qu'elle s'en doute, sa poitrine nue presque plate et le haut de son ventre, ferme et musclé.

« Allons-y ! s'écrie le professeur Gonçalves. Oui ! Le mieux, c'est qu'on y aille. Je vous emmène en voiture. Qu'en dites-vous ? C'est mieux, non ? Comme cela vous vous ferez une idée par vous-même. Et puis, je me trompe peut-être, qui sait ? J'aime autant que vous découvriez les choses par vos propres moyens, avec vos yeux à vous, votre vision personnelle. »

Sylvie, curieuse de découvrir, non pas ce qui, vraisemblablement, concerne une inconduite de son mari, mais la façon dont celle-ci affecte le professeur Gonçalves, accepte la proposition de ce dernier et le suit sans résister.

Le jour décline. Une lumière bleue, diffractée par un léger brouillard, convertit les couleurs, y glissant une larme d'encre sombre. Le roux des feuilles vire au gris, le brun des troncs à l'indigo. Sylvie se réjouit de la beauté de la nature tandis qu'ils roulent, Jhersy et elle, en direction du campus. Aux abords de l'université, il emprunte une route qu'elle ne connaît pas, sinueuse, surplombée par les cimes nues des arbres qui forment un tunnel au-dessus de la chaussée luisante d'humidité. Ils n'ont pas prononcé un mot depuis qu'ils sont montés dans la voiture du professeur, un véhicule dont Sylvie n'a aucune idée de la marque et qui ressemble, selon elle, à un vaisseau spatial. Le toit vitré ouvre sur la canopée. Les longs bras squelettiques, branches et brindilles croisées, se mêlent au-dessus de leurs têtes pour quadriller le ciel chargé. Comme tout cela est compliqué et beau, se dit Sylvie.

Après avoir parcouru quelques kilomètres, ils se garent sur un promontoire. Le bas-côté de la route s'élargit à cet endroit, formant une sorte de belvédère d'où l'on peut contempler le bois d'automne presque noir, piqué par endroits des boules vertes des persistants. Sylvie sourit en pensant aux nombreuses scènes de film dans lesquelles un homme conduit une femme vers des lieux semblables pour lui donner un premier baiser. C'est une scène américaine, pense-t-elle encore. Jamais, dans un films français, italien, turc ou japonais, un homme n'emmène une femme dans sa voiture sur un promontoire en pleine nature (certaines fois, surplombant une mégapole) pour lui donner un baiser. Mais il ne s'agit pas de cela. Et c'est heureux car, malgré la curiosité qu'il éveille chez elle, Jhersy Gonçalves continue de la dégoûter un peu, avec ses cheveux trop drus et sa poitrine trop molle.

Ils descendent de voiture.

« Venez, dit-il. C'est mouillé, je suis désolé. Il fait trop humide aujourd'hui. Mais j'ai une couverture dans le coffre. Je vais l'étaler sur l'herbe. Je crois qu'elle est imperméable. On s'en sert pour les pique-niques. »

Que vont-ils faire sur cette couverture, tandis que la nuit commence à tomber ?

« On ne voit rien d'ici, explique Jhersy, lorsqu'on est debout. Il faut… je suis désolé. Cela doit vous paraître très bizarre, mais il faut s'allonger. Cela ne vous dérange pas ? »

Sylvie secoue la tête. Elle commence à s'amuser vraiment. Jhersy tire la couverture de son coffre, l'étend sur le sol. Vérifie l'angle et la position. Fait plusieurs essais, puis invite Sylvie à le rejoindre.

« Ce n'est pas très confortable, mais ce n'est pas dangereux. Ne vous inquiétez pas. Voulez-vous que je vous donne la main ? » propose-t-il.

Ce n'est pas nécessaire. Tel un chat heureux de se délasser, Sylvie s'allonge à plat ventre sur le sol, protégée de l'humidité par l'équipement de scout de son étrange compagnon. Ce qu'elle voit alors la surprend au point qu'elle manque de pousser un cri. Jhersy avait raison : debout, on ne voyait rien, rien que des arbres dénudés à perte de vue, mais dès que l'on se plaque sur le sol, menton sur les bras croisés, on est aux premières loges, à quelques mètres à peine de la baie vitrée d'un café planté en pleine nature. C'est un bâtiment moderne où le bois alterne avec le verre, une série de trois cubes aux dimensions généreuses qui s'emboîtent les uns dans les autres pour former une structure parfaitement adaptée au relief et admirablement nichée dans l'anse qui sépare deux coteaux. De l'autre côté de la baie vitrée, un couple, installé à une table en métal au design industriel, converse. Une bougie éclaire leurs deux visages. Les profils se détachent, rosés sur un fond plus sombre. Sylvie pense aux tableaux de Georges de La Tour. Ils sont beaux, surtout elle, la jeune femme, mais pas trop jeune non plus, aux joues encore rebondies, aux lèvres pulpeuses et adorablement retroussées sur ses dents du haut qui se chevauchent sans doute un peu (il faudrait qu'elle se tourne vers la vitre pour que l'on puisse l'affirmer), au long cou, à la nuque ravissante, quel port de tête ! Et lui, eh bien lui, elle le connaît, bien sûr. Mais dans son œil, quel éclat ! Ses prunelles brillent de joie, de tendresse, de désir aussi, peut-être. Probablement. Sylvie regarde son mari regarder la jolie jeune femme et cela lui procure un sentiment complexe. Elle pourrait rire et pleurer. Rire de voir cette étincelle si vivante, si joueuse dans l'œil d'Hector et pleurer en pensant qu'elle ne parvient plus, elle-même, à la déclencher. Mais l'a-t-elle jamais fait naître, cette étoile au cœur de l'iris ? Il lui semble que non. Et pourtant, il m'aime, songe-t-elle. Elle en est certaine. Il m'aime tellement. Les mains des deux amants se touchent alors, et Sylvie a l'impression que ce n'est pas vrai. Cette baie vitrée ressemble à s'y méprendre à un écran plat, une télé géante comme on en trouve partout aujourd'hui. Ce qu'elle voit n'existe pas. Le buste de l'homme qui se penche au-dessus de la table. Prends garde à la bougie ! ne peut-elle s'empêcher de penser. Le buste de la femme qui se penche à son tour.

Les visages qui se rapprochent. Dieu ! Comme ils sont imprudents, n'importe qui pourrait les voir. Ils s'embrassent lentement, avec délice, et c'est à ce moment qu'a lieu la révélation : Voilà comment mon mari embrasse quand il ne m'embrasse pas moi. Sylvie ne parvient pas à détacher son regard du baiser qui s'éternise, sans pour autant s'emballer. Un baiser merveilleusement tendre et planant. Comme cela doit être agréable, se surprend-elle à penser.

« C'est Caridad Lopez y Lopez, lui glisse Jhersy à l'oreille. Le professeur de littérature espagnole. »

Meurs à l'instant ! veut-elle lui rétorquer, car il gâche tout avec sa présence balourde, ses renseignements de détective d'opérette, son chuchotement obscène. Qu'il disparaisse ! prie-t-elle. Et qu'il me laisse comprendre ce que mes yeux voient, ce que mes yeux ne croient pas, ce qu'ils contemplent.

« Elle est divorcée, avec deux enfants. Cinq et trois ans. »

Mais qu'est-ce que tu veux que ça me fasse, imbécile ? Je sais exactement qui c'est, avec ses cernes pourpres, son immense sac, ses paquets impossibles à porter, sa cigarette volée entre deux cours, deux courses et les promesses aux enfants de les emmener au parc, à la montagne, à la plage, au cirque, en bateau. Elle dort trop peu parce qu'elle est toujours en retard dans la correction de ses copies, qu'elle passe beaucoup de temps avec son ex-mari au téléphone, qu'elle profite de la nuit pour fumer, boire, se livrer à de menus vices qu'elle évite de pratiquer en présence de ses enfants, qu'elle lit des romans russes et portugais en se disant qu'elle ferait mieux de se concentrer sur sa matière (sauf que les Espagnols, elle n'en peut plus), elle dort trop peu parce qu'elle voudrait y arriver, tout concilier, être une femme bien, préparer des repas équilibrés, perdre deux kilos, appeler ses parents régulièrement, ne pas dépendre du regard des autres, ne pas avoir besoin d'un homme dans sa vie, se débrouiller, mais voilà qu'apparaît le professeur Vickery. Ce n'est pas qu'il est beau. Ce n'est pas qu'il soit jeune. C'est qu'un jour, en la croisant dans l'escalier de la bibliothèque, il lui propose de l'aider à porter ses multiples sacs. Ils s'arrêtent un instant, face à face, dans l'escalier fort large qui mène au premier étage. Elle a posé tous ses paquets. Il prend alors sa main, sa petite main droite rougie par les brides, les bandoulières, et il la caresse en disant : « Pauvre mignonne, elle est si fatiguée », et là, à cause de ces quelques mots que le monsieur adresse à sa menotte, elle sent les fortifications se briser en elle, des années de fatigue et d'efforts se presser contre la muraille pour la faire céder. Il lui semble retrouver la bienveillance infinie de sa maman, le soir, au moment de l'endormissement. Dors, mon bébé. Tu es fatigué, mon gros bébé. Et soudain, ce professeur devient la seule personne qui la comprenne vraiment parce qu'il est le seul à songer, lorsqu'il la voit, non pas qu'elle est brillante, non pas qu'elle a de jolies fesses, non pas qu'elle est parfois un peu trop autoritaire avec ses enfants… rien de tout cela, le professeur Vickery est le seul à songer qu'elle est très très fatiguée et qu'il faudrait qu'elle se repose. Alors elle pose la tête sur son épaule et, au début, ce n'est que cela, un reposoir. Comment fait-il ? Il a toujours le temps. Il est marié pourtant. Elle le sait. Il le lui a dit. Elle a vu sa femme lors d'une réunion, juste après la rentrée. Il ne lui cache rien. Il ne rentre pas son ventre quand il se déshabille. Il est parfaitement à l'aise, nu devant elle, malgré l'âge. Est-ce une question de génération ? se demande-t-elle. Un reste de hippy chez lui. Il se promène nu après l'amour dans la chambre qui les accueille durant les heures d'école, à l'abri des enfants et du reste du monde. Il se promène nu et elle le trouve beau, parce qu'elle n'a jamais connu un homme aussi tranquille avec son corps. Et cette tranquillité, il la partage avec elle. Il l'endort, la fait jouir, la rendort, comme si le sommeil et l'amour étaient une substance unique.

Sylvie sait tout cela car elle connaît l'un des secrets d'Hector dont lui-même n'est peut-être pas conscient : il n'aime rien tant chez une femme que l'oisiveté. Jamais il n'a exigé d'elle des repas, du ménage, ni qu'elle paie une partie du loyer. Il a toujours voulu faire tout et elle rien. Ce n'est pas un homme à l'ancienne, adepte de l'épouse au foyer. Hector est bien au-delà de cette représentation. Serait-il un des derniers représentants de l'amour courtois : se battre, se battre, se battre tandis qu'elle se languit, se languit, se languit ? Sylvie l'ignore, elle est trop peu familière de ces braves chevaliers. Ce qu'elle imagine aisément, en revanche, c'est le soulagement que les femmes qu'elle appelle modernes risquent d'éprouver auprès de son mari. C'est quitte ou double, se dit-elle. C'est logique : soit elles le haïront, soit elles l'adoreront.

« J'aime beaucoup Caridad, reprend Jhersy, toujours à voix basse. C'est un très bon professeur. Bien notée par les élèves. Mais ce genre d'histoires, dans un département, c'est toujours compliqué, vous savez. Les jalousies… ça peut mener très loin et je ne voudrais pas que votre mari, que j'apprécie beaucoup, soit, comment expliquer, catalogué, vous voyez… »

À cet instant, le baiser se dénoue. La jeune femme regarde Hector, lui sourit. Puis, lentement, elle approche la main de son visage et rabat le petit triangle relevé du col de sa chemise.

Sylvie remarque une imperceptible grimace aux commissures des lèvres de son mari.

« Dites-moi, Jhersy, lance-t-elle en se redressant, que croyez-vous que vous fassiez en m'amenant ici ? Vous pensez sauver mon couple ? Vous voulez protéger l'université ? La réputation de mon mari ? L'estime mutuelle entre les sexes ? C'est quoi votre but ?

– Mon but ? Mais je n'ai aucun but. Je n'ai aucun intérêt personnel là-dedans. C'est simplement la vérité. Je veux que l'on connaisse la vérité. Je trouve qu'un monde sans mensonge est un monde meilleur.

– Je ne suis pas d'accord avec vous. Ce n'est pas la vérité. Je n'ai rien vu. Ramenez-moi chez moi. Tout de suite. »

Juste avant de quitter la planque, Sylvie se rallonge une dernière fois. Elle regarde en direction de la baie vitrée, en direction du couple. Hector s'est remis à parler, il agite les mains pour donner plus d'expressivité à son propos. Ses longs doigts sont majestueux et élégants. Au passage, sans que Caridad le remarque, il relève le petit triangle rebelle de son col de chemise.

« C'est bien ce que je pensais », dit Sylvie avant de se redresser pour plier la couverture.

Au retour, pas un mot. Le vaisseau spatial glisse dans la nuit, fil brûlant qui scie le beurre du soir en deux. Alors que le professeur Gonçalves ralentit, avec une excessive prudence, pour amorcer un virage, Sylvie aperçoit des lueurs sur la droite. C'est une clairière au cœur de la forêt. Des bougies sur le sol, des silhouettes de tailles différentes semblent danser en cercle autour d'une figure. Est-ce une statue ? Est-ce un arbuste ? C'est Lester, Sylvie le reconnaît à son bonnet péruvien dont les couleurs vives persistent malgré l'obscurité. Quel est ce sabbat ? se demande-t-elle. Car les flammes, autant que les corps agiles et agités qui se démènent autour de son fils, lui évoquent les démons d'*Une nuit sur le mont Chauve*.

« Protégez mes enfants, protégez mes frères et mes sœurs. Vos enfants. Mon doux Dieu, fais qu'ils ne connaissent pas le feu des armes, le tranchant des lames. Dieu, mon chéri, vois-les danser pour toi. Ils sont confiants. Ils sont jeunes. Nous sommes tes enfants. Nous sommes des enfants et nous te parlons la langue douce de nos corps innocents. Nous les offrons à toi. Non en sacrifice, mais dans la joie d'être avec toi et en toi. Ne nous repousse pas. Laisse-nous venir. »

Lester chante en français les mots que lui dicte sa passion. Ses ouailles répètent après lui certaines formules sans les comprendre, en les déformant quelque peu. Ils ont du mal à dire Dieu, alors ils répètent « chéri, chéri », parce qu'ils ont entendu ce mot étranger dans des films, que ça les amuse et que, pour l'instant, celui qu'ils appellent Absalom Absalom n'a exigé d'eux que la joie.

« Vous avez vu ? demande Sylvie.

– Quoi ?

– Là, sur la droite. Des enfants.

– Quels enfants ?

– Ils dansaient.

– Où ça ?

– Dans la forêt. »

Jhersy voudrait se tourner vers elle pour voir si elle plaisante, mais il préfère rester concentré sur la route. C'est un tronçon particulièrement dangereux à cause des dénivelés, de l'étroitesse de la chaussée et du manque de visibilité, surtout par une nuit comme celle-là, brune et sans lune.

« C'est mon fils, dit-elle. Il… »

Mais comment décrire ce qu'il fait. Peut-être Lester se consacre-t-il à un jeu de rôle.

« Votre fils ? Comment s'adapte-t-il ? Il a des petits camarades ? Quelle équipe a-t-il intégrée ?

– De quoi parlez-vous ?

– Ma fille était championne de basket et mon fils pratiquait le football. Pas votre football. Le football d'ici. Vous connaissez ? Votre fils est sportif ?

– Non.

– Il a une maladie ?

– Pas du tout. Il est en parfaite santé. Il… il danse.

– Ah, je vois, dit Jhersy avec une chaleur excessive. Oui, je comprends. Bien sûr. Il danse. Certains garçons sont comme ça. Ils préfèrent la danse. »

À l'hôpital, ils ont dit que je devais subir une reconstruction maxillaire. C'est très cher. J'ai perdu la moitié des dents du haut et toutes celles du bas. Quand je sortirai de l'hôpital, il faudra que je trouve un dentiste spécialisé. Il paraît que nous serons dédommagés. En attendant, je me nourris de soupe, et je pense à vous.

Sylvie relit pour la huitième fois ce passage dans le long message que lui a envoyé Zlatan. Elle utilise peu sa boîte mail, mais depuis le massacre au Bataclan et l'attaque du Petit Cambodge, elle a pris l'habitude de la consulter chaque soir, sur l'ordinateur d'Hector. Les catastrophes remontent à sa surface indifférente comme l'écume d'un bouillon. Souvent elle reste face à l'écran, prête à pleurer. Les larmes ne viennent pas. La peur occupe trop d'espace. Ce soir, c'est différent. Sylvie se dit : « J'ai bien fait. Bien fait d'ouvrir la boîte. »

Elle s'attarde sur « je me nourris de soupe, et je pense à vous », il lui semble que ces deux phrases constituent un poème. Rien ne rime, pourtant. Elle aimerait savoir analyser l'émotion qu'elle ressent à la lecture, pointer la façon dont la beauté se manifeste. Elle intervertit les mots : je me nourris de vous et je pense à la soupe. Cela la fait sourire, mais n'explique rien. Elle songe alors à Zlatan, sur un lit d'hôpital. Zlatan qui n'était pas au concert mais dans le petit restaurant, dont le nom lui échappe à cet instant, avec un ami qui s'en est sorti sans blessures graves. Dans son lit, le visage bandé, la mâchoire, sa si belle mâchoire, complètement fracassée, il écrit à son ancienne employeuse dans un français impeccable qui la bouleverse et lui rappelle le jour où, presque quinze ans plus tôt, elle l'avait emmené elle-même aux cours prodigués par la mairie pour qu'il apprenne parfaitement la langue et puisse reprendre des études ou exercer un vrai métier. « Pas besoin vrai métier, avait-il répondu. Occuper vous, vrai métier. »

Sylvie s'imagine le temps qu'il a mis après avoir écrit *soupe* pour ajouter – car elle sait qu'il s'agit d'une sorte de post-scriptum – *et je pense à vous*. Zlatan a hésité. Il l'a écrit, puis l'a effacé, pour l'écrire de nouveau. Il a relu, a attendu quelques minutes avant de laisser partir le message. Était-ce inconvenant ? À présent qu'il parle le français correctement, il se méfie de ce qu'il dit. Il sait qu'il n'a plus, comme à l'époque où son accent le dédouanait, droit à l'erreur. Quel mal y aurait-il à écrire cela ? Il dit les choses comme elles sont. Il n'offense personne. Il pense à Sylvie très souvent depuis qu'elle est partie. Il pensait souvent à elle avant, à l'époque où il la voyait presque chaque jour. Le soir, en s'endormant, il se répétait mentalement certains mots qu'elle avait prononcés. Le français, c'est elle qui le lui avait appris ; les cours n'avaient servi qu'à lui faire rencontrer d'autres jeunes gens dans son genre, exilés, solitaires, pauvres, avec lesquels il sortait boire, le samedi soir, des bières bon marché servies dans d'énormes gobelets en plastique par Mourad, le patron du Voltigeur, rue des Envierges. « Tu ne dois jamais avoir peur, mon chéri », lui disait-elle par exemple. Zlatan savait que « mon chéri » ne signifiait pas « mon amour », Sylvie l'appelait ainsi parce qu'elle avait pour lui des tendresses de mère. Mais le soir venu, lorsque le contexte avait cessé de resserrer sa toile autour d'un sens univoque, les mots s'enhardissaient, se libéraient et, se mêlant aux rêves, retrouvaient l'ampleur et le miroitement de l'équivoque. « Tes mains sont belles et fortes », lui disait-elle aussi, lorsqu'il empoignait Lester pour l'aider à atteindre le robinet du lavabo ou pour le faire descendre du manège. Rentré dans sa chambre de bonne, Zlatan regardait ses mains, les faisaient tourner sur elles-mêmes et répétait « belles et fortes ».

Il avait donc attendu quelques secondes avant d'ajouter *et je pense à vous*. Selon Sylvie et bien que, là encore, elle ne puisse l'expliquer, ces quelques secondes changent tout. Elles ne sont pas vides, mais, au contraire, débordantes. Elles débordent de tous les silences entre eux, lorsqu'il l'aidait à enfiler les manches de son manteau, qu'il glissait discrètement une main sous son coude au moment où elle s'apprêtait à descendre un trottoir – au cas où elle trébucherait. Des silences emplis de gestes, d'attentions. « Comment était votre maman ? J'aurais aimé la connaître. Elle devait être si fière d'avoir un beau grand fils comme vous », disait Sylvie, car elle savait que cette femme avait péri dans un bombardement et que, d'une certaine façon, il lui revenait de la remplacer aux côtés de l'orphelin. « Beau, grand », se répétait Zlatan avant de s'endormir, et ces paroles le berçaient. Lorsqu'il recopiait les conjugaisons, *je, tu, il*… il écrivait toujours Sylvie à la place du *elle*. *J'aime le football, tu aimes le football, il aime le football, Sylvie aime le football. J'ai regardé par la fenêtre, Sylvie a regardé par la fenêtre, Sylvie se demanda à quelle heure arrivait le train*, puis, en quatrième année, lorsqu'il avait obtenu son diplôme d'excellence, *Bien que Sylvie ne sût lire une boussole, elle avait, sans peine, retrouvé son chemin*. Si Zlatan les mettait bout à bout, ces phrases, inspirées par le manuel, fabriquaient un roman sans queue ni tête dont Sylvie était l'unique héroïne, évoluant dans un décor qui n'était ni celui d'une ville ni celui d'une campagne. Sylvie se promenait parmi les verbes, les adjectifs, les pronoms, les conjonctions de coordination, elle était l'unique personnage d'une saga de la langue française. Ses mésaventures étaient constituées de fautes d'accord, d'erreurs sur la concordance des temps, de maladresses dans la construction. Ses exploits s'illustraient par la correction de phrases complexes, ses victoires par la perfection orthographique de *veuille, cueille, seuil*, ses amours par la musique des allitérations et l'usage impeccable de la ponctuation. En cinq ans, Zlatan était devenu un gardien presque maniaque de la syntaxe, chaque fois qu'il entendait un Français de souche dire *après qu'il soit*, substituant le subjonctif à l'indicatif suite à une confusion entre l'éventuel et l'accompli, il grinçait des dents. « Mais, mon chéri, disait Sylvie, ne t'énerve pas. Tout le monde fait cette faute. Moi aussi d'ailleurs. Je suis certaine que je me trompe une fois sur deux. » « Vous, c'est différent, aurait pu répondre Zlatan. Vous, vous êtes le français, vous êtes la princesse dans la langue », mais il ne répliquait rien et s'adoucissait aussitôt. Depuis quelques semaines, Sylvie le tutoyait. Ce changement avait enthousiasmé Zlatan. Il était ému et comblé. C'était sa récompense. « Je peux vouvoyer toi quand même ? » lui avait-il demandé. « Oui, mon grand, fais comme tu veux », avait-elle répondu, souriant intérieurement à cause de la formulation paradoxale de cette requête : « vouvoyer toi ». Les mois passant, il avait basculé complètement du côté du vous. Et puis, des années plus tard, quelques mois avant leur départ, il était apparu à la porte, l'air bouleversé, les yeux emplis de larmes.

« Tu ne peux pas partir, avait-il dit à Sylvie. Ça fait trop mal.» Sylvie avait reçu ce « tu » en pleine poitrine. « Nous reviendrons, avait-elle assuré. Ce n'est pas pour toujours. Lester est grand maintenant. Ça fera une transition. Il est temps que tu passes à autre chose, tu ne crois pas ? – Tu me renvoies ? C'est ça en fait. Tu n'as plus besoin de moi, alors tu pars. Et moi, je deviens quoi ? – Tu as des amis, maintenant. Tu vas devenir professeur. »

Au terme de sa dixième année en France, Zlatan avait consenti à s'inscrire à l'université. Sylvie avait demandé de l'aide à Hector. Il était bien placé ; il connaissait du monde. À la rentrée suivante, Zlatan commençait sa première année de licence en lettres modernes. Lorsque la famille Vickery avait quitté la France, il préparait l'agrégation. Il ne faut pas qu'il lâche, qu'il se décourage. Sylvie l'aidera. Elle enverra de l'argent.

Elle clique sur l'icône en forme de flèche et écrit dans le carré vierge au-dessous :

Très cher Zlatan,

Tu vas te remettre très vite. C'est une année importante pour toi. Nous allons t'aider.

Je t'embrasse très tendrement.

Elle se relit. Trouve son message cloche et mal écrit. C'est mieux ainsi, se dit-elle. Ce « nous », en particulier, lui convient. Impersonnel, froid, quasi bancaire.

Hector se rhabille lentement. Il est en retard mais refuse de se hâter. Il aime ce moment. Celui où Farah, nue, la joue appuyée sur son avant-bras, allongée sur le ventre au milieu du lit défait, agite doucement ses pieds repliés au-dessus de ses fesses en le regardant ramasser ses vêtements un à un. Le calme qui règne alors est incomparable. Dans cette pose qu'elle adopte volontiers, elle ressemble à une enfant. La plante rose de ses pieds contraste avec le brun épicé de sa peau. Ses épaules rondes, ses cuisses rondes, ses fesses majestueuses, tout dans son corps paraît sourire et jouer. C'est la femme la plus audacieuse qu'il ait jamais connue. Physiquement audacieuse, mais pas seulement. Elle propose, change, demande, imagine. Ne déteste pas avoir tort, le reconnaît volontiers. Donne des ordres, mais aime également en recevoir. Elle peut commenter la correspondance de Hegel et la vision que le philosophe avait de la France, accroupie sur le sol de la cuisine pour trier des lentilles dispersées sur un morceau de drap blanc. Souvent, elle se tient sur un pied, tel un échassier, et semble parfaitement en équilibre ainsi. Elle est drôle aussi, presque toujours, et légère, comme quelqu'un qui a tout perdu. « Mais, lui a-t-elle confié un jour, un exilé a toujours tout perdu. Il n'a pas le choix. Ou plutôt si, mais uniquement entre deux voies, celle de la nostalgie pétrifiante et celle de la curiosité bondissante. J'ai choisi mon camp. Jamais je ne retournerai là-bas. Jamais je ne serai chez moi ici. Et en attendant qu'une éventuelle famille finisse par rapatrier ce qu'il restera de moi – des os et de la chair pourrissante, je n'ai aucun penchant pour l'incinération –, je tiens beaucoup à m'amuser. » Hector la sent supérieure à lui, intellectuellement et physiquement. Farah est plus jeune, plus vaillante, inventive et rapide. Il se demande s'il n'a pas enfin trouvé son maître. Que vaut son vieux mentor, Édouard Laligue, à côté de cette femme ? Il est mort, elle est vivante. Il était ennuyeux, elle est la distraction même. Hector a l'impression, cependant, que la place est déjà prise. Cette fonction supérieure à toutes, quelqu'un l'occupe en ce moment même. Il frémit imperceptiblement lorsqu'il consent à le reconnaître.

« Caridad est folle de toi, lui dit Farah en s'éventant à l'aide du programme du Baldwin Auditorium de l'année 2014.

– Caridad est folle.

– Non, je ne dirais pas ça. Elle est jeune et affolée. Voilà, c'est ça. Affolée, pas folle. À son âge, j'étais dans le même état. C'est tellement bon de vieillir.

– Elle n'est pas jalouse ?

– Je ne lui ai rien dit. Je l'aime beaucoup. C'est moi qui ai insisté pour qu'elle soit prise ici. McRevor voulait un type de Columbia. Un croûton arrogant, mais excellent hispaniste, ça, je le reconnais. Caridad est un petit génie, à sa manière. Et les étudiants l'adorent. Elle est tellement jolie. Elle est vraiment très jolie, tu ne trouves pas ?

– Elle est très, très, très jolie, mais elle n'a pas la moitié du quart de ça, rétorque Hector en embrassant les fesses de Farah.

– Tu es un porc français, dit Farah en se retournant vivement sur le dos.

– Je suis à moitié gallois.

– C'est pire. Tu es ce que la bâtardise a donné de pire. Un mélange de porc français et de vicieux britannique. Tu as beaucoup d'autres maîtresses ?

– Non. J'ai ma femme. »

Hector regrette aussitôt sa réponse. Il ne veut pas mêler Sylvie à cette nouvelle vie qui s'est ouverte à lui ici sans qu'il ait pu le prévoir. Il ne s'explique pas lui-même comment c'est arrivé, presque naturellement, comme si cela constituait une partie du cursus. Il n'en retire ni culpabilité ni gloire, seulement un immense, un incroyable plaisir. Il songe que ce rôle inédit d'amant lui est tombé dessus comme aux super-héros modernes leurs pouvoirs. Un beau matin, Wesley Birkby se réveille et rien n'est comme avant, ses mains traversent la matière, ou ses jambes le propulsent à trois cents kilomètres heure, ou encore son esprit lui permet de voyager d'une époque à l'autre. C'est d'une façon aussi surprenante que l'attraction qu'il exerce à présent sur les femmes s'est déclarée chez lui.

Avec Farah, leur engouement lui semble s'expliquer par une affinité intellectuelle certaine, doublée d'une propension avouée chez elle à la liberté sous toutes ses formes. C'était arrivé rapidement après leur première rencontre, lors de son voyage en solitaire destiné à aplanir les difficultés que risquerait de rencontrer sa famille au moment de l'installation. Elle était venue l'accueillir à l'aéroport et l'avait conduit à l'université le lendemain. Lors de leur deuxième rencontre, elle lui avait montré, de l'extérieur, la maison qu'ils occuperaient avec Sylvie et Lester et qui n'était pas encore disponible ; après quoi elle l'avait invité à déjeuner dans l'une des cafétérias d'Earl University pour lui présenter quelques futurs collègues. La troisième fois, elle l'avait emmené en forêt et ils avaient marché plusieurs heures en racontant absolument tout ce qui leur passait par la tête, du plus général au plus intime, comme si chaque pas contribuait à leur délier la langue, comme si, seuls au cœur des bois, ils s'étaient retrouvés oubliés du monde autant qu'oublieux de lui. Ils avaient ri. Beaucoup ri. Lors de leur quatrième rencontre, elle l'avait invité à boire un verre chez elle. Le pull en coton qu'elle portait avait glissé sur son épaule lorsqu'elle s'était penchée pour ramasser un livre sur le sol. Elle avait voulu remettre le vêtement en place, mais Hector avait arrêté son geste de la main. Puis il avait – mais comment était-ce possible ? Comment avait-il osé ? Comment en avait-il même eu l'idée ? – posé ses lèvres à l'endroit où la clavicule venait se fondre au thorax.

« Ta femme, dit Farah d'une voix rêveuse. Sylvie. Elle est fantastique, Sylvie.

– Qu'est-ce que tu lui trouves ? demande Hector qui s'en veut aussitôt de la formulation adoptée, presque insultante, ce n'est pas ce qu'il a voulu dire.

– Exactement la même chose que toi. »

Ils sont donc deux à connaître l'identité réelle du mentor.

Quoi qu'il fît, Hector recherchait toujours l'assentiment de Sylvie. Il voulait qu'elle l'admire, qu'elle le félicite. Il avait pris l'habitude de lui lire ses articles avant de les faire publier, espérant qu'elle serait touchée par ce privilège, mais priant surtout pour qu'elle le rassure, l'adoube d'une façon ou d'une autre. Au début de cette étrange collaboration, elle lui rendait les liasses plus ou moins épaisses sans le moindre commentaire. Un sourire suffisait, croyait-elle. Dans la marge, quelques marques rouges pour les fautes d'inattention. Sylvie avait une orthographe parfaite, comme certains ont l'oreille absolue. Hector se sentait méprisable et méprisé, un élève de cours élémentaire qui peine, malgré ses efforts, à devenir le chouchou de la maîtresse. Il avait un jour décidé de les lui lire à voix haute, pensant qu'il pourrait ainsi traquer ses réactions, espionner un émerveillement. Il possédait – c'était chose connue et reconnue par ses pairs – une élégance naturelle de la formule, un génie du raccourci explosif qui jetait une lumière séduisante sur les idées qu'il empruntait comme sur celles qu'il développait.

Hector choisissait son moment : en début de soirée, juste après le dîner, ou en fin de matinée lorsqu'un calme parfait régnait dans la maison et que Sylvie semblait disponible, assise sur une chaise de la cuisine ou debout, devant une fenêtre, le regard porté vers l'horizon. Elle ne faisait rien, il ne la dérangeait donc pas. Elle avait pourtant l'air contrariée, presque toujours, comme s'il l'avait interrompue au milieu d'une activité urgente qui requérait toute son attention. Elle poussait un soupir. Même quand elle ne soupirait pas, elle avait dans les sourcils, aux coins des lèvres, quelque chose, une aile de papillon, un pétale envolé. « Non, tu ne me déranges pas. Je t'écoute », disait-elle, mais à peine avait-il commencé qu'il la sentait s'éloigner, lentement, placidement, suspendue à la montgolfière ingouvernable de son esprit.

« Tu trouves ça comment ? »

Sylvie avançait légèrement le menton, muette.

« C'est intéressant ? C'est clair ?

– Oui, ah oui, répondait-elle comme soudain éveillée d'une sieste. C'est très intéressant, c'est très clair. »

Un jour, de mauvaise humeur, il n'avait pu se retenir.

« Et si je te disais : C'est de la merde ? La pire merde que tu aies jamais entendue ? Tu répondrais aussi : Oui, ah oui, de la merde, la pire merde que j'aie jamais entendue.

– Mais pourquoi tu t'énerves ? Je n'y connais rien, moi. Je ne suis pas une spécialiste. Je ne suis même pas sûre de tout comprendre.

– Si tu ne comprends pas, c'est que ce n'est pas clair.

– Non, c'est clair. C'est moi qui ne suis pas claire. Je n'ai pas la culture nécessaire. Tu sais bien. Tes articles s'adressent à des spécialistes. Moi, je… je ne suis pas une spécialiste. »

Y croyait-elle elle-même ? Hector refusait ces arguments. Il la regardait durement, comme pour percer son front, en extraire le nectar accumulé au cours de toutes ces heures qu'elle avait passées à lire, méthodiquement, l'ensemble de sa bibliothèque, selon le classement qu'il avait choisi : d'abord les romans par ordre alphabétique, puis la poésie, le théâtre, l'histoire, les essais jusqu'à 1847 toutes langues confondues, la philosophie analytique, le reste de la philosophie, la psychanalyse, l'art, l'ornithologie, divers guides pratiques (jardinage, cuisine à la vapeur, yachting), la linguistique, la critique littéraire, les biographies. Assise par terre, adossée à leur lit, du matin au soir et parfois tard dans la nuit, Sylvie lisait tous les ouvrages qu'il avait achetés, volés, empruntés, triés. Lui-même n'avait pas écumé l'ensemble des volumes. Il n'avait pas le temps, pas la patience. Sylvie ne faisait rien d'autre, ne marquait pas de pause entre l'ouvrage qu'elle terminait et le suivant, substituant le premier au second sur l'étagère où ils formaient un train aux milliers de wagons. Jamais elle ne semblait écœurée ni lasse. Hector savait qu'elle avait besoin de s'emplir, il comprenait qu'elle chasse ainsi tout l'espace que le chagrin aurait, autrement, colonisé. Il ne la contrariait pas, la regardait faire. Elle se soigne, songeait-il avec le même respect que celui qu'il avait ressenti, enfant, face à Milto, son chat birman qui, blessé à la patte, s'était amputé lui-même et avait fini par cicatriser et marcher de nouveau, sur trois pattes, sans l'aide de personne.

« C'était toi, dans la forêt ? demande Sylvie à Lester qu'elle trouve penché sur un bol de lait à la table de la cuisine, absorbé par la blancheur du liquide comme s'il tentait d'y lire l'avenir.

– Comment ? fait-il, relevant son front de quelques centimètres.

– Dans la forêt, jeudi dernier. Il faisait nuit. Vous dansiez, je crois, toi et d'autres enfants. Il y avait des bougies sur le sol. Tu sais que c'est dangereux. Des bougies dans la forêt.

– Sylvie, les sous-bois sont humides.

– Appelle-moi maman et réponds à mes questions. C'était donc toi, jeudi dernier, dans la forêt. Qui sont ces enfants ?

– Des amis. Mes amis. On répète une pièce de théâtre pour l'école.

– Tu ne m'as rien dit. Qui organise ça ?

– Verena Steinheim, la prof de théâtre.

– Tu ne m'as jamais parlé d'elle.

– C'est une enquête ?

– Non. Je suis curieuse. Ça m'intéresse. Je ne savais pas que tu aimais le théâtre. Tu es inscrit à un atelier, un cours ?

– J'ai été choisi pour jouer Ariel. Verena m'a vu faire la roue et le saut de mains en cours de gym. Elle cherchait un acrobate pour le rôle.

– Tu as été choisi ? Mais c'est formidable et pour jouer Ariel en plus. C'est étonnant comme choix. Je veux dire, pas étonnant pour Ariel, mais *La Tempête*, ce n'est pas vraiment ce qu'on imaginerait pour des adolescents. Plutôt *Le Songe d'une nuit d'été*. Enfin, je n'y connais rien. »

La mère et le fils se taisent un instant. Ils se regardent, se toisent. Puis Lester dit en souriant à son bol de lait :

« Tu es comme moi en fait.

– Comme toi ?

– Tu fais semblant de ne pas savoir, mais tu sais.

– Zlatan m'a écrit. »

Lester écoute sa mère lui parler de Zlatan. Il produit les réactions adéquates au fur et à mesure que les nouvelles lui parviennent : une grimace lorsqu'il apprend pour les dents, un haussement de sourcils quand elle lui parle des frais, un hochement de tête à l'annonce de l'aide qu'elle a décidé de lui procurer. Lester perçoit chez sa mère quelque chose d'inédit, comme si elle dégageait une odeur nouvelle, inquiétante. Une pointe de vanité, presque rien, dans la façon dont sa voix trace une crête d'un aigu à l'autre.

« Mon tout joli, mon refuge, mon âme, écarte-moi du jugement. Permets-moi d'accueillir les paroles de ma mère sans les comprendre. Qu'elles ne soient que musique. Efface l'orgueil, ne laisse que la joie. Sylvie en a si peu. Sa tristesse est si grande. Fais que je me réjouisse, mon si cher, mon Dieu d'amour. Fais que je l'aime et que je sache entendre sans écouter, recevoir sans évaluer. Voile mes yeux. Que n'apparaissent ni sa beauté, ni sa victoire de femme. Fais, mon aimé, mon royaume, que je ne voie que ce que l'enfant voit. »

Mais Dieu n'écoute pas le garçon. Il le met à l'épreuve. Ainsi, tandis que Sylvie poursuit son récit, Lester revit-il la scène, la scène troublante, celle dont il n'est jamais parvenu à déchiffrer la signification.

C'était au début de l'été précédent. Il avait dit au revoir à ses amis. Il avait rangé ses affaires avec celles de ses parents dans des cartons entreposés au fond d'un cagibi, dans l'entrée, fermé par un verrou cadenassé afin que leur appartement puisse être loué durant leur séjour à l'étranger. Lester éprouvait un serrement au creux de la poitrine, mais se disait heureux de partir, de changer d'école, de perfectionner son anglais, de découvrir les États-Unis. Il sautillait sur place pour manifester son enthousiasme et tournoyait sur lui-même. Cela faisait sourire Hector et Sylvie qui le trouvaient un peu vieux pour ce genre de chahut.

Parfois, entre deux tâches, Lester se surprenait lui-même, les mains jointes, doigts entremêlés, près du visage. Que faisait-il ? Je prie ? se demandait-il. Il ne connaissait aucune prière. Ses mains se collaient l'une à l'autre en silence, sans presque le vouloir, ses lèvres remuaient machinalement. C'était une sorte de tic qui ne s'accompagnait, au début, d'aucune parole. Les mots étaient venus plus tard.

Lorsque la scène s'était produite, il ignorait encore qu'il avait été « appelé », il savait seulement qu'à certains moments de la journée, son esprit semblait ravi, soudain vide, transparent et parfait, telle une bulle de savon. Il était rentré plus tôt du collège parce que le professeur de mathématiques était absent. Il avait fait tourner la clé dans la serrure le plus silencieusement possible pour ne pas inquiéter inutilement sa mère. Une fois la porte ouverte, il avait pénétré dans l'appartement sur la pointe des pieds, déposant sans bruit son sac et son manteau dans le vestibule. Il allait lancer un « Bonjour, c'est moi » en arrivant sur le seuil du salon, quand il les avait vus.

Sa mère se tenait debout, au centre de la pièce, les yeux étrangement vides, légèrement tournés sur le côté, une cuisse nue levée à hauteur de l'épaule de Zlatan qui, agenouillé sur le sol, lui enserrait la taille, tête collée contre sa poitrine. Ils étaient parfaitement immobiles, l'un et l'autre, et durant un instant, Lester avait cru reconnaître *Le Combat de Jacob avec l'ange*, un tableau peint par Rembrandt qu'il avait vu aux Staatliche Museen de Berlin, en classe de cinquième, lors d'un voyage scolaire. Ce n'était pas une étreinte amoureuse. Les deux protagonistes étaient vêtus. La cuisse saillait hors de la tunique, innocemment, sous le tissu qu'un mouvement avait remonté sans intention de la découvrir. Lester se souvenait du sentiment qu'il avait éprouvé face au tableau. Ses yeux avaient effectué plusieurs allers-retours entre l'image et le carton où figurait le titre de l'œuvre. La traduction en anglais (*Jacob Wrestling with the Angel*) lui permettait de comprendre qu'il s'agissait d'une lutte, mais l'intensité qui se dégageait du couple formé par Jacob et son adversaire ne semblait pas correspondre au sens imposé par les mots. Les corps n'étaient pas tendus par la violence belliqueuse d'un affrontement. L'ange paraissait indifférent, n'offrant pas de réelle résistance, une main sous la tête de Jacob comme pour le bercer, l'autre pressée sur sa taille comme pour danser. Quant à Jacob, de profil, les yeux presque clos, il avait l'air triste ou résigné, Lester n'aurait su dire. S'il avait réussi à ignorer les indications fournies par ce qu'il lisait et relisait sans y accorder crédit, il aurait eu l'impression que chacune des figures représentées jetait en elle-même un regard songeur, introspectif, dans lequel ne perçait pas la moindre intention de vaincre. Qui suis-je ? demandaient les visages. Était-ce la question que Sylvie et Zlatan se posaient à eux-mêmes, ainsi figés dans un embrassement où la dévotion semblait l'emporter sur le désir ?

« Qu'en penses-tu ? lui demande sa mère, le sortant de sa rêverie.

– De quoi ? fait Lester. Pardon. J'étais distrait.

– Je dois en parler à papa ? Tu crois qu'il faut que je lui demande de l'argent ? Pour Zlatan ?

– De l'argent ?

– Tu es abruti, ou quoi ? Mon lapin, je t'ai expliqué. Tu comprends ce qui s'est passé, oui ou non ? Zlatan a été blessé lors de l'attentat. Celui qui a eu lieu dans le petit restaurant, près du canal Saint-Martin. Tu es au courant ? Où as-tu la tête ? Qu'est-ce qu'on peut faire d'autre pour l'aider ? »

Lester ne répond pas. Il regarde attentivement sa mère, à la recherche du fil conducteur de la conversation qu'il ne parvient pas à avoir avec elle.

« Oh, mon chéri, poursuit-elle. C'est toi qui as raison. Zlatan a failli mourir. Tu n'as même pas eu le temps de digérer la nouvelle. Et je… C'est ridicule ce que l'horreur fait de nous. Elle nous transforme en machines. Elle nous endurcit.

– Non, je ne crois pas.

– Qu'est-ce que tu ne crois pas ?

– Que l'horreur nous endurcisse. Je crois que nous sommes nés dans l'horreur, que nous vivons en elle, que nous finissons en elle, mais que dans l'intermède, enfin, disons, entre-temps, entre une horreur et une autre, on s'efforce, enfin, je veux dire, on feint de…

– Lester.

– Oui, maman.

– Tu peux parler comme tu en as envie. Pas la peine de truquer maintenant. Pas avec moi. Ce n'est plus la peine. »

Lester sourit. À quoi bon, en effet, tenter de berner sa propre mère. Elle lit dans ses pensées, même si elle se l'interdit. Le garçon sent se dénouer en lui le lien, la bride. Il renonce à adapter son langage, à faire usage des approximations qui blessent sa pensée et son gosier. Depuis qu'il est tout petit, il a pu constater qu'il était plus dangereux de s'exprimer avec grâce et précision qu'avec maladresse et grossièreté. On pardonnera en souriant à un enfant qui aura dit « J'ai prendu ma saussure » ; on lorgnera d'un œil méfiant celui qui lancera : « Je me demande parfois s'il convient de regarder avant que de traverser au feu, dans la mesure où la présence d'un chauffard et l'accident qui risque d'en découler sont, par essence, imprévisibles. » On pensera que c'est un arrogant, un petit donneur de leçons. C'est pour cette raison que, depuis la fin de la maternelle, Lester a choisi d'associer son sort à celui des camarades que les maîtres, les parents et les autres élèves considèrent, sans le formuler, comme des crétins.

Fort de l'autorisation de sa mère, il ne censure donc aucun mot dans le récit qu'il lui fait d'un moment décisif de son existence.

« En janvier, l'année dernière, quand il y a eu les premiers attentats, enfin, les premiers de cette vague, reprend-il, d'une voix à la fois plus assurée et plus enfantine, j'ai découvert quelque chose. C'est arrivé juste après l'assassinat des dessinateurs et je crois que ça s'est encore amplifié lors de la prise d'otages au supermarché. *Charlie*, c'était un mercredi et quand je suis rentré du collège, la télé était allumée, alors qu'elle n'est jamais allumée chez nous. Tu as voulu éteindre et je t'ai dit : Je suis au courant. J'avais entendu la nouvelle à la radio, dans la loge du concierge. Je savais que les gens du journal avaient été tués par des fanatiques. Avant de monter à la maison, j'avais regardé sur Internet, dans le hall, avec mon téléphone. J'avais tout vu : les visages des morts, l'immeuble, tout. Ce jour-là, je ne t'ai pas dit ce que je ressentais parce que j'avais l'impression d'être un monstre. Je voulais seulement te consoler.

– Pourquoi un monstre ?

– Parce que, moi, dans le fond, je me sentais… je crois que je ne peux toujours pas le dire.

– Alors ne le dis pas. Dis autre chose. »

Lester éprouve une telle gratitude pour sa mère que les larmes qu'il a retenues depuis des mois se mettent à couler sur ses joues. Oui, Sylvie, pense-t-il, tu es un ange. L'ange qui sait, qui comprend, qui englobe et n'exige rien. Alors, malgré ses larmes, il parle.

« Zlatan m'a expliqué, un jour où tu n'étais pas là – c'était il y a assez longtemps –, que pendant la guerre, dans son pays, il s'était passé des choses terribles, mais aussi de belles choses. Il m'a dit qu'il conservait de bons souvenirs de cette époque. Il était adolescent et toujours amoureux. C'est ce qu'il m'a raconté. Amoureux tous les jours d'une fille différente, ou de la même. Les parents ne surveillaient plus rien. Ils étaient trop occupés à trouver de quoi manger ; ils cherchaient à s'enfuir, ils mouraient. La mère de Zlatan était morte alors qu'il n'avait pas encore quinze ans. Un tir d'obus, et après la maison avait pris feu. Zlatan était ailleurs, je ne sais plus où. Il m'a souvent raconté sa vie d'avant, mais j'ai toujours eu du mal à remettre les événements dans le bon ordre. Et donc, comme les parents ne surveillaient plus rien, tout était possible. Je me souviens du mot qu'il employait, il disait "kaosse". En fait, c'était "chaos". Il me disait : "À quinze ans, on aime le kaosse." À l'époque, je ne comprenais pas ce qu'il voulait dire, pas seulement parce que je ne reconnaissais pas le mot "chaos" derrière sa prononciation, mais aussi parce que j'étais trop jeune, je crois. Je me disais que quand j'aurais quinze ans, je comprendrais. Je n'ai pas encore quinze ans, mais j'ai compris. Enfin, je crois que j'ai compris. À quinze ans, on sait que l'horreur règne. Des actes barbares sont à l'origine de presque toutes les civilisations. Ce n'est pas dit comme ça à l'école, mais on le comprend, si on a envie de comprendre. Tout existe. Toutes les formes de cruauté et de perversion. L'imagination dont l'humain fait preuve dans ces domaines est étourdissante. On tranche des gens en morceaux, on les mange, on les viole devant leurs enfants, on décapite des enfants devant leurs mères, on introduit dans la bouche d'un soldat encore vivant le sexe qu'on vient de lui couper, on… »

À cet instant, Sylvie regrette ses paroles. Elle n'aurait pas dû donner l'autorisation à son fils de parler comme il l'entend, avec ses mots qui ne sont pas de son âge et l'élaboration de sa pensée qui dépasse de beaucoup celle de la plupart des gens qu'elle connaît, toutes générations confondues. Elle ignore comment l'arrêter. Elle n'est pas capable de supporter ce qu'il endure. Elle ne tient pas à regarder quoi que ce soit en face. Elle voudrait lui vanter les mérites de la lâcheté, l'initier au génie de l'autruche. Elle pense qu'il se connaît bien lui-même et qu'il a raison de se définir comme un monstre. Elle frémit en se sentant soudain rejetée loin de lui parce qu'elle-même le rejette. Monstre. Monstre. Monstre.

Mais il a poursuivi, tout le temps qu'elle n'écoutait pas. Il ne s'est pas interrompu lorsque les yeux de sa mère se sont imperceptiblement détournés.

« Et pendant ce temps-là, s'écrie-t-il, les gens baisent. Ils baisent. C'est tout ce qui les intéresse.

– Et alors ? répond Sylvie, sans avoir pris la peine de suivre le raisonnement qui a mené à cette conclusion. Si ça peut leur faire du bien. »

Sylvie a rapporté de la terre de l'atelier. Elle a demandé l'autorisation à Lauren. « C'est pour m'entraîner », a-t-elle précisé. « T'entraîner à ne rien faire ? a plaisanté son professeur. C'est une performance tellement cruciale, tellement radicale que tu risques de réinventer le classicisme ! » a-t-elle ajouté en riant à l'adresse de Sylvie.

Sylvie a emballé son bloc gris et humide d'un film transparent, puis l'a glissé dans un sac en toile de jute fermé par un lacet en cuir. Lauren lui a confié un jour que les sacs et les lacets, c'étaient des accessoires pour expats en manque de sensations esthétiques fortes, une idée qu'elle avait eue pour attirer certaines bourgeoises à ses cours, mais que rien ne valait une bête poche en plastique bien polluant. Sylvie aime le jute et le cuir. Tant pis si ce penchant la classe dans une catégorie à laquelle elle ne croit pas appartenir.

Une fois chez elle, elle s'installe dans la cuisine. La lumière blanche de décembre nimbe chaque objet d'un halo gris bleuté. Le monde est silencieux, immobile, saisi dans le jour court auquel la nuit sans étoiles apportera bientôt le soulagement d'une avancée vers le solstice d'hiver. Vite, s'acheminer jusqu'au jour le plus bref pour recommencer à espérer l'allongement de la lumière. Chacun retient son souffle, sent la mort le frôler, la fin de toute chose. Parfois, une chute de neige ou une tempête distrait le convoi monotone du temps. Est-ce pour cette raison que l'on a inventé Noël ? se demande Sylvie. Pour faire luire quelque chose au-delà du dégoût, conjurer le désenchantement météorologique ? Cette saison morne lui convient. La couleur de la terre l'encourage.

Elle va prendre, dans les tiroirs inférieurs du frigo, les objets dont elle a besoin pour son travail : un poireau au vert jauni, quelques carottes dont la pointe ramollie rebique, une tomate immangeable qu'une tache noire, signe du défi que lance la pourriture aux quatre degrés du réfrigérateur, défigure, affaisse, ronge. Elle dispose les légumes qu'en mauvaise maîtresse de maison elle n'a ni consommés ni jetés. Ils ne sont plus bons à rien, se dit-elle, prise de compassion et même d'amitié pour ces représentants d'une caste qu'elle reconnaît comme sienne. Mon temps est passé, pense-t-elle, mais je persiste. Mon courage est là, dans le fait que je demeure, maillon inutile d'une chaîne économique à laquelle je ne participe pas, camarade d'une ronde qui jamais ne me désignera comme souveraine. Amante périmée, mère d'un enfant qui peut se passer de moi, épouse d'un homme qui se choisit d'autres femmes. Rien de triste dans ce constat. L'aléatoire, la curiosité l'emportent. Sylvie sourit, les yeux plissés par une malice inattendue, en alignant les légumes face à elle sur la table, face à la terre grise, inerte, prête pour toutes les métamorphoses.

Elle contemple un instant son installation, puis se lève et se munit d'un bol d'eau tiède. Les deux mètres de toile cirée transparente qu'elle a achetés au supermarché transforment sa table de cuisine en plateforme opératoire. Elle trempe le bout de ses doigts dans l'eau, détache un morceau de terre de la taille de son poing et, tout en fixant des yeux l'une des carottes, la plus biscornue, la plus pitoyable, elle se met au travail. À aucun moment, elle n'accorde un regard à la matière qui s'étire, cède et s'allonge entre ses mains. Fascinée par la racine racornie, ses aspérités, ses bosses, ses rares poils, son derrière pathétique dépourvu de fanes, elle malaxe, affine, mouille, creuse, lisse. Ses gestes ne semblent pas régis par sa volonté. Elle exécute un plan qui lui échappe, avec un mélange de patience et de rapidité qui lui arrachent parfois un soupir euphorique, une sorte de rire muet qui secoue son buste. Sans prendre la peine de vérifier le résultat de ses manipulations, elle dépose la réplique grise du légume sur une planche à découper et se concentre sur le poireau. Un couteau de cuisine bien aiguisé et une fourchette lui permettent de reproduire les feuilles vert jaunâtre prolongées par un fût blanc, légèrement bulbeux à l'endroit d'où partent les radicelles qui lui évoquent, depuis l'enfance, la chevelure d'un savant fou. Sylvie ne se préoccupe pas des couleurs. Elle ne retient que la forme, l'épaisseur, la vigueur ou la mollesse. Elle s'étonne que son esprit réussisse aussi facilement à discriminer les caractéristiques si nombreuses de l'alliacée pour ne conserver que celles qui lui importent. Tout en poursuivant son modelage, elle se met à penser tout haut, à parler seule : « Eh ben, c'est pas facile. Oh là là, ça retombe. Non, non, pas comme ça. Voilà, ça marche. Pas bouger. Attention… oui… exactement. Et encore un petit coup. Moui. Aïe, aïe, aïe, surtout pas. Voilà. C'est mieux. Ça tient. » Elle oublie où elle est. Elle oublie qui elle est. Elle oublie qu'elle est entièrement diluée dans l'extase de la fabrication.

Peu à peu, à mesure que le soleil invisible accomplit sa course le long d'une courbe aplatie, dispensant bientôt si peu de lumière que Sylvie œuvre dans une pénombre indigo, une armée de légumes uniformément mats s'organise sur la planche à découper qui, devenue trop petite pour en accueillir les effectifs, se voit adjoindre un plateau à fromage, une raquette de beach ball, et un plateau en métal Empire, cadeau d'Edwina, que Sylvie a pris soin de tapisser d'une feuille de papier kraft. Aux différentes versions de poireaux, de carottes et de tomates s'ajoutent des variations autour du navet (la forme la plus simple, l'exécution la plus difficile), de l'épi de maïs (un jeu d'enfant, contrairement à ce que Sylvie aurait cru), de la salade iceberg (une nourriture satanique selon Sylvie, persuadée que les feuilles translucides et gorgées d'eau qui composent ce ballon sans poids vert très clair ne peuvent pousser dans la terre et donnent sans doute mal au ventre – mais que faire ? Hector trouve ces boules glacées tellement plus pratiques et croquantes que la « laitue de chez nous »), de courgettes gratifiantes, et d'une tranche de potiron, vénérable vestige d'Halloween apparemment imputrescible, mais que la dessiccation est parvenue à rétrécir, à comprimer, comme un sourire qui se serait figé ; les larges graines blanches – que Sylvie a beaucoup aimé reproduire en utilisant l'ongle de son pouce pour imprimer le minuscule sillon périphérique de la pépite en forme d'œil – figurant, en quelque sorte, les dents fort mal alignées de ce sourire oublié depuis plus d'un mois au fond du frigo.

17 heures, déjà. Il est temps de débarrasser l'atelier de fortune, de remiser les œuvres (oui, appelons-les ainsi, concède Sylvie sans vanité). Bientôt Lester poussera la porte de l'entrée, bientôt Hector franchira celle du garage. Ils ne doivent pas voir. Ils ne doivent pas savoir. L'étagère la plus haute de la buanderie, celle où Sylvie a déjà déposé le contenu

de la bassine de Doctor Pipes, est assez longue et profonde pour qu'elle puisse tout entreposer sans que cela se voie. Elle attrape l'escabeau, le déplie et, avec mille précautions, entreprend de ranger la cuisine. Alors qu'elle est perchée en haut de l'échelle, une main agrippée à l'étagère pour garder l'équilibre, et l'autre passée sous la planche à découper recouverte de légumes en terre dont certains ont déjà commencé à sécher par endroits, tandis que d'autres se sont effondrés sur eux-mêmes, trop humides, trop lourds, Sylvie aperçoit le calamar mutant qui, dans la lumière froide du néon, fait scintiller ses tentacules de latex. Ainsi desséché, il paraît plus menaçant qu'il ne l'était lorsqu'il ondoyait dans l'eau mousseuse de la bassine. Elle réprime le frisson qui parcourt son corps et qui, malgré ses efforts, fait trembler sa main. La planche vacille. Deux légumes glissent et tombent. Une carotte se brise en deux avec un bruit mou. Un épi de maïs, qu'elle avait pris soin d'évider afin qu'il soit aussi léger et fin que possible, s'ouvre dans la longueur pour devenir une crêpe informe recueillant les filaments de poussière collés au sol. Sylvie en pleure d'agacement. Elle rétablit son équilibre et pose la planche bien au fond de l'étagère, à l'abri des regards, de la lumière, sous la protection de la créature marine dont la perfidie ne cesse d'agir.

Il faudrait que je lui en parle, se dit-elle. Il faudrait que je me mette en colère. Il serait légitime et naturel que je le fasse. Une autre femme que moi le ferait. N'importe quelle autre femme demanderait des comptes à son mari en agitant sous son nez la pièce à conviction. Elle raconterait ce qu'elle a vu depuis le promontoire en forêt. Le baiser échangé dans le café, de l'autre côté de la baie vitrée. Sylvie sait tout. Elle connaît le nom, l'endroit. Ou plutôt un des noms, un des endroits. Il est probable qu'elle ait d'autres concurrentes, bien qu'elle ne parvienne pas à les considérer comme telles. Farah Asmanantou est si belle. À la place d'Hector, elle n'hésiterait pas. Elle n'est pas trop jeune. Elle a un enfant adulte (Jhersy l'a appris à Sylvie lors d'un second rendez-vous). Elle est énergique et généreuse. Pourquoi se priver ? Est-ce que cela m'enlève quoi que ce soit, à moi ? se demande Sylvie, sans éprouver la moindre inquiétude. J'ai tellement d'avance sur elles toutes. Et même si je disparaissais, si j'étais reléguée, rejetée, j'aurais eu ce que personne n'aura jamais plus. Quarante ans, ou presque, de la vie d'un homme. Je l'ai connu maigre avec des joues rondes, corps d'adolescent et bouille d'enfant, puis il a perdu ses joues et s'est épaissi. Plus tard, ses ongles de pied, autrefois roses, se sont durcis, ils ont développé de la corne jaune. Ses cheveux blond vénitien sont devenus entièrement blancs. Les os de ses épaules se sont dessinés, tandis que sa taille s'affinait et que son ventre grossissait. Ses pieds se sont élargis au niveau du métatarse. Ses gros orteils ont dévié vers l'intérieur, écrasant leurs voisins pour finir par former deux oignons qui rougissent en fin de journée. Ses petites fesses hautes ont fondu, récemment, à peu près en même temps que ses pommettes se sont effondrées, laissant derrière elles de profonds cernes incolores. Ses dents qui se déchaussent jaunissent à la racine. À l'époque de leur rencontre, Hector n'avait de poils ni dans les oreilles ni dans le nez. Sylvie connaît les détails, elle a été témoin de l'évolution. Elle a vu la peau devenir plus fine sur les clavicules, se mettre à pendre autour de l'articulation du coude. Tout cela lui appartient. Elle en est la gardienne. La gardienne de l'histoire du corps de son mari. Elle en aime chaque centimètre. Elle applaudit toutes les mutations. Est-ce pour cela qu'Hector a l'air si bien dans sa peau ? Alerte, prompt à se déshabiller, même en public, sans pudeur exagérée, libre de ses mouvements ? Non. Sylvie ne pense pas que cela tienne à elle, à son regard curieux et patient. C'est plus ancien. Quelque chose hérité de l'enfance. Elle imagine que l'origine s'en trouve dans les baignades précoces sur la côte galloise : un enfant, une plage, les premiers rayons du soleil après l'hiver, plouf. Mais c'est aussi à cause de la beauté, de l'harmonie, même inconscientes. Des proportions parfaites.

Voilà qu'elle repense au calamar translucide. Se sent-elle trahie ? Aime-t-elle encore Hector ? Mais l'amour, que signifie-t-il ? De quoi est-il fait ? Comment le reconnaît-on ? Après trente ans, après vingt ans, après quinze ans, après deux ans, six mois, trente jours ? La jalousie en serait-elle le seul indice ? On pose la tête au creux du cou, contre un flanc, et la paix règne soudain. Est-ce cela ? Sylvie l'ignore. Je t'aime, dit-elle mentalement à Hector. Puis elle dit : Je ne t'aime pas. Il lui semble que ni l'une ni l'autre de ces phrases ne sont justes. Elle se rappelle les premiers temps. Durant plusieurs semaines après leur rencontre, elle se torturait en l'imaginant mort. Elle le tuait en pensée et les larmes venaient aussitôt. C'était un jeu auquel elle ne pouvait cesser de jouer. Vivant/mort. Vivant/mort. Quelle ivresse. Une douleur qui la grandissait, l'exaltait, lui donnait l'impression de toucher à l'absolu. Comment et pourquoi était-elle passée à autre chose ? Lui avait-il jamais appartenu ? Leur mariage n'avait rien scellé. Il fallait chercher ailleurs. L'habitude ? La lassitude ? Le morne rabot du quotidien ? L'enfantement ?

L'enfantement dessinait un nouveau point de fuite dans le tableau. Certes.

Mais avant cela, déjà. Quelque chose s'était perdu. Quelque chose s'était gagné. Ne suis-je pas en train de m'aveugler ? se demande Sylvie. Pourquoi ma main tremble-t-elle ? Pourquoi deux œuvres sont-elles à présent détruites sur le sol de la buanderie ? À cause de quoi ? À cause de qui ? Elle ramasse les morceaux de terre encore humides, mais inutilisables, pense-t-elle, et les jette à la poubelle, puis se dépêche de reléguer les autres sur l'étagère pour qu'ils sèchent. Elle replie la toile cirée, nettoie, fait disparaître tous les signes de son activité. Cela doit demeurer un secret. Le plus longtemps possible. Jusqu'à ce qu'elle ait réalisé un certain nombre de pièces qui ressembleront à ce qu'elle a en tête, son projet, celui qu'elle a conçu dans l'atelier de Lauren. Elle questionne un instant sa conviction, tâte du bout de la pensée la résistance de son plan : fabriquer ce qu'elle voit, ce qui l'entoure, sans considération pour la noblesse du sujet, ne prendre pour modèle que ce que la maison lui fournit. Après les légumes, elle passera aux chaussures. Son avenir l'enthousiasme. Elle dit je t'aime à son idée. Et cette phrase est juste.

Mon Dieu, mon très beau, mon chéri, scande Lester au centre du cercle formé par Nurith, Greg, Iris, Andy et Zelda auxquels se sont récemment joints Dylan, Mario et Bethany. La plus âgée, Zelda, cheveux rasés sur la moitié du crâne, roses et hérissés sur l'autre, a seize ans. Le plus jeune, Mario, dents en avant, yeux louchons derrière des lunettes à verres épais, en a douze. Les enfants – c'est ainsi que les appelle Lester, « mes enfants », ce à quoi ces derniers n'ont rien à redire – répètent *mon chéri, mon chéri* avec enthousiasme. Lester leur sourit, les bras levés au-dessus des épaules. Il les encourage à danser, à sauter sur place tout en s'adressant à leur Seigneur. *Tu nous donnes la joie,* chante-t-il. *La joie qui manque au monde. Tu la fais descendre sur nous et nous l'accueillons avec candeur, avec innocence. Nous aimons notre vertu, comme nous t'aimons. Tu es notre gage et notre guide. Nous voulons être avec toi et en toi, ne jamais t'abandonner pour qu'à ton tour, tu ne nous abandonnes pas.*

« Iris, go ahead, vas-y, parle », propose Lester.

Iris rejoint Lester au centre du cercle. Elle s'assied en tailleur sur le sol couvert de feuilles brunes. Elle ferme les yeux et se met à parler.

« Absalom Absalom, commence-t-elle d'une voix hésitante. He touched me. With such small hands. Absalom Absalom touched me. »

Elle raconte aux autres ce qu'ils savent déjà en partie. Absalom Absalom l'a touchée et plus rien n'est comme avant. Avant, les autres la touchaient, mais mal. Ils touchaient son corps, et son corps n'en avait jamais assez. Il fallait toujours aller plus loin, plus fort. C'était comme si elle cherchait à se briser, à s'oublier. Mais Absalom Absalom est venu et elle a trouvé la paix. Elle a fait la paix avec son corps. Iris caresse ses poignets ornés de cicatrices rosâtres qui dessinent comme une série de bouches pincées et tristes jusqu'au creux du coude. Avant, elle voulait avoir mal parce qu'elle se sentait mal. Aujourd'hui, elle sent la présence de Dieu en elle. Il la protège et l'écoute. Elle ne veut pas être différente, elle ne veut pas changer, elle ne veut pas se repentir. Elle EST différente. Elle A changé. Elle EST repentance.

« Mario ? » appelle Lester.

Mario s'assied en tailleur, là où il est, sans prendre la peine de gagner l'intérieur du cercle. Mario est ainsi. Il ne fait rien selon les règles. Mais cela n'a aucune importance et il le sait, car, dans ce cercle, les règles sont douces et les punitions absentes. Il gratte une croûte sur son menton et se met à parler en bégayant. Ses hésitations, ses redoublements incessants de consonnes, la façon qu'a sa langue de se heurter encore et encore contre ses dents, rendent son élocution difficilement supportable. Mais aucun des membres de la ronde ne paraît s'en irriter. Tous l'écoutent avec curiosité et intérêt. Pas un ne songerait à se moquer de ses prunelles qui tournent et s'agitent dans ses orbites comme deux souris jumelles prises au piège d'un labyrinthe. Mario dit que son père le frappe. Il dit que sa mère le frappe. Ses frères et ses sœurs le frappent. L'assistante sociale le frappe. Les enfants au collège le frappent. La dame qui fait traverser la rue le frappe. Son cousin de trois ans le frappe. Son orthophoniste le frappe. Absalom Absalom l'a touché. Il m'a touché, dit-il (et soudain il ne bégaie plus. Personne ne s'en étonne). Il m'a touché avec de si petites mains, et Dieu est venu dans ma vie, comme la pluie. Mon père me frappe-t-il ? Mes frères et sœurs me frappent-ils ? Tous les autres me frappent-ils ? Ce sont des questions auxquelles Absalom Absalom ne demande pas de réponses.

« Bethany ? »

Bethany, plus grande que les autres, les cheveux auburn, longs et soyeux, le teint pâle, la peau transparente, les yeux bleu foncé sous des cils épais et noirs qui semblent trop lourds pour ses paupières, vient se placer au centre du cercle, à côté d'Iris. Elle a un corps de femme étonnant pour ses treize ans. Ses seins paraissent lourds et pleins, sa taille, dont elle parvient à faire le tour en joignant ses mains, ouvre vers l'éventail dansant de ses hanches. Ses pieds, très fins, sont chaussés de souliers à bride dorés, déconseillés pour les promenades en forêt. D'une voix grave, elle dit : « J'aime fumer des cigarettes. »

Elle se tait un instant et ajoute : « Et j'aime Dieu. »

Puis elle regarde chaque enfant, l'un après l'autre, et lui sourit longuement. Elle est si belle qu'un trouble très léger s'empare des garçons et des filles.

« Greg ? demande Lester. Will you… »

Greg attend qu'Iris et Bethany aient regagné leur place pour venir se placer aux côtés d'Absalom Absalom. Les deux filles lui serrent la main chacune son tour, comme pour lui passer le relais. Greg a quatorze ans. Il est très gros, l'a toujours été. On l'a toujours appelé « le gros ». Ses cuisses sont si larges qu'il ne peut pas se tenir debout, pieds joints. Son ventre retombe bas et flasque sur le haut de ses jambes, formant un tablier gélatineux qui tremblote à la moindre émotion, au moindre effort et lorsqu'il éternue. Ses yeux verts sont profondément enfoncés dans la graisse du visage. Son nez semble minuscule. Sa bouche, un petit trou. Il a peu de cheveux, blonds, et aucun poil sur le reste du corps. Sa voix est ravissante, d'une douceur insoupçonnable et méconnue, car il ne parle jamais. Personne ne l'entend.

« Yes, my Lord, fait-il avec un doux swing. Absalom Absalom », chante-t-il, plutôt qu'il ne le dit.

Il frappe plusieurs fois dans ses mains. Les doigts fins jaillissent de deux énormes coussinets congestionnés et d'une blancheur inquiétante. La paume autant que le dos ont l'air artificiellement gonflés, comme remplis d'eau et prêts à crever. Le son qu'elles rendent n'en est que plus beau. Puis il chante de nouveau, les yeux fermés, comme en transe : « Absalom Absalom, Lord, he touched me. Touched me with such little hands. Touched me with such soft hands. Touché. Mon chéri. Mon chéri m'a touché. » Il joint ses énormes pattes et lance un *Amen* mélodieux qui résonne et s'épanouit au cœur des bois. Tous reprennent après lui : « Amen. »

C'est au tour de Nurith, qui s'avance vers Greg et le prend dans ses bras. Elle le serre contre elle autant qu'elle peut, peinant à atteindre son dos. Elle est si petite, si menue, si brune qu'on pourrait croire qu'ils n'appartiennent pas à la même espèce. Un chat sauvage donnant l'accolade à un ours polaire. Greg lui caresse le dos en murmurant « There, there » à son oreille. Là, là, comme disent les mamans à leur bébé.

« I want Dylan with me », lance Nurith, agitée, à cran.

Elle est toujours comme ça, plus intense que tout le monde,

plus maigre que tout le monde, plus cinglée que tout le monde. Dylan est d'accord pour passer avec elle. Seul son menton dépasse de sa capuche. On y dénombrerait, si on prenait le temps, trente-huit boutons d'acné. Nurith dit qu'elle est juive et qu'elle est droguée. Elle n'a pas le droit d'être là. Dylan est son passeport. Parce que Dylan est baptisé. Dylan secoue la tête. Il n'est pas baptisé. Ah bon ? Mais tu m'as dit que oui. Non, je t'ai dit que j'étais allé à l'église, mais c'était pour le mariage de mon oncle. Bon, peu importe, mais tu n'es pas drogué ? Non. Bon, ben, disons que ça revient au même. Elle parle vite et, à chaque séance, elle dit plus ou moins la même chose, mais Absalom Absalom et les siens l'écoutent avec attention, comme si c'était la première fois qu'elle se présentait à eux. Absalom Absalom, dit-elle, aujourd'hui Dylan va parler. Dylan, parle ! ordonne-t-elle. Dylan retire sa capuche. Son visage est troublant et neuf. Il ressemble à une pioche. Dylan a une tête de pioche, longue, recourbée au bout, étroite, menaçante, couverte de boutons dont certains exsudent de minuscules boules de pus jaunâtre. Il hoche sa tête de pioche car oui, c'est exact, aujourd'hui il va parler. Nurith dit la vérité. Il connaît Nurith depuis qu'il est né. Elle habite la maison en face de la sienne. Il l'espionne depuis des années. Le soir, il regarde par la fenêtre. La nuit, il se lève pour aller la regarder dans la salle de bains. Il l'a regardée se déshabiller, il l'a vue prendre une douche, il l'a vue pisser, chier, mettre un tampon, l'enlever. Mais il ne lui a jamais parlé. Ils sont dans la même classe depuis le jardin d'enfants et pourtant jamais elle ne lui a adressé la parole. Mais Absalom Absalom est venu. Absalom Absalom nous a touchés avec ses mains si petites, avec ses mains si douces et nous nous sommes parlé, Nurith et moi. Je n'ai pas envie de vous dire si je l'espionne encore. Je n'ai pas envie de vous dire la tête qu'elle fait quand elle regarde le papier hygiénique avec lequel elle vient de se torcher. Je veux vous dire que je m'en fous de la religion. Je m'en fous d'être baptisé, musulman, juif, catholique, animiste. La seule chose qui m'intéresse, c'est Dieu. Et Dieu est dans le cul de Nurith, mais pas seulement. Dieu est avec moi maintenant. Il coule dans mes veines. Et je suis apaisé.

« Amen », chante Lester, et tous reprennent en chœur.

Andy entre dans le cercle, tandis que Nurith, Dylan et Greg reprennent leur place dans la ronde. Dès qu'Andy se retrouve aux côtés d'Absalom Absalom, les enfants se mettent à scander à voix basse : « Andy, Andy, Andy, Andy », pour l'encourager. Andy a treize ans, mais il en paraît huit à cause de sa petite taille et de son visage qui ressemble encore à celui d'une fille, ou à celui, gracieux et boudeur, d'Angela Davis avec laquelle il partage la même coupe de cheveux et les dents du bonheur.

« I'm not ready », fait-il d'une voix presque inaudible.

Il n'est pas prêt, donc, mais il demeure quelques instants au centre du cercle et se balance en écoutant son nom chuchoté, répété, amplifié sous la voûte protectrice des arbres. Il ouvre la bouche, comme pour parler, et la rumeur diminue aussitôt. Il suffira qu'il dise un mot pour que tous se taisent et l'écoutent. De nouveau, il ouvre la bouche et finit par articuler, avec beaucoup de difficulté :

« Je ne serai jamais assez grand pour être basketteur. Mes deux grands frères et ma grande sœur sont basketteurs. Ils sont à l'université. Moi, je ne serai jamais assez grand. Je suis obligé d'être bon en classe. Pour le moment, j'y arrive, mais je sens que je vais craquer. Je sens que je vais craquer. Il faut que Dieu m'aide. Mais si je demande à Dieu de m'aider, c'est que je n'aime pas Dieu pour lui-même. Je l'aime à cause de ce qu'il peut faire pour moi. Mon amour est égoïste. Je ne suis pas prêt. »

Andy baisse la tête pour que les larmes qu'il verse restent invisibles à ses camarades. Absalom Absalom s'agenouille derrière lui, passe sa tête entre ses jambes, se redresse, l'enfant sur les épaules, il vacille, retrouve son équilibre et se met à courir d'un arbre à l'autre, tandis que ses ouailles répètent : « Andy, Andy, Andy », de plus en plus fort. Andy lève les mains au-dessus de sa tête et mime des dunks en série. Chaque fois que son ballon imaginaire pénètre dans l'arceau imaginaire du panier imaginaire, il s'écrie : « Jordanesque ! » Les autres crient avec lui et l'encouragent. « Monster Jam ! Coast to Coast ! Big man ! » hurlent-ils en courant après lui, les joues rouges, les cheveux plaqués au front par la sueur malgré le froid qui descend dans la clairière.

Zelda met fin au match virtuel en allumant son enceinte portative qui diffuse à quatre-vingt-cinq décibels du vieux metal français, le must, selon la fille de French Bob. Tous les enfants s'immobilisent. Ils écoutent la musique un instant, les yeux fermés, puis commencent à danser, tandis que Zelda va de l'un à l'autre pour les encourager à secouer la tête plus fort. Sa demi-chevelure rose s'agite dans tous les sens. Les morceaux de peau qui apparaissent dans les lacérations de son legging en vinyle sont du même rose intense que ses cheveux. Ses ongles noirs griffent l'espace. Elle ramasse des feuilles mortes sur le sol, grimpe sur une souche et les balance sur les enfants, comme des confettis. Elle ne s'est jamais sentie aussi vivante, aussi joyeuse. C'est le miracle accompli par Absalom Absalom.

La veille, elle a dessiné une nouvelle croix gammée sur le mur de sa chambre, mais avec des fleurettes à l'intérieur des branches. Elle s'en est étonnée elle-même, a voulu tout repasser au marqueur noir, puis s'est ravisée. Elle a ramassé les feutres de couleur égarés sur la moquette noire de sa chambre parmi les culottes sales, les chaussettes, les cartons de nouilles sautées avec un reste de sauce à l'intérieur, les paquets de gâteaux éventrés, pas terminés, les miettes, les bandes dépilatoires usagées, les lingettes démaquillantes, un cahier dans lequel elle est censée écrire ses pensées (cadeau de son père) et dont elle se sert pour faire les comptes de son petit commerce d'herbe, les chewing-gums à la cannelle mâchés qui ressemblent à des asticots, les mégots dans les filtres desquels elle insère des morceaux d'allumette pour fabriquer de petits bonshommes qui peuplent sa chambre et lui confèrent une odeur inimitable. Une fois tous les feutres retrouvés, elle les a rangés par couleur sur son oreiller et s'est mise à dessiner sur le petit pan de mur blanc qui subsiste à la tête de son lit, un paysage champêtre qui lui rappelle Heidi, l'héroïne de son enfance.

Bien sûr, il va falloir y aller. Aucune excuse ne tiendrait et, d'ailleurs, qu'est-ce que ça change ? Qu'est-ce qui est changé ? Elle va saluer une femme, deux femmes, trois, cinq, dix femmes qui ont fait l'amour avec son mari. Elle en embrassera certaines. En ressent-elle du dégoût, du dépit ? Sylvie n'éprouve rien. Elle n'arrive pas à y croire parce qu'elle ne parvient pas à se concentrer sur les faits. Son entourage déploie pourtant de multiples efforts pour la tenir informée. Jhersy a renouvelé son stock de détails. Il suit l'affaire comme une béchamel sur le feu : les lieux de rendez-vous, les horaires, les témoins potentiels. Lauren aussi s'en est mêlée, de façon plus discrète. Elle a commencé par exalter le tempérament d'artiste de sa disciple favorite :

« Tu avances, tête baissée. Tu es un taureau, comme Picasso. Tu ne te laisses pas distraire. Tu ne te laisses pas influencer. Tu es complètement libre. Mais c'est peut-être culturel. Je ne sais pas. C'est à toi de me dire. La liberté, c'est votre truc, à vous, les Français. Votre invention. Nous, en anglais, on a deux mots pour la nommer : *freedom* et *liberty*. Et personne ne sait ce qu'ils signifient. La différence entre les deux, qui la connaît ? La grande bonne femme en toge verte, est-ce qu'on pourrait la rebaptiser Statue of Freedom ? Pourquoi pas ? Mais c'est un cadeau des Français, alors Liberty/Liberté ça rappelle la France. Vous avez toujours été un modèle pour nous, ou un contre-modèle, ce qui revient au même. Votre attitude par rapport au sexe, par exemple. Si un homme te tient la porte dans un restaurant ici, aux États-Unis, il peut se prendre un coup de poing dans la figure. Vous aimez encore la galanterie de l'autre côté de l'Atlantique. "Après vous, madame", même si c'est pour mieux regarder vos fesses. "Après vous, madame", et madame est d'accord. On ne sait pas pourquoi. Elle se sent choyée, elle se sent différente, spéciale. Nous, on ne veut pas être différentes, spéciales. On veut être égales. »

Que cherche-t-elle à prouver ? s'est demandé Sylvie, impatiente d'enfourner ses légumes.

« Nous aussi, a-t-elle tenté. Nous aussi, on veut être égales.

– Bullshit, a riposté Lauren. La galanterie vous tuera. Mais son absence nous tuera, nous aussi, peut-être plus vite et plus sûrement que vous. »

Elle s'est mise à rire de son trait d'esprit. Sylvie a poussé un soupir. Cette conversation ne l'intéressait pas. Elle ne savait comment y mettre fin. Lauren a mal interprété le soupir. Elle a cru y déceler une ouverture, une concession de Sylvie qui aurait enfin accepté de partager avec elle une partie de ses secrets.

« Ce n'est pas facile, j'imagine, a-t-elle murmuré. Je comprends. Mais toi aussi, il faut que tu comprennes. C'est important parce que ça aide à supporter. Tu te désaliènes en analysant la situation. Tu maîtrises au lieu de subir. »

Sylvie s'impatientait. J'ai mes légumes à cuire, se répétait-elle, comme l'aurait fait une ménagère à l'ancienne. Sauf que ses légumes à elle étaient en terre et qu'aucun dîner ne suivrait leur passage au four.

« Farah est une amie. Une très bonne amie à moi. On se dit tout. Elle me dit tout. Mais si tu savais la vie qu'elle a eue. Elle a fui son pays seule, à seize ans, elle a traversé je ne sais combien de mers et d'océans, fait des ménages dans des paquebots, des hôtels, des morgues. Heureusement pour elle, elle parlait anglais et savait lire. Elle a fait de mauvaises rencontres, mais aussi de bonnes rencontres. À l'époque où elle vivait dans une réserve cherokee, elle a eu un fils avec un Américain natif. Ils se sont séparés. Elle a élevé son fils en poursuivant ses études. Elle a passé trois ans à USC, mais c'est surtout une ancienne d'Earl. Earl est son Alma Mater. Farah est la fierté de la fac. Mais personne ne dit que pour survivre, elle nettoyait les toilettes de tout le département de sciences après les cours, parce que malgré sa bourse d'excellence, elle avait à peine de quoi manger, elle arrondissait donc ses fins de mois en récurant les W.-C. des matheux, et tu sais que les scientifiques sont les plus dégoûtants de tous. Tu le sais, non ? Tout le monde le sait. Comment elle a eu la force de faire tout ça ? C'est un mystère pour moi. Seule. Toujours seule. Alors, tu peux comprendre que le jour où elle voit un Français arriver sur son terrain de jeu, un professeur de philosophie, un poète, plus âgé qu'elle et dont elle va, en quelque sorte, être la patronne, tu comprends que le jour où il débarque, ce spécimen d'une espèce en voie d'extinction ici, eh bien ses années de féminisme radical, comme les années de diète forcée d'un adepte des régimes, ne tiennent pas le coup. Elles ne comptent plus. Rien ne compte. Il lui tient la porte, et Bang !

– Bien sûr, a dit Sylvie, sans avoir été vraiment attentive. Bang ! C'est évident. Oui. Est-ce que le four est à température ? »

En enfilant ses bottes, Sylvie repense à cette conversation. Elle sait qu'elle aurait dû être plus attentive. Qu'a voulu dire son professeur de céramique par « spécimen d'une espèce en voie d'extinction » ? Cela désignait-il Hector ? À quelle espèce

Lauren faisait-elle allusion ? Les existentialistes ? Les déconstructionnistes ? Sylvie n'avait pas écouté. Elle pensait à ses légumes. Aux pigments qu'elle allait utiliser. Elle calculait le nombre d'essais nécessaires, les temps de séchage, de cuisson, évaluait les risques de casse lors du passage au four, réfléchissait à comment s'en sortir avec les épaisseurs différentes. Fallait-il mettre l'épi de maïs creux dans la même fournée que les carottes semi-évidées ou entièrement pleines pour les plus petites ? Combien de pièces émaillerait-elle en une heure ? Si le four montait à mille degrés, le rouge ne risquait-il pas de virer ? Dans ce cas, la jolie grenade qui lui avait demandé tant d'heures de travail serait fichue. Elle avait fini par faire cuire sur la même plaque trois carottes, deux navets et un poireau. Elle aurait aimé ajouter son premier essai de chaussure, elle avait fabriqué le pied gauche d'une Weston hors d'âge d'Hector dont elle était assez contente – mais il n'y avait plus assez de place dans le four et, d'une certaine façon, elle trouvait le mélange inconvenant.

« Où sont mes chaussures ? demande Hector, son manteau déjà sur le dos, sa belle casquette en tweed couleur tabac coiffée légèrement de biais pour ombrer son œil gauche et faire ressortir l'éclat de son œil droit.

– Dans la buanderie, répond Sylvie, tête baissée, tandis qu'elle finit d'enfiler ses bottes.

– Qu'est-ce qu'elles fichent dans la buanderie ?

– Je les ai cirées pour la fête », ment Sylvie, avec un sourire invisible adressé à ses propres souliers. Hector l'aurait-il crue si elle lui avait avoué qu'elle les avait sélectionnées pour servir de modèle ?

« Ah, heu… pardon ma chérie. C'est très gentil. Ce n'était pas la peine. »

Ils sont en retard. Pas de temps pour les excuses. Lester est prêt depuis une demi-heure. Il est assis sur le canapé du salon, en anorak et après-skis, un bonnet à pompon enfoncé jusqu'aux sourcils. Parfaitement immobile, les jambes en X, les pieds en dedans, le dos rond, il compte et recompte quelque chose sur ses doigts. Il a l'air complètement abruti, pense Sylvie, alors qu'elle l'observe depuis l'entrée, engoncée dans son manteau le plus chaud. Mais il lève alors le regard vers elle et l'impression qu'avait Sylvie se transforme radicalement. Ces yeux qu'il a, songe-t-elle, émue et comme inondée par la bonté qu'ils dégagent. Est-ce seulement de la bonté ? Il y a autre chose. Une connaissance. Une tristesse. Une connaissance triste. C'est la génération des initiés, se dit-elle, sans réfléchir. Ils ont tout vu, tout appris, ils savent avant d'avoir vécu, ont voyagé avant d'être partis. Pas d'ailleurs pour eux, pas de plus tard. Ils sont nés avec une boule de cristal entre les mains. Ils ne rêvent pas de l'Amérique, ils la reçoivent sur leurs écrans. Ils ne rêvent pas de sexe, il est partout proposé. Ils ne rêvent pas de liberté, ils la possèdent. Qu'espèrent-ils alors ? Où iront-ils ? Que réclameront-ils ?

« Comment tu trouves mon déguisement de moniteur de ski ? lui demande Lester, en ponctuant sa question par un sourire de séducteur caricatural.

– Réaliste, répond Sylvie, comme éveillée d'un cauchemar.

– En route, mauvaise troupe ! » clame Hector, dûment chaussé, en jetant les clés de la voiture en l'air pour les rattraper d'un coup de patte joueur.

Il est de bonne humeur, se réjouit Sylvie. Elle adore quand Hector est de bonne humeur. Il chante à tue-tête dans la voiture. Klaxonne pour rien. Lester chante avec lui. Un ténor léger. Tiens, pense Sylvie, il a fini de muer. La voiture file dans la nuit étoilée. L'air glacé et transparent semble nettoyé. Une lune basse, énorme, apparaît et disparaît derrière les arbres, au gré des virages, couronnant un instant le toit d'une maison.

« Il y aura des cadeaux ? demande Lester.

– Je ne sais pas, répond Hector.

– C'est Noël, dit le garçon, d'un ton d'évidence.

– Oh, tu sais, c'est surtout un prétexte pour se réunir avant les vacances.

– Vous croyez qu'on fera une minute de silence ? »

Il a mué, certes, songe Sylvie, mais il n'a pas encore perdu sa capacité à enchaîner les questions. Elle sait que cette manie enfantine a le don d'agacer Hector. Elle craint que la bonne humeur ne cède le pas à l'énervement. Elle se crispe légèrement. Serre les dents sans s'en rendre compte, le souffle court. Mais Hector déclare d'une voix profonde : « Silence, la queue du chat balance ! »

C'est une phrase absurde qui remonte du passé pour les sauver tous trois. Une micro-comptine qu'Hector chantonnait à Lester quand il était bébé. Allongé sur le lit, il l'asseyait en équilibre, au sommet de ses genoux repliés, et lui répétait en l'inclinant doucement vers la gauche ou la droite : « Silence, la queue du chat balance. » Au moment où Lester menaçait de tomber, son père serrait plus fort ses petites mains dans les siennes pour le stabiliser. Un grelot de rire scandait le jeu, un des seuls que père et fils aient partagé. Nous avons été heureux, se dit Sylvie. Nous le serons encore. Elle s'imagine alors, bien malgré elle, Hector, allongé sur un lit inconnu, tenant en équilibre sur ses genoux un des enfants de Caridad Lopez y Lopez. Elle touche là, pour la première fois, à la douleur aiguë de la trahison. Elle ne le supporterait pas. Ce serait cela, pour elle, la véritable, l'insupportable obscénité. Mais elle refuse de pencher vers ce sentiment. Elle cherche la lune cachée par une maison plus haute que les autres. Voilà qu'ils atteignent le centre-ville. Si elle compte jusqu'à cinq et que la grosse hostie lumineuse reparaît, tout ira bien. Un, deux, trois, lune.

Sylvie se remémore la fête d'Halloween. Si peu de temps auparavant. Un degré a été franchi depuis. Plusieurs degrés. Sur divers plans. Cela lui procure une sensation de distance. Elle-même se sent différente. Plus aguerrie, moins craintive. Elle s'étonne que tant de choses aient changé. Hector. Le monde. Leur fils. Cette fois, les réjouissances ont lieu dans un ancien entrepôt situé à l'est de la ville, une vaste halle aux murs de briques noires et au sol de béton brut, récemment reconvertie en salle de spectacle et lieu d'exposition. Plusieurs départements d'Earl University se sont associés pour organiser l'événement. Les étudiants en design et architecture ont été chargés de la décoration. Des meubles en carton jalonnent l'espace artistiquement divisé par de fausses haies en papier d'un vert vibrant, ponctuées de grosses fleurs blanches en volutes, entre l'arum et le magnolia. À l'entrée, un comptoir en papier tressé recouvert d'un tapis de laine bouillie fait office de vestiaire. Les étudiants préposés à la récolte des manteaux portent tous un chapeau blanc en forme de fleur, qui sied mieux à certains qu'à d'autres. La salle est déjà pleine de monde et Sylvie ne reconnaît personne. Elle ne se sent pas perdue pour autant, ni intimidée. Elle se rappelle fort bien le sentiment de pixellisation qu'elle avait éprouvé lors de la soirée d'Halloween, une sorte de réaction physique liée à la surprise et au vacillement identitaire. Elle ne savait plus qui elle était, elle se sentait irrémédiablement étrangère. Aujourd'hui, elle n'a pas l'impression d'être américaine, pas plus que française d'ailleurs. Aujourd'hui, elle est pleine de son projet, elle en est lestée. Elle admire le détail des objets fabriqués pour la fête. Chaque plateau sur lequel circulent des petits-fours, et dont elle sait qu'il a été tressé à partir de fibres recyclées, monopolise son attention. Elle observe aussi avec avidité les centaines de paires de chaussures qui piétinent, s'arrêtent, repartent, se hâtent sur le sol gris foncé. Elle se dit que les baskets blanches en cuir mat représenteraient sans doute un défi pour elle. En revanche, les escarpins vernis à talon haut légèrement déformés sur le côté extérieur par la pression du petit orteil doublement comprimé par la pente et l'étroitesse du soulier lui offriraient, elle en est certaine, l'occasion d'une réussite presque trop facile. Certaines tennis en toile particulièrement déglinguées, que semblent avoir adoptées en masse les plus ravissantes jeunes filles, attirent également son regard.

« Vous avez perdu quelque chose ? » demande une voix près de son oreille.

C'est Jhersy, qui lui souhaite la bienvenue à sa façon.

« Vous êtes seule ? ajoute-t-il en lui prenant le bras, comme s'il avait l'intention de la conduire quelque part.

– Non, répond Sylvie en relevant la tête. Je suis avec mon mari et mon fils. Mais… »

Elle regarde autour d'elle et constate qu'ils ont disparu.

« Je vais vous présenter ma femme. Astrid est impatiente de vous connaître. Je lui ai parlé de vous et elle pense que vous avez beaucoup de choses en commun. »

Sylvie se demande de quoi il peut s'agir. Elle n'est pas sujette aux flatulences.

Jhersy, serrant toujours le bras de Sylvie dans le sien, tend son autre main droit devant lui, comme la proue renforcée d'un brise-glace, et se met en devoir de fendre la foule.

« Voilà ! » s'écrie-t-il soudain, sur un ton à mi-chemin entre le Olé ! et l'Eurêka.

Astrid est devant eux. Grande, large, musclée. De magnifiques dents blanches et étincelantes, une masse de cheveux naturellement blonds et bouclés formant une crinière léonine autour d'un visage à la peau impeccable, grain serré, ambre virant au rose juste au-dessous des pommettes, un menton pointu au sommet d'un cou un peu trop long et à peine fripé, un nez droit, une bouche pulpeuse, des lèvres ourlées, des épaules rondes que découvre le large V d'un pull-over en mohair blanc. À côté d'elle, Jhersy ressemble, encore plus que d'habitude, à un scarabée ou, au mieux, à une chouette chevêche.

« Darling, lui glisse-t-il en la prenant péniblement par la taille (car ils sont si mal assortis), je te présente Sylvie, la femme d'Hector, dont je t'ai beaucoup parlé. »

Astrid tend la main en souriant. Sylvie lui sourit à son tour et constate qu'elle a des yeux de poupée, parfaitement inexpressifs, ronds, bleus et fixes.

« Dites-moi tout ! fait la grande bouche parfaite aux dents sublimes, d'une voix grave où perce un léger accent.

– Vous parlez français ? s'étonne Sylvie.

– Un tout pétit pieu, répond Astrid en approchant son immense index de son majestueux pouce afin d'appuyer la parole par le geste.

– Je vous laisse, annonce Jhersy. Vous avez sans doute beaucoup à échanger. »

Il leur tend à chacune une coupe de champagne, qu'il

vient de saisir sur un plateau ambulant, et disparaît en trois pas agiles de patineur, les abandonnant face à face. Les deux femmes soupirent longuement, presque à l'unisson, avant qu'Astrid ne se décide à lancer d'un ton interrogatif, le regard toujours aussi figé, comme mort : « So ? »

Vaillamment et sans trop prêter attention aux yeux inexpressifs qui l'effraient et la découragent de poursuivre, Sylvie se lance dans le récit de leur départ, de leur nouvelle vie, de leurs découvertes. Elle avale la moitié de sa coupe d'un trait pour se donner du courage. S'exprimer en anglais demeure une épreuve. Ses idées, simplifiées par son usage restreint de la langue étrangère, lui apparaissent rétrécies, aplaties. Elle termine sa coupe et en reprend une autre au vol sur le premier plateau qui passe à portée de sa main. C'était difficile de quitter Paris, oui, bien sûr. C'est une très belle ville. Absolument. Mais voilà, le problème, c'est qu'il y a beaucoup de monde et tous les gens ne s'entendent pas. Il y a eu beaucoup de violence récemment. Quand on est loin, on ressent la violence différemment. On se sent soulagé et coupable en même temps. Et c'est dur aussi pour les jeunes. Parce que, qu'est-ce que ça leur offre comme perspectives, hein ? C'est dur pour eux ce monde en danger. Peut-être que c'était pareil pour les Américains après le 11-Septembre. On a l'impression que nulle part on ne se trouve en sécurité. Vous êtes déjà allée à Paris ? Non ? C'est dommage. Il faudra que vous veniez. Ah, vous avez trop peur ? Oui, je vous comprends. Moi-même, je ne suis pas impatiente de rentrer, et pourtant mon pays me manque. Le bon pain, le fromage. Oui, oui, le pain est bon ici aussi, bien sûr. Je ne critique pas. Surtout celui de la boutique organique sur Ninth Street. Et pour notre fils, c'est une expérience magnifique.

Vraiment passionnante. Il parlait déjà anglais, heureusement, mais il adore l'école ici et il a beaucoup d'amis. Je ne sais pas s'ils sont dans sa classe, mais il les voit au théâtre. Oui, il fait du théâtre. Il va jouer Ariel. Non, ce n'est pas un ours, c'est un personnage d'une pièce de Shakespeare. Je ne prononce peut-être pas comme il faut. L'écrivain de théâtre anglais, très connu, vous savez ? Peu importe. Il est bien intégré. Et moi, je fais de la céramique. C'est comme de la poterie en fait. Avec Lauren Brazelton. Vous connaissez Lauren Brazelton ? Vous connaissez Farah Asmanantou ? Oui, forcément. C'est intéressant de quitter son pays. Avec la distance, on voit les choses autrement. Par exemple, les cafés. Ils sont très différents ici. En France les cafés… Comment vous expliquer ? On y va pour se rencontrer. Pour les rendez-vous. Les gens sont très mélangés. Il y a toutes sortes de gens à Paris. Les jardins publics aussi sont différents. Ils sont très petits. Pleins de monde. Mais jolis. Ils ont beaucoup de charme. Et puis j'ai eu la chance, grâce à mon âge, de connaître le Paris des années 1970. Sylvie pousse un soupir après avoir terminé sa deuxième coupe de champagne. Son cerveau commence à flotter dans son crâne. Une sensation qu'elle n'avait pas éprouvée depuis longtemps. Pas désagréable. C'était… Oui, j'ai soixante ans. Ah, merci ! Je ne sais pas si je les fais ou pas. Et vous ? Quarante-neuf ? Vous êtes toute jeune et vous avez l'air d'en avoir quinze de moins. Vous êtes d'origine nordique ? Souvent les Nordiques… De l'acide hyaluronique ? Non, jamais entendu parler. C'est… très bien. Et vous, vous êtes de la région, c'est ça ? Jhersy m'a dit que votre famille était dans le coton depuis… C'est votre père, je crois. Ah bon ? Depuis sept générations ? Et donc, et donc…

Ha ! Ha ! Sept générations dans le coton, songe Sylvie.

Les aïeux d'Astrid avaient possédé des esclaves. Ils en avaient acheté, les avaient enfermés, battus, exploités, humiliés. Ils en avaient tué peut-être. S'en étaient fait des amants, des maîtresses. Ils avaient bâti leur fortune sur des reins brisés. Ô Amérique, se dit Sylvie, portée par un élan élégiaque inattendu et alcoolisé. Ô Amérique changeante, renouvelée, qui a élu à sa tête un Noir. Ou plutôt, un Africain-Américain, comme ils disent aujourd'hui. Et les Blancs, comment doit-on les appeler ? Puisqu'on ne dit plus Noir, on ne dit plus Blanc. Les Européano-Américains ? Oui, sans doute. Ô Amérique, qui sera bientôt gouvernée par une femme. Quel pays étonnant. Sylvie voudrait partager son enthousiasme avec Astrid et la congratule sur l'avenir rayonnant d'une si grande nation bientôt administrée par une présidente.

« Make America great again, répond Astrid, main sur le cœur, les boules bleues de ses yeux plus immobiles que jamais. Trump is my president.

– Je crois qu'il faut que je jette un œil sur mon fils, fait Sylvie avant de gratifier Astrid d'un sourire tordu. Vos enfants sont déjà à l'université. Je vous félicite. Moi, j'ai eu mon fils très tard. Non, je ne crois pas que je sois plus inquiète qu'une autre, enfin si. Bien sûr, vous avez raison, Astrid. J'ai été très contente de faire votre connaissance. »

Sylvie ferme un instant les yeux en s'éloignant de l'immense poupée blonde qu'elle vient d'abandonner. Elle a l'impression de n'avoir jamais autant parlé. Elle rouvre les paupières car la tête lui tourne. Le vertige est proche. Un peu plus tôt, elle s'est sentie comme prise dans les sables mouvants de sa propre conversation. Elle s'est souvenue de ce qu'un écrivain aventurier avait écrit sur son expérience dans les sables mouvants, quelque part dans l'Utah. Bouger le moins possible, ne pas se débattre, tenter de se mettre sur le dos, faire la planche en quelque sorte et essayer d'attraper une branche, une tige, sans remuer, bien entendu. En lisant cette description, Sylvie s'était dit qu'il vaudrait mieux pour elle qu'elle ne se rende jamais dans l'Utah. Ses aisselles sont trempées d'une sueur dont l'odeur acide, celle d'une certaine forme d'anxiété, parvient jusqu'à ses narines. Elle se demande ce que Jhersy avait en tête en lui présentant Astrid. Peut-être est-il fier de sa beauté. Peut-être était-ce une façon pour lui de se mettre en valeur. Peut-être aussi, mais c'est beaucoup moins probable, avait-il eu comme projet d'injecter dans les veines d'une Française un puissant élixir d'Amérique. D'une certaine Amérique.

Trouver Lester, à présent. Même si Sylvie ne se fait aucun souci pour lui, cela lui donne un objectif, et il est important, dans ce genre de circonstances, d'en posséder un. C'est une des rares choses dont elle soit sûre : plus il y a de monde, plus l'atmosphère est joyeuse et détendue, plus il lui faut s'en tenir à une règle. Autrement, c'est la dispersion. Elle se fond dans le lieu, dans la foule, et peine ensuite à rassembler les bribes d'elle-même. « Mes bribes », répète-t-elle mentalement. Serait-ce un titre possible ? Elle a soudain envie de trouver une bannière sous laquelle unir ses objets, ses fabrications. Légumes et chaussures. Elle pensait pouvoir ajouter un troisième ou un quatrième élément. Mais non. Il n'y a rien au-delà des légumes et des chaussures. Rien d'aussi parlant, d'aussi intime et révélateur. Elle a tourné autour des éponges et des chiffons, mais ils se sont avérés anonymes, interchangeables. Elle a cherché du côté des vêtements et a rapidement renoncé face à la difficulté de traduire le tissu, la matière souple, par une pâte dure. Elle sait qu'elle doit prendre en compte son absence de technique, sa maladresse. Elle s'est également aventurée du côté des livres, mais cela s'est montré contre-productif. Leurs pages et les histoires qu'elles contiennent, ces paires d'ailes assemblées à l'infini et qui peuvent vous emporter si loin se changeaient en un lingot opaque et triste. À force d'accumuler les expériences, les tentatives, Sylvie est devenue apte à discerner ce qui serait susceptible de constituer son œuvre. Elle a fini par accepter sans regret le duo, légumes et chaussures, auquel elle persiste cependant à vouloir attribuer un nom différent.

À l'autre bout de la salle, dans une alcôve de verdure artificielle confectionnée par les jeunes artistes du département d'architecture, un orchestre composé d'une contrebasse, d'une guitare, d'un banjo, d'un violon et d'une mandoline joue une mélodie enlevée, agrémentée d'un chœur à trois voix qui, malgré leurs sonorités nasales et parfois plaintives, la charment aussitôt. Sur la piste de danse, figurée par un cercle rouge tracé à la craie à même le béton brut, deux enfants sautillent en rythme, bras au ciel, tournent sur eux-mêmes jusqu'à tomber au sol, étourdis, avant de se relever d'un bond pour recommencer dans l'autre sens. Lester et un garçon beaucoup plus petit que lui portant des lunettes singulièrement épaisses joignent leurs mains, hilares, puis forment une ronde en chantant des mots que Sylvie ne comprend pas car ils sont couverts par la musique. Ils braillent de toutes leurs forces, dirait-on, des paroles qui ne correspondent pas à celles que les chanteurs articulent dans les micros. Les deux garçons sont pieds nus. Ils ont retiré leurs pulls. Ils se trémoussent ensemble, dans leurs tee-shirts qui flottent autour de leurs maigres thorax. Sylvie commence par sourire, mais bien vite, elle perçoit, aux abords de la clairière factice, des regards méfiants. Les observateurs sont-ils surpris, choqués ou carrément hostiles ? Elle ne saurait le dire. Les visages courroucés désapprouvent. Des paires d'yeux se détournent, tandis que d'autres criblent de leurs flèches les petits corps heureux. Quel mal y a-t-il à ça ? se demande Sylvie. Un homme, qu'elle identifie comme le père du garçonnet à lunettes, pénètre soudain dans le cercle. Il attrape son fils par le col, comme un chiot, et l'emporte. Les pieds fendent l'air, s'agitent, comme si la danse se poursuivait. Lester s'immobilise aussitôt. Son visage est parfaitement inexpressif. Il ramasse son pull-over, ses après-skis et quitte la piste de danse sans que Sylvie ait eu le temps de l'appeler, de le rejoindre. Les musiciens poursuivent leur concert. Bientôt, un public se forme face à l'estrade, reprend les refrains avec les chanteurs, frappe dans les mains, se balance. Sylvie se dit qu'elle a trop bu. Elle n'a plus l'habitude. Elle a mal vu. Interprété de travers. Pourtant, lorsqu'elle traverse le cercle pour se diriger vers l'angle plus sombre de l'entrepôt que semble avoir gagné son fils, elle a l'impression que les regards désapprobateurs s'abattent sur elle. Une rumeur enfle. Inaudible. Sylvie ne la perçoit que par l'action conjuguée de lèvres qui remuent et grimacent à son passage.

« Qui est ce garçon ? » demande Sylvie à Lester qu'elle a fini par trouver, le dos appuyé contre le mur, près du couloir qui mène aux toilettes. Elle discerne mal l'expression qui anime le visage faiblement éclairé de son fils.

« Quel garçon ?

– Tu sais bien. Le petit bonhomme à lunettes qui dansait avec toi, il y a cinq minutes.

– Un ami.

– Comment s'appelle-t-il ?
– Mario.
– Il a de drôles de lunettes, avance prudemment Sylvie qui aimerait poursuivre l'enquête sans savoir comment s'y prendre.
– Oui.
– Il n'est pas au collège.
– Si.
– Mais il est tout petit.
– Oui.
– Tu ne veux pas me parler ? »

Lester qui jusqu'alors se tenait, la tête baissée, dans l'ombre d'une porte à demi ouverte lève le visage vers sa mère. Ils ont sensiblement la même taille. Sylvie regarde son fils dont l'ovale, soudain pris dans la lumière d'un néon, se découpe parfaitement. Elle voit les yeux du garçon emplis de larmes. Elle prend son visage dans ses mains et demande de nouveau :

« Tu ne veux pas me parler ?
– Si », répond Lester, tandis que les larmes contenues dans ses yeux se déversent et roulent sur ses joues. Sa voix est légèrement étranglée et la détresse qu'il manifeste fait trembler Sylvie.

« Alors dis-moi, murmure-t-elle. Qu'est-ce qu'il y a ? Pourquoi tu es triste ? Quelqu'un t'a fait du mal ? »

Lester se tait. Il regarde sa mère sans dire un mot. Ses lèvres s'ouvrent. Aucun son n'en sort. Puis son visage s'éclaire lentement, complètement et il finit par dire : « Voilà, ça va mieux. »

« Raconte-moi ta soirée », demande Hector à Sylvie, un bras passé sous sa nuque.

Un instant avant, le merveilleux visage de Caridad lui est apparu, parfaitement délassé, lèvres entrouvertes, yeux révulsés par la jouissance.

« J'ai trop bu, répond Sylvie. Je suis fatiguée.

– Raconte-moi quand même.

– Je ne sais pas.

– Mais si tu sais », dit-il en posant une main chaude et sèche sur son ventre.

Sylvie aime tant cette main. À cette main, elle pourrait tout dire. Tout raconter jusqu'au petit matin. Mais pas à Hector. C'était pourtant une de leurs habitudes les plus chères et les plus tenaces. Passer une soirée le plus loin possible l'un de l'autre pour opposer, une fois couchés, leurs versions personnelles de l'événement. Cela fait trop d'années qu'ils n'ont pas joué à ce jeu. Sylvie se rappelle que la première fois qu'ils s'y étaient essayés, elle avait exigé qu'ils établissent des règles : droit de mentir ? Non. Même par omission ? Non. Elle s'en souvenait très bien. C'était la règle la plus importante de toutes, raconter sans mentir. Les autres étaient purement formelles. Les autres étaient respectées, alors que le mensonge… Chacun savait, en jurant de respecter la vérité, qu'il ne tiendrait pas le serment. Chacun savait aussi, sans se l'avouer, que la trahison serait bilatérale. Cette nuit, plus que toute autre nuit, Sylvie sait que la règle fondamentale du jeu sera enfreinte par Hector.

Étaient-ils plus honnêtes ou plus naïfs à vingt-cinq ans ? Quand il lui arrive de tomber sur une photographie datant de cette époque, Sylvie remarque deux choses : l'arrondi des joues et l'éclat du regard. Quelque chose luit au fond de ses yeux à elle, au fond de ses yeux à lui. Quelque chose de plus fort que l'espoir. Une lumière infusée par la confiance. Chaque fois, c'est la même chose, la rondeur des joues l'amuse, tandis que la lueur des prunelles la bouleverse. Pour le reste, ils n'ont presque pas changé. Les rides, bon. La posture, à peine. Un observateur extérieur serait sans doute d'un avis différent. Mais cet observateur n'existe pas. Pour être crédible, pour être exact, il lui faudrait justement cesser d'être extérieur, car ce que le temps fait subir à notre enveloppe, il ne l'impose pas de la même manière à notre noyau. D'étonnants raccourcis sont possibles, des tunnels lisses et huilés par un certain baume de la mémoire. On se retrouve à cinq ans, sept ans, trente-deux, quinze, quarante-six, huit, vingt-quatre ans en un clignement de paupières. Le contact est quasi immédiat, et de ces rajeunissements intempestifs et subits, personne n'est témoin.

Sylvie se souvient facilement de nuits anciennes de leur jeunesse durant lesquelles, au retour d'un bal, d'une soirée, d'un dîner, ils s'épargnaient l'un l'autre en évitant de relater certains détails. La façon dont Untel les avait regardés, la manière dont Unetelle avait tendu ses lèvres au moment de se quitter. Ils privilégiaient les anecdotes distrayantes, les portraits à charge. Le but n'était pas de rendre l'autre jaloux, au contraire. Il y avait pourtant une forme subtile de tromperie.

L'enfance de la tromperie, se dit Sylvie. Alors que nous voici, chenus, doués d'une roublardise acquise au fil des ans. Le frémissement qu'ils éprouvaient, jeunes amants, au moment du mensonge léger, de l'omission qui effleurait leur discours, a disparu. Ont-ils pris l'habitude de se mentir ? Non. C'est autre chose. Un arrangement avec le réel, semblable aux arrangements que le corps finit par entretenir avec l'espace. On ne s'assied plus de la même façon à soixante ans et à trente. On contourne une douleur, une faiblesse. Mon Dieu, pense Sylvie, comme il va devoir se contorsionner, ce pauvre Hector.

« C'est toi qui commences, propose-t-elle, ne résistant pas à entendre le récit lacunaire de son mari.

– J'ai mal entamé la soirée, avoue-t-il. Je me suis fait piéger dans une conversation avec Puitsdevant. »

Ah, très bien, se dit Sylvie. Il démarre comme il faut. Par une péripétie cocasse et inoffensive : la conversation avec un fâcheux. C'est classique, songe-t-elle. Elle écoute son mari énumérer les détails ridicules, faire la liste des banalités. Elle sourit, car il a de l'esprit et sait organiser un portrait de manière à ce que le moindre trait ressorte. Elle reconnaît qu'il possède cet art et se demande furtivement si le fait qu'il en use à cet instant ne témoigne pas d'une forme d'amour, aussi bien et peut-être mieux que ne le ferait une sincérité indiscutable.

« Je t'ai utilisée pour fuir, lui dit Hector en riant. J'ai prétendu que tu devais te sentir seule, qu'il fallait que je m'occupe un peu de toi. Je l'ai annoncé en soupirant, comme si c'était une corvée. Comme si tu me pesais. Et ça a parfaitement fonctionné.

– Mais je ne te pèse pas ?

– Non. Bien sûr que non, tu ne me pèses pas.

– Même si je fais ça ? » dit Sylvie en s'asseyant en tailleur sur le torse d'Hector. Il est dérouté par son geste, et charmé aussi. Elle l'empêche de respirer. Le domine. Elle le regarde dans les yeux et pense très fort à demander des nouvelles de Caridad Lopez y Lopez. Elle est sûre que si elle prononçait ce nom – ce nom inimaginable, presque comique –, Hector, ainsi écrasé, serait incapable de mentir. Il bafouillerait ou, mieux encore, il se mettrait en colère et trouverait quelque chose à lui reprocher, à elle. Car, ils le savent l'un comme l'autre, la meilleure défense, c'est l'attaque. Elle le dévisage longuement, petite montagne trônant au sommet de la poitrine osseuse. Elle est nue. Indécente. Puissante comme jamais. Elle hésite. Sa langue vient frapper secrètement contre ses dents. Elle prononce, muette, les trois syllabes espagnoles. Puis elle chante en silence l'autre nom, plus suave, presque envoûtant : Farah Asmanantou, les yeux toujours vrillés dans ceux d'Hector qui soutient son regard et accepte le réquisitoire sans paroles.

Elle les a vus, tout au long de la soirée, s'éviter, s'espionner. Quand le face-à-face advenait malgré tout – hasard d'un mouvement de foule, rassemblement pour une photo –, ils mimaient une camaraderie fraternelle, excessivement asexuée. Rien n'a échappé à Sylvie. La comédie de l'amitié collégiale à laquelle se sont astreints, pour une soirée, son mari et ses amantes lui a paru plus crue, plus perturbante que la scène du baiser échangé de l'autre côté de la baie vitrée. Elle s'est sentie dupée, blessée. À plusieurs reprises, elle a été tentée de s'approcher de l'un ou de l'autre pour déclarer qu'elle était au courant. « Je sais tout », quelle phrase affreuse (et fausse).

Ce n'est pas la crainte du vaudeville qui l'en a dissuadée, mais plutôt la pensée dérangeante que cette mascarade était généralisée. Elle aussi, alors qu'il était son époux légitime, maintenait une distance polie avec lui lorsqu'ils étaient en compagnie. Parfois, même quand il n'y avait personne, leurs échanges étaient d'une courtoisie presque froide, ce qui ne les empêchait pas, quelques heures, quelques jours plus tard, peau contre peau, salives mêlées, tête au bas du lit, de se livrer à un duo sauvage qui les anéantissait pour les faire renaître, méconnaissables, fous et indomptables comme ils ne l'avaient plus jamais été depuis leurs trois ans. Quelle différence, après tout ? s'était-elle dit.

À présent qu'elle a, en quelque sorte, le dessus sur Hector, elle éprouve, comme toujours, la tristesse de la victoire. Il avouera, et alors ? La revanche en amour n'existe pas.

Dans sa chambre, lumières éteintes, stores baissés, Lester, pendant ce temps, malaxe du bout des doigts des morceaux de plastique, des cartes à puce, des batteries réunis dans une boîte à chaussures. Il touille avec la même patience joyeuse qu'une sorcière penchée sur son chaudron. Du moins, c'est ce qu'il s'imagine.

QUATRIÈME PARTIE

Hector avait une femme. Elle s'appelait Sylvie. Ensemble ils avaient un fils. Il s'appelait Lester. Mais ses amis préféraient l'appeler Absalom Absalom, comme il le leur avait demandé. Ils acceptaient tout de lui. Ils l'aimaient, comme ils n'avaient jamais aimé rien ni personne. Cela faisait comme une floraison dans leur vie. Vraiment. Comme si d'énormes fleurs multicolores avaient soudain poussé dans un jardin en friche. Absalom Absalom avait ce talent, celui de reconnaître un sol dans lequel rien n'avait été semé. Ses amis – mais il les appelait « mes enfants » – n'étaient pas, comme on aurait pu le croire au premier regard, des créatures sans talents, amoindries par une tare. Ils étaient simplement des êtres sur lesquels personne n'avait songé à miser. Beaux, laids, petits, agiles, maigres, maladroits, obèses, doués, drôles, sensuels, ignares, peu importait. Ce que Lester percevait en eux allait bien au-delà de ces caractéristiques. Il les voyait tels qu'ils se voyaient eux-mêmes, comme des corps physiques échappés par malchance ou par hasard du champ gravitationnel de l'amour. Des petits astres solitaires voués à l'errance. Dès qu'ils entraient en contact avec lui, la magie opérait : ils se sentaient justifiés, on les contemplait. Lorsqu'une nouvelle recrue débarquait dans le cercle, son adoption par tous était immédiate, sans être du tout raisonnée. Ils s'aimaient les uns les autres parce qu'ils aimaient Absalom Absalom. Quoique « aimer » ne fût peut-être pas le bon mot. Ils étaient reliés. Il les avait touchés avec ses petites mains, ses mains si douces, et chacun son tour était entré dans la ronde. Ils s'étaient attachés les uns aux autres. Une fois dans le groupe, on se sentait tranquille et protégé. Prêt à tout. Absalom Absalom n'exigeait rien d'eux, ou alors si peu, des renoncements qui ne leur coûtaient pas, qui étaient comme des libérations.

Quand ils se croisaient au centre commercial, dans les couloirs du collège, ils ne s'adressaient pas la parole, se regardaient à peine. S'ils se retrouvaient dans le même groupe en sport ou pour faire un exposé, ils ne ressentaient aucune affinité particulière. Ce n'était pas ce genre d'amitié. Lorsqu'ils se réunissaient dans la forêt ou, parfois, s'il faisait trop froid, dans le sous-sol de l'immense maison des parents de Bethany, pour participer à ce qu'ils appelaient les « répétitions » – car Lester trouvait plus simple de croire à ses propres mensonges –, ils chantaient, dansaient et se parlaient. Ils parlaient de leur vie, de leurs aspirations, ils parlaient comme jamais on ne parle, aussi sincères que s'ils avaient été seuls, aussi animés que face à un public patient recueillant le moindre propos avec attention et bienveillance. Il n'y avait rien que l'on ne pût dire, rien de honteux, rien de ridicule, rien d'indiscret non plus. Les mots jaillissaient des bouches comme lavés, comme prononcés pour la première fois. S'ils étaient battus, ils disaient on me bat. S'ils étaient violés, ils disaient on me viole. S'ils tuaient des chiens, ils disaient je tue des chiens. Certains faisaient pipi sur eux la nuit. D'autres aimaient vomir. Ils disaient : Quand j'ai trop peur, je mets ma main dans ma culotte et après je sens mes doigts, et ça va mieux. Ils disaient : Je regarde des films de guerre sans le son et je fais tous les bruits. Ils disaient :

Quand je fume ça, quand je croque ça, je veux être au bord de mourir, je veux marcher sur cette crête comme un funambule sur son fil. Ils disaient : J'aime lire de très gros livres auxquels je ne comprends rien. J'ai couvé un œuf dans mon lit, mais le poussin n'est jamais sorti et maintenant l'œuf est un peu cassé et commence à sentir mauvais. Je voudrais que la prof de maths se fasse écraser par un camion à ordures.

En rentrant chez eux, ils se sentaient épuisés et libres. Ils s'endormaient en général très tôt les soirs de réunion, parfois sans manger, sans fumer, sans se droguer. Leurs parents ne s'en rendaient pas compte car leurs parents ne s'intéressaient pas du tout à eux.

Si l'on avait demandé à Absalom Absalom quel but il poursuivait, qu'aurait-il répondu ? Le savait-il lui-même ? À quelle fin constituait-il cette troupe ? Que voulait-il transmettre à ses disciples ? Qu'espérait-il leur enseigner ? Il lui semblait qu'il avait toujours été accompagné de ce genre de bande. Dès les premiers jeux au jardin public, durant les années d'école maternelle, il avait déjà « ses enfants » autour de lui. Bien sûr, il n'en avait pas conscience à l'époque et ne les appelait pas ainsi. Ce n'était qu'en arrivant aux États-Unis que le projet avait pris forme. Un peu avant peut-être. Projet n'était pas le mot qu'il aurait utilisé spontanément. Le mot projet supposait un avant de la préméditation, un pendant de l'action et un après de la conséquence. Son affaire à lui était intemporelle. Dieu ne s'était pas toujours appelé Dieu, mais il avait toujours été là. L'aimer, le chérir ne nécessitait pas de préparation et n'aboutissait à rien. Seul comptait l'instant de la danse, le moment de la transe, la joie. Lester n'avait pas lu saint Augustin. Il avait ouvert *Les Confessions* à une page au hasard et était tombé sur la phrase qu'il cherchait depuis longtemps sans le savoir : « Que si les âmes te plaisent, aime-les en Dieu, parce qu'elles sont errantes et muables en elles-mêmes, et qu'elles sont fixes et immobiles en lui, de qui elles tiennent toute la solidité de leur être, et sans qui elles s'écouleraient et périraient. Ne les aime donc qu'en Dieu, et entraîne vers lui avec toi toutes celles que tu pourras et leur dis : “Voilà celui qui doit être l'objet unique de notre amour, voilà celui que nous devons seul aimer.” » Cela lui avait suffi. Il conservait le volume, le transportait ici et là, le tâtait, redoutait de s'en séparer, même s'il préférait lire des romans, de longs et difficiles romans auxquels il ne comprenait pas grand-chose. Car dans les romans aussi, on pouvait aimer longtemps, sans risque d'être trahi par l'inconstance des êtres. Sur le papier, comme en Dieu, les âmes étaient fixes et immobiles. Dans les romans, personne ne mourait.

Lester était heureux qu'ils n'aient pas eu à rentrer en France pour les fêtes de fin d'année, comme cela avait été prévu au départ. Il n'avait pas envie de renoncer aux répétitions. Une étape avait été franchie lors de la dernière collecte. Le dépouillement progressait. Fréquemment, il comptait et recomptait sur ses doigts pour vérifier. Oui, les choses avançaient comme il voulait. C'était un hiver merveilleux. Les parents étaient absents pour la plupart. Ils étaient descendus chercher la chaleur plus au sud ou la neige vers les sommets. Ils n'emmenaient pas leurs enfants. Ils disaient « nos adolescents » avec un mélange de fierté et de dégoût. Le dégoût était lié aux boutons d'acné, à la puanteur nouvelle de la sueur, au gras des cheveux, aux poils désordonnés, aux vêtements moites et douteux. La fierté était inexplicable et fugace. Les adultes faisaient confiance à « leurs adolescents » non pas parce que ces jeunes gens étaient fiables, mais parce que c'était plus confortable ainsi. En vacances, un adolescent pouvait facilement tout gâcher. Il n'appréciait ni les paysages ni les musées, il s'ennuyait durant les trajets, mangeait salement dans des restaurants où tous les autres (« Mais regarde autour de toi, bon sang ») se tenaient impeccablement. Les parents de Lester, qui ne partageaient pourtant pas ces vues, lui fichaient, eux aussi, une paix inédite. Ils étaient très occupés. Hector avait parlé d'un séminaire animé par certains professeurs du département de langues romanes. Sylvie était à l'atelier. Elle modelait, émaillait, cuisait. Et bientôt, elle partirait pour Charlotte. La voie était libre et les journées sans fin, plus même bornées par la nuit qui tombait si tôt qu'elle ne changeait rien. Absalom Absalom et les siens se promenaient dans les bois, se réfugiaient dans le sous-sol de Bethany quand il pleuvait.

Ces derniers jours, ils parlaient moins. Ils n'avaient pas tout dit, mais l'urgence de s'épancher les avait quittés. Ils s'allongeaient sur le sol et s'entraînaient à respirer au même rythme, un rythme très lent qu'imposait Absalom Absalom. Nurith riait. « C'est plus planant que tout ce que j'ai consommé depuis trois ans ! » clamait-elle. « Si je meurs, disait Mario, promettez-moi de ne pas le dire à mes parents. » Iris prenait la main d'Absalom Absalom et la glissait sous sa joue brûlante. Elle avait très envie de l'embrasser sur la bouche. Et ailleurs. Elle avait une telle envie de lui que cela ciselait un cône éclatant de ses cuisses à son plexus. Elle respirait, cependant, comme il le lui indiquait. Elle écoutait sa voix, revoyait vaguement les images de sa jeune et courte vie de débauche, les garçons du collège, les serveurs dans les cafés, les parents de ses camarades de classe, les professeurs. Elle savait que le risque qu'elle leur faisait courir décuplait leur désir et centuplait leur jouissance. Elle était consciente que son corps, joli mais ordinaire, n'était pas pour grand-chose dans les extases qu'elle provoquait. Elle était la licence et l'interdit, elle était le diable. Mais assez vite son souffle calmé ralentissait son cœur qui refroidissait son sang qui dénouait ses rêves, et voilà qu'elle s'endormait, enfant paisible parmi les autres enfants.

Farah et Hector sont assis l'un contre l'autre sur le sofa défoncé du salon. Farah porte la chemise d'Hector et tripote le petit triangle du col, la pointe de tissu dont elle a remarqué qu'il aimait la maintenir relevée. Elle l'a invité chez elle pour lui faire à manger, lui laver les cheveux. Elle joue au mari et à la femme, comme elle dit. Hector ne se laisse faire qu'à contrecœur. Il n'a jamais eu le moindre goût pour la vie domestique et c'est justement ce qu'il apprécie dans son mariage avec Sylvie, la résistance qu'elle a développée, depuis toujours, contre la conjugalité. Il se prête au mime, malgré cela, car c'est un faible prix à payer pour ce que Farah lui offre en échange : un paysage à perte de vue, une lande sans frontières où l'horizon se fond dans le ciel, la contrée aux mille rivières de sa voracité amoureuse, de sa vélocité sensuelle.

Avec Caridad, c'est si différent, si compliqué. Au début, oui, il y avait eu ce brasier qu'un souffle suffit à ranimer. Mais assez vite, elle avait préféré dormir. « Dormir dans tes bras », murmurait-elle d'une voix de fillette qui agaçait Hector. Elle avait toutes sortes de manies, de moues, d'humeurs. Plus il la fréquentait, plus elle lui évoquait la princesse au petit pois, sauf que, sous son amoncellement de matelas, Caridad avait dissimulé des dizaines de lentilles, de haricots, de graines. Elle était irritable à l'excès, capricieuse et injuste. Hector ne parvenait pourtant pas à s'en détacher parce qu'elle lui proposait une conquête toujours neuve et apparemment impossible.

« Lauren est une amie, soupire Farah avec fatalisme. Ma meilleure amie. Je n'ai pas envie que tu rentres en France et elle le sait très bien. Dans six mois, dans un an, ce sera différent. Dans six mois, je t'aurai usé. Dans un an, nous aurons une nouvelle Amérique, avec une femme au pouvoir, et il y aura tout à construire. Dans six mois, je serai trop occupée pour m'occuper de toi. Dans un an, je serai trop vieille et tu préféreras coucher avec Joan ou Rosy.

– Pitié, pas Joan. On dirait une fermière amish. Rosy, pourquoi pas ?

– Oui, Rosy. Je te conseille Rosy. Elle porte bien son nom. Elle ressemble à un petit cochon.

– Tu es cruelle.

– Pas du tout. C'est mon animal favori. Le cochon. Très intelligent, facile à vivre, mange de tout. Le compagnon idéal. »

Hector se tait. Il n'a pas le cœur à badiner. Il sent poindre la culpabilité, pour la première fois depuis des mois que cette situation dure. Jusque-là, il avait réussi à maintenir ce pénible sentiment à distance. Grâce à la distance, justement. La distance qui séparait cette vie de leur vie ordinaire, à Sylvie, Lester et lui. La vie parisienne était comme à l'abri, conservée quelque part entre l'avenue Trudaine et la rue des Martyrs, dans un appartement qu'habitaient, depuis cinq mois, le professeur Ellis et sa fille, Marissa June. Le triangle qu'ils formaient, Sylvie, Lester et lui, y demeurait inaltéré, solide et stable, dans l'attente du retour des trois avatars expatriés. Ce qui se passait ici n'avait pas plus de poids que les péripéties survenues dans les rêves. Durant les premiers temps de sa double passion, Hector s'était soupçonné d'aménager le réel à sa guise, de se persuader lui-même que sa conduite sur le nouveau continent n'avait pas d'impact sur l'existence qu'il avait bâtie sur l'ancien. Ses trahisons étaient sans conséquence et ne blessaient personne, se disait-il, constatant jour après jour que rien ne modifiait ses relations avec Sylvie. Il n'était ni plus gentil avec elle, ni plus impatient qu'avant. Il ne se montrait pas plus tendre, ni moins présent. Elle le faisait rire et l'impressionnait comme toujours depuis qu'il l'avait rencontrée. Elle lui mettait les nerfs en vrille et le fatiguait comme elle l'avait toujours fait. De son côté, elle n'avait rien transformé dans son attitude. Elle ne s'habillait pas différemment, ne se maquillait pas davantage, ne fouillait pas dans ses affaires, ne le regardait pas d'un œil suspicieux. Elle était telle qu'il la connaissait, telle qu'il l'aimait : légèrement opaque et parfaitement immobile.

Jusqu'à ces jours-ci.

Sylvie était entrée dans son bureau sans frapper, sans s'annoncer. Hector ignorait comment elle l'avait débusqué. Elle n'était jamais venue sur son lieu de travail auparavant et le département d'études romanes était un véritable labyrinthe. Elle était essoufflée. Les joues rosies par le froid, elle était apparue, plus décoiffée encore que d'habitude. Son visage plat, presque inca, semblait ouvert et rayonnait au sommet de son col en fausse fourrure blanche. Ma petite Indienne, avait-il songé. Ma petite Ruskoff. Avant de sentir le piquant d'une épingle se ficher dans son sternum. Elle savait tout. Elle allait faire pleuvoir sur lui les flèches justifiées de multiples reproches.

« On ne rentre pas à Paris pour les fêtes », annonça-t-elle.

Hector fit semblant, durant quelques secondes, de continuer à mettre de l'ordre dans son bureau qu'il pensait quitter pour une quinzaine de jours. Constatant qu'il ne réagissait pas à sa déclaration, Sylvie répéta : « On ne rentre pas. » Elle reprit son souffle, puis se lança dans une explication. « J'ai quelque chose à faire. On me propose de participer à une exposition. C'est Lauren. Tu sais ? Mon professeur de céramique. Elle a envie que je l'accompagne à Charlotte. Elle veut que nous partagions l'exposition. Le vernissage est prévu le 6 janvier et j'ai dit oui. »

Afin de trouver la force d'accepter la proposition de Lauren et de mobiliser le courage nécessaire pour annoncer sa décision à Hector, Sylvie s'était concentrée sur Zlatan. Il avait besoin d'elle. Elle n'avait aucun autre moyen de l'aider. Elle voulait lui envoyer de l'argent, son argent. Peut-être vendrait-elle quelques pièces. Lauren lui avait parlé d'un collectionneur qui aimait par-dessus tout découvrir de nouveaux talents, créer des cotes. Zlatan lui avait écrit pour lui assurer qu'il n'avait besoin de rien, qu'il serait dédommagé par l'État, que c'était parfaitement organisé et pris en charge. Elle ne voulait pas y croire. Elle lui répétait des choses comme : « Et s'ils perdent ton dossier ? Et si les fonds ne sont pas débloqués à temps ? Suppose que tu doives consulter un spécialiste non conventionné. Je veux faire ce geste pour toi, avait-elle conclu. Tu le mérites. »

Un geste, le tout premier, celui qui la sortirait de l'immobilité.

« Le vernissage ? » fit Hector d'une voix pâteuse.

Son gosier était paralysé par un mélange de soulagement et de surprise.

« Une exposition, tu dis ? Mais tu viens de commencer, non ? Tu n'as encore rien fait. Ce n'est pas un peu prématuré ?

– On ne rentre pas, avait répété Sylvie.

– Bon. Très bien. On ne rentre pas. »

Hector se lève soudain du sofa. Il marche de long en large dans le salon de Farah que le soleil bas du milieu d'après-midi baigne d'une lumière dorée qui s'éteindra bientôt. Il se frotte les mains, baisse les yeux vers le tapis. Puis, n'y tenant plus, il se penche vers Farah, toujours alanguie sur le canapé qui garde l'empreinte de leurs deux corps. Il la saisit par le col de sa chemise, comme s'il se préparait à la gifler, à l'étrangler. Mais, au lieu de ça, avec le plus grand soin, il remet la pointe de tissu bien en place, à plat sur la clavicule. S'il s'écoutait, il lui arracherait ce vêtement qui lui va pourtant si bien. Il a soudain honte de leur intimité. Il ne se rappelle pas que Sylvie ait jamais enfilé une de ses chemises.

« Lauren n'aurait pas eu cette idée si elle n'appréciait pas vraiment le travail de Sylvie, précise Farah d'une voix qu'elle espère apaisante. Il n'y a pas de manipulation. Elle est honnête dans son jugement. C'est une artiste honnête. Si elle reconnaît le talent d'un autre artiste, elle le dit. C'est difficile à imaginer pour vous, les hommes. Mais c'est comme ça. C'est la vérité. Les femmes s'entraident. Elles se serrent les coudes. Mon amie m'aide à garder mon amant près de moi. Et cette même amie aide la femme de mon amant à prendre conscience de son talent. C'est bon pour tout le monde. »

Farah se tait un instant. Elle regarde Hector. Le pull qu'il porte à même la peau, et son jean qui flotte sur ses cuisses maigres lui donnent un air juvénile qu'elle n'est pas certaine de trouver à son goût. Elle préfère quand il a l'air vieux. Son visage est inquiet. Elle voit une douleur coupable se tracer un chemin entre ses sourcils et dans les sillons creusés de chaque côté de sa bouche.

« Tu ne me crois pas, dit-elle. Tu ne crois pas à la beauté de notre conspiration féminine. Mais comment tu penses qu'on s'en sortirait si on n'utilisait pas cette arme-là ? Pourquoi on se fait traiter de sorcières du matin au soir, à ton avis ? Parce qu'on mélange tout. Depuis toujours. On mélange et c'est notre manière à nous de prendre le pouvoir.

– Toute cette histoire me met très mal à l'aise, finit-il par avouer.

– Quelle histoire ? Ton histoire à toi ? Notre histoire à tous les deux ? À tous les trois, si on compte Caridad ? À tous les quatre, si on ajoute ta femme ? Tu aimes être pur. Tu aimes avoir raison. Mais le plus vrai, dans tout ça, c'est que tu n'adores pas les légumes de Sylvie.

– Qu'est-ce que tu racontes ?

– Lauren me les a montrés. Les carottes sont incroyables. Les maïs, les navets, les tomates. Ils sont tous tellement spirituels. Impossible de savoir comment, de décrire pourquoi. Tu les as regardés au moins ? Et les chaussures, tu les as vues ? On dirait des portraits de toi. Tu es sa muse.

– Elle n'a aucune technique. C'est maladroit. »

Première dispute, note Farah d'une voix presque inaudible.

« Tu veux qu'on numérote les carottes ? demande Lauren.

– Comment ça ? dit Sylvie tout en disposant les navets dans un nid de serpentins de bois qui les protégera durant le transport.

– Tu sais, on écrit carotte avec un petit dièse à côté et le numéro 1, puis pareil avec le numéro 2.

– Non. Je veux qu'on décrive tout.

– C'est-à-dire ?

– Par exemple, là, répond Sylvie en désignant du doigt une racine orangée au bout grisâtre. Il faut écrire : "Carotte qui rebique trouvée au fond du frigo".

– Et pour celle-ci ? » lance Lauren, le doigt pointé vers une autre, presque semblable, mais constellée de points blancs.

Sylvie l'examine quelques secondes, elle se remémore les circonstances et conclut : « Petite carotte oubliée sur le plan de travail, derrière le robot ménager, et qui a commencé à moisir… Non, on enlève "qui a commencé à moisir".

– J'ai compris. »

Lauren saisit un des navets que Sylvie est en train d'emballer, le contemple longuement et proclame : « Navet moyen qui a roulé sous la table et qu'on a laissé là pendant trois jours, mais la soupe avait quand même bon goût. »

Elle éclate de rire. Sylvie conserve son sérieux. Sylvie ne plaisante pas. Elle tient à dire la vérité. La vérité sur ses œuvres. La seule qu'elle soit sûre de connaître. Elle explique péniblement à Lauren que son travail, enfin, c'est un grand mot, disons, ses objets, n'ont de sens que dans cette perspective, si elle s'accorde la possibilité, le droit de dire exactement ce qu'elle pense, ce qu'elle sait. Puis elle s'effondre sur une chaise, proche de renoncer.

« Tu as raison, soupire-t-elle. C'est ridicule. Tout le monde va se moquer. Je suis ridicule. Mes légumes et mes chaussures sont ridicules et ce nom "Légumes et chaussures" est plus ridicule que tout. Mais je n'en ai pas trouvé d'autre. Je n'ai aucune imagination. Et tout fait si prétentieux. "Bribes", "Incidents domestiques". J'ai essayé d'inventer autre chose. Peut-être que le mieux, c'est d'annuler. Je suis une débutante, je suis nulle, je ne maîtrise rien.

– Honeypot, lui dit langoureusement Lauren. Tu n'as pas besoin de maîtriser. Tu as un don. Comme les enfants prodiges qui jouent du violon ou du piano après quelques semaines d'apprentissage.

– Je suis trop vieille pour être un enfant prodige.

– Il n'y a pas d'âge pour le prodige. Et il ne s'explique pas. Il tourmente souvent la personne sur qui il tombe et rend les autres jaloux. Mais tu devrais en profiter. Moi, j'en profite. Je ne me suis pas amusée comme ça depuis cent cinquante ans. Je meurs d'impatience de voir la réaction de Dick Vintergaärdt. Ça fait des années que mon agent essaie de le convaincre de venir à une de mes expos. S'il est aussi malin qu'il le croit, il va tout t'acheter à Charlotte. Il va voir ce que j'ai vu. "Légumes et chaussures", c'est explicite. C'est post-post-figuratif. C'est le quotidien et l'ordinaire d'une femme. J'ai déjà envoyé le bla-bla à la galerie. Ils adorent. On mettra nos deux noms. Vickery/Brazelton.

– Vickery, c'est le nom de mon mari.
– Alors l'autre, celui d'avant, c'était quoi ?
– Lhorte, mais ça, c'était le nom de mon père.
– So ? »

Sylvie regrette de s'être engagée dans cette aventure. Tout était si simple avant, quand elle ne faisait rien. Invisible, elle menait une vie dégagée de tout lien, presque sans matérialité. Voilà une semaine qu'elle dort mal. Elle ne rêve pas et lorsque à quatre heures elle ouvre les yeux, parfaitement réveillée, elle a la sensation d'être propulsée dans un cauchemar, comme si l'ordre de la nuit s'était inversé. Hector ronfle légèrement à côté d'elle. Elle envie son inconscience, son repos. Pour tenter de s'apaiser, de retrouver le chemin du sommeil, elle s'imagine de retour à Paris, seule, assise dans le métro. Une dame avec un livre. Elle est cette dame que personne ne remarque et qui lève de temps à autre les yeux pour surveiller le défilé des stations : Chaussée-d'Antin, Havre-Caumartin, Saint-Augustin. Toujours elle a été sensible au carillon rimé de la ligne 9. Le mal du pays la saisit. Chez elle, personne ne lui demandait qui elle était. Son identité collait à ses jours, à ses semelles. Personne ne lui demandait son nom, ni ce qu'elle faisait dans la vie. On ne pose pas de questions à la dame dans le métro, entre deux âges, entre deux arrêts, la dame qui continue à lire sur le quai, durant les changements, mêlant aux mots de l'écrivain ceux que ses yeux déchiffrent machinalement sur les panneaux, les affiches, les écriteaux.

Depuis que Lauren a retiré du four la première série de légumes, depuis qu'elle s'est assise pour les admirer, « exténuée », selon ses propres mots, « par leur puissance », tout est pesant et compliqué. Il a fallu fournir des photos – clichés des œuvres, portrait de l'artiste –, inventer un *curriculum vitae*, organiser le séjour à Charlotte. Sylvie supporte mal cette agitation, cela lui donne l'impression d'être un pantin entre les mains d'un marionnettiste épileptique. L'enthousiasme de Lauren lui paraît suspect. Elle s'en est ouverte à Maryline, sa voisine de banc à l'atelier. Celle qui travaille depuis quatre ans sur la même pièce. Maryline l'a écoutée avec énormément d'attention.

Le visage et le corps de cette femme qu'elle connaît à peine, mais côtoie deux fois par semaine depuis plusieurs mois, n'exprimaient qu'une chose : Vois comme je t'écoute. C'était stupéfiant. Sylvie l'a immédiatement constaté. Chaque parole, aussitôt sortie de ses lèvres, semblait aspirée par les oreilles, les yeux, les narines de la potière psychanalyste. C'était une sensation enivrante, un plaisir trouble auquel il était difficile de résister. La moindre remarque, la moindre incise se lestait, s'amplifiait sous l'effet de la concentration parfaite que manifestait l'auditrice. Sylvie parlait à voix basse dans le vestibule de l'atelier et, malgré ses efforts pour chuchoter, elle sentait le volume sonore enfler. Une excitation montait en elle. Au départ, elle comptait simplement demander à Maryline si elle trouvait ses légumes intéressants. Maryline a répondu par une question : Pourquoi ? Parce que Lauren… c'est gênant de dire ça, mais Lauren me propose de participer à une exposition. Gênant ? a demandé Maryline. Gênant de dire cette chose ou de la faire ? Dieu du ciel, c'était comme se retrouver soi-même au centre d'un tour de potier. La parole se dressait, prenait une forme inattendue.

« Et si on mettait "Anonyme" ? propose Sylvie à son professeur.

– On verra ça plus tard. Tu fais comme tu veux. Tu rédiges tes cartels toi-même. Exactement comme tu veux. La cosignature, c'est juste pour l'expo. Pour attiser la curiosité. Tu n'as qu'à prendre un pseudonyme si tu préfères. Il faut que ça reste léger. L'idée, c'est avant tout de créer un événement curieux, un canular. L'histoire de l'art en est pleine. L'histoire de l'art n'est qu'un immense canular. »

Les messagers, songe Sylvie, prennent un air innocent, comme pour atténuer leur responsabilité. À l'instant de l'annonce, c'est comme s'ils n'avaient pas de visage. Une planche à découper à la place de la tête. Ils voudraient pouvoir se séparer du contenu de la nouvelle qu'ils délivrent. Ils prennent modèle sur les anges, ces créatures potelées ou non, ailées ou pas, qui ont fait avaler des couleuvres à bon nombre de nos ancêtres. Le sacrifice d'un fils par-ci, une grossesse ridiculement tardive par-là, un enfant conçu sans coucher mais promis à un sacré destin. Ils ont été remplacés par les gendarmes. Les gendarmes au volant de leur voiture volent, sur leur moto ils filent, à vélo aussi. Ils viennent toquer à la porte d'une maison pour dire la mobylette écrabouillée au stop, le chauffard qui n'a pas pu éviter la bicyclette, le monsieur très âgé qui a pris l'autoroute à contresens. On annonce une overdose, une mort sur le billard. Le médecin dit : « C'est un mauvais cancer, je ne vais pas vous raconter d'histoires, vous en avez pour six mois au mieux. » Ses omoplates le démangent, là où, autrefois, dans une histoire presque semblable, naissait le duvet blanc. L'annonce de ce qui sera, l'annonce de ce qui a été se rejoignent dans l'irruption. La continuité est rompue. Ce qui paraissait immuable, tissé du fil grossier mais solide de l'ordinaire, se déchire.

« Hi there », lance French Bob debout sur le perron, jambes écartées, vêtu de son short d'explorateur et de bottes en caoutchouc.

Pourquoi s'exprime-t-il en anglais ? se demande d'abord Sylvie, avant de s'étonner qu'il connaisse son adresse. Comme s'il lisait dans ses pensées, Bob précise :

« C'est Doctor Pipes qui m'a dit où vous habitiez. Ça ne vous dérange pas, la visite ? Je pouvais appeler au téléphone avant, mais c'est trop officiel non ? Alors je suis passé. Je peux entrer une minute ? Votre mari est là ? Votre fils ? »

Doctor Pipes a vendu la mèche, devine Sylvie. Il a tout raconté à son rabatteur. Les préservatifs, l'épouse désorientée, le fils trop jeune pour être soupçonné. À partir de là, l'enquête a été facile. Les petites villes sont ainsi, on y lit les nouvelles sans ouvrir le journal, la rumeur est plus rapide que l'imprimerie. Les témoignages se recoupent et accablent. Les langues se délient et inventent au besoin. Le professeur de philosophie, le french lover, ne se contente pas d'avoir une maîtresse, il en prend deux et, qui sait, peut-être davantage. Certaines étudiantes ont commenté ses regards, ses allusions. L'une d'elles a mentionné une main posée sur son épaule au moment de remettre une note désastreuse. Une autre a simplement avoué qu'elle avait failli craquer. « Après qu'il t'avait fait des propositions ? » Non, enfin, pas vraiment, mais il lui avait demandé son adresse mail pour lui envoyer une poésie. Nous serons chassés de ce paradis qui n'en est pas un, prévoit Sylvie. Déjà, nous sommes montrés du doigt, nous, les Français (dont on connaît trop bien les mœurs archaïques, l'amour courtois, tu parles), nous, les étrangers, si vieux, avec un fils si jeune qui ne fait pas de sport, préfère la danse et porte des bonnets péruviens et des babouches. Elle se résigne par avance, sent qu'elle n'aura pas la force de lutter, de contredire. Elle voudrait en finir avant que cela ait commencé, dire à French Bob que ce n'est pas la peine qu'il lui explique quoi que ce soit. Elle a compris. Les bagages seront faits dans la soirée. Le billet de retour n'a peut-être pas été annulé.

« Je peux entrer ? » demande Bob.

Sans répondre, Sylvie ouvre la porte et s'efface devant le gros bonhomme qui se balance d'une jambe sur l'autre et pénètre dans la maison à la moquette crème, aux murs crème, aux plafonds crème, de sa démarche semblable à celle d'un jars.

« Vous voulez boire quelque chose ? » demande Sylvie d'une voix mate. Une voix qu'elle ne reconnaît pas.

« Ne vous dérangez pas, fait Bob en se laissant tomber sur le canapé du salon avec toute la lourdeur de la sentence qu'il s'apprête à prononcer.

– Je vous écoute, dit Sylvie. Vous vouliez me parler en privé, je suppose ? Allez-y. Je suis seule, je vous écoute.

– Ne faites pas cette tête, jolie madame. “Jolie Madame”, vous vous souvenez ? C'était le nom d'un parfum. J'en rapportais à ma femme, chaque fois que j'allais à Paris. Ma femme est morte, vous savez ? Elle a contacté une septicémie. C'est comme ça qu'on dit, oui ? Contacté ?

– Oui, acquiesce distraitement Sylvie.

– Je viens vous voir, murmure Bob, comme si des espions étaient cachés dans la pièce. Je viens vous voir… »

Il s'interrompt soudain et regarde autour de lui d'un air soupçonneux. Sylvie aimerait qu'il emploie, comme lors de leurs premières rencontres, la trinité langagière qui en a fait un personnage de plaisanterie dans la famille. Elle est au bord de lui souffler : Je viens vous voir, vous savez pourquoi je viens vous voir, je vais vous dire pourquoi je viens vous voir. Une nostalgie pathétique lui étreint la poitrine. Le temps de la valse est fini, celui des amitiés naissantes, du tâtonnement.

« Ce n'est pas qu'une histoire de mobiles, finit-il par déclarer après un silence. Je sais que, chez vous, les Français, nous avons la réputation d'être matérialistiques. Mais c'est plus complexe, oui ? C'est au fondement de notre Constitution. Cinquième et quatorzième amendement. Je ne touche pas à tes affaires et tu ne touches pas à mes affaires. C'est compréhensible, ça ? »

Sylvie fronce involontairement les sourcils. Elle se demande de quoi parle French Bob. Elle hoche néanmoins la tête pour l'encourager à poursuivre.

« Alors, bien sûr, nous avons aussi l'*habeas corpus*. Très important ici. Essentiel, et c'est ça qui protège votre fils. Mais pour combien de temps ?

– Mon fils ? s'étonne Sylvie. Qu'est-ce que Lester vient faire là-dedans ?

– Tout ! Il vient tout faire ! Zelda m'a parlé, parce que la petite Zelda dit tout à son papa. Surtout depuis que maman est morte. Zelda n'a pas délationné. Attention. Surtout pas. Elle a simplement dit à papa que le garçon français n'aimait pas les appareils de la communication moderne. Quand papa a demandé pourquoi, pourquoi le garçon Lester, il n'aime pas les mobiles, elle a répondu c'est le diable dans la boîte. C'est votre fils qui dit ça : le diable dans la boîte. C'est des histoires d'enfants, bien sûr. Mais si les mobiles disparaissent, c'est différent. C'est l'atteinte à la propriété privée.

– Pardon, monsieur. Je ne comprends pas bien de quoi

vous parlez. Mon fils a un téléphone portable, comme tous les enfants de son âge de nos jours. Il ne passe pas son temps à le tripoter, comme font la plupart des adolescents, mais ce n'est pas un crime, que je sache.

– Essayez de l'appeler.

– Il ne répondra pas.

– Pourquoi ?

– Il ne répond jamais.

– Vous savez pourquoi il ne répond jamais ? Je vais vous dire pourquoi il ne répond jamais. Il ne répond jamais parce qu'il n'a plus de mobile. Le mobile, disparu, envolé. Comme celui de ma fille et de beaucoup d'autres jeunes teenagers.

– Qu'est-ce que vous racontez ? En quoi mon fils est-il mêlé à cette histoire ?

– Votre fils confisque la propriété privée de ses camarades. Il a volé les mobiles.

– Mais enfin, ça ne tient pas debout. Vous venez de dire qu'il n'aimait pas les moyens de communication modernes. Très bien. Pourquoi pas ? Mais si c'est le cas, pour quelle raison volerait-il des portables ? »

French Bob ferme les paupières. Il prend une longue inspiration, ouvre lentement les yeux, et articule, très lentement : « Pour les détruire. »

L'obscurité règne dans la maison, sauf à l'arrière où une lueur s'échappe du soupirail. Sylvie est dans la buanderie éclairée par le néon jaune du plafond, seule. Elle cherche une paire de chaussures appartenant à Lester. Des baskets. Elle se rappelle très bien qu'il a tenu à les emporter aux États-Unis, alors que les lacets étaient cassés et que la semelle bâillait au bout. Elle s'était moquée de lui au moment de faire les valises. « On dirait deux rats, avait-elle dit. Des rats verts avec des bandes jaune fluo, mais des rats quand même, prêts à dévorer n'importe quoi. » Lester y tenait. Elles étaient plus confortables que les autres, disait-il, et il pourrait les utiliser pour les balades en forêt. Aujourd'hui, Sylvie pense que cette paire de rats dénaturés pourrait compléter avantageusement sa collection de chaussures, donner la touche finale à son projet de céramiques. Il reste encore une semaine avant le départ pour Charlotte. C'est largement suffisant et cela créera un contrepoint coloré et moderne aux paires qu'elle a déjà fabriquées. Les Weston, les Church, les Paraboot, tous ces souliers de monsieur, de bourgeois, de riche. Les baskets trouées au bout exprimeront quelque chose d'autre, ajouteront une dissonance. Sylvie s'étonne elle-même d'être si résolue.

Elle a cherché dans l'armoire de l'entrée, au pied de l'escalier, dans la salle de bains du bas. Elle a mis la buanderie sens dessus dessous, mais les baskets demeurent introuvables. Alors elle monte dans la chambre de Lester. Elle frappe machinalement à la porte, tout en sachant qu'il n'est pas là – il a quitté la maison une heure plus tôt pour se rendre à sa répétition –, et elle entre. Chaque fois, c'est la même chose, quand elle pénètre dans les appartements de son fils, elle est stupéfiée par l'ordre qui y règne. Aucun sous-vêtement sur le sol, pas une feuille volante sur le bureau. Les livres se tiennent bien droits, les uns contre les autres dans la bibliothèque. Dans la penderie, les vêtements, chacun sur leur cintre, sont espacés les uns des autres par un centimètre exactement, comme dans les magasins chics où des vendeuses passent leurs journées à réorganiser les portants afin de ménager cet espace, ce courant d'air infime, entre chaque article. L'odeur aussi est particulière, un mélange de lessive et de sous-bois. Une odeur délicieuse qui, pour elle, est celle de son bébé. Quand il est né, il sentait déjà comme ça, se rappelle-t-elle. Les narines collées contre son cuir chevelu recouvert d'une fine toison régulière, elle inspirait ce parfum qu'elle seule percevait, car il constituait un message à elle seule adressé.

Sylvie sourit à l'ordre. Cet ordre qui la rassure et lui indique qu'elle a, finalement, bien élevé son enfant. Les chaussures ne traînent pas en vrac au bas d'un meuble ou sous le lit. Elles sont rangées sur une étagère, à l'abri de leurs boîtes. Elle ouvre le grand carton Aigle et y trouve les bottes couchées l'une contre l'autre. Elle lit les étiquettes, dont certaines ont été tracées à la main : Chaussures à lacets noirs, Clarks marron, Espadrilles et babouches, Boots. Dans la boîte Adidas, des tennis blanches en cuir. Et dans celle-là ? Tiens, il n'y a rien d'inscrit sur les côtés ni sur le dessus. Si elle découvre un journal intime – Sylvie se fait entièrement confiance sur le sujet –, elle refermera aussitôt le carton. Hors de question de profiter de l'absence de son fils pour s'informer sur sa vie secrète. Et s'il contient de la drogue ? se dit-elle. Mieux vaut ne pas l'ouvrir. Pourtant elle l'ouvre. Ouf, il n'y a rien dedans. Juste des morceaux de plastique. Les vestiges d'une maquette peut-être.

Un petit carré doré attire malgré tout son regard. Elle sort le carton de l'étagère, le pose sur le lit et enlève totalement le couvercle. À l'intérieur, des écrans, des batteries, des cartes à puce, des claviers.

Sylvie, les mains tremblantes, remet la boîte à chaussures en place. Elle sort de la chambre, les jambes flageolantes. Elle plaque la paume de ses mains fraîches sur ses yeux. Ce n'est rien, se dit-elle. Pas grave du tout. C'est une petite délinquance de petit adolescent. Elle sourit. C'est si peu de chose quand on pense à ce dont ils sont capables, par rapport à ce qu'on voit à la télévision. French Bob a bien fait de la prévenir. Ils vont tout arranger. On expliquera que le garçon a été perturbé par son départ de France. On pourra facilement mettre ça sur le compte du traumatisme lié aux attentats. Les parents comprendront. Ils ont tous des problèmes plus ou moins importants avec leurs propres rejetons. L'essentiel est de faire face, de convoquer les familles.

Mais il serait peut-être préférable de fuir, se dit-elle, une fois dans le salon. Les canards et les poules d'eau dans leurs cadres dorés, le cuir beige des sofas jumeaux, la propreté des murs, le lac des baies vitrées, les éléments de cuisine aux portes laquées vert jade qu'on aperçoit par l'arche découpée dans la cloison, le bois blond de l'escalier, les portes coulissantes des armoires, toutes ces surfaces lisses et pâles qui brillent et empêchent l'obscurité, même quand au-dehors la nuit est profonde, de s'installer dans la maison, tout semble l'accuser et la rejeter. Nous n'avons rien à faire ici, depuis le départ, se dit-elle, abattue. Le téléphone sonne. Elle ne répond pas. Elle ne veut parler à personne. Ne voir personne.

Que dira-t-elle à Hector ? Que dira-t-elle à Lester ?

Par la fenêtre, des mères et des pères regardent la nuit irrémédiablement sombre. Pas le moindre rayon de lune. Pas d'étoiles. La lumière du ciel a été entièrement absorbée, dirait-on. De retour de leur semaine de vacances, ils ont constaté un changement dans l'air, dans la façon dont les journées se déroulent. Ils composent des numéros à partir de leur téléphone fixe, recommencent quelques minutes plus tard avec leur mobile. Plusieurs jours, déjà, que cela dure. Les enfants ne répondent plus. Ils quittent la maison, en début d'après-midi, tout joyeux. Ils lancent un « See you ! » désinvolte, sans demander la permission de sortir, sans dire où ils vont, et ils disparaissent pendant des heures. Injoignables. Ils sont injoignables. Lorsqu'ils rentrent enfin, ils sont trop fatigués pour parler. Ils sentent la forêt et le grand air. Leurs pupilles ne sont pas dilatées. Leur haleine n'est pas chargée. Ils se couchent sans manger. Les parents ne protestent pas. Une soirée tranquille, sans avoir à répéter cent fois : « Baisse le son », « Éteins ta lumière », « Si tu continues je te confisque ton ordinateur », c'est appréciable. Et quand, avant de se coucher eux-mêmes, ils passent la tête par la porte pour vérifier que tout va bien, ils revoient leur enfant tel qu'il a été, tel qu'il était trois ou quatre ans plus tôt, avant qu'il ne devienne cet étranger hostile, ce laideron à gros nez, cette traînée, ce drogué, cet idiot qui ne fiche rien en classe, cet obèse qui leur fait honte. L'enfant retrouvé est vêtu d'un pyjama, d'une chemise de nuit, couverture remontée jusqu'au menton, les deux mains jointes sous une joue, le front perlé de la bonne sueur du sommeil.

Les parents hésitent à se réjouir. Disons que leur sentiment varie selon l'heure, selon la situation. À certains moments, ils se sentent soulagés, comme si la paix était revenue dans leur foyer : plus de disputes, plus de mines renfrognées, de récriminations ni de réclamations incessantes. Les enfants ne demandent plus d'argent de poche, se lèvent volontiers le matin, sourient quand on leur adresse la parole. À d'autres moments, les parents se tordent les mains d'inquiétude, s'affolent : la nuit est tombée et les enfants ne sont pas rentrés. Le froid s'est abattu sur les routes, qui luisent de verglas dans la nuit, sur les pelouses, figées par le gel, et ils ne sont pas là. Les parents s'énervent comme lorsqu'ils ont égaré leurs clés de voiture, leur portefeuille. Voilà qu'ils ont égaré leurs enfants. Ils ignorent où ils sont et n'ont aucun moyen de le découvrir. Ils s'appellent les uns les autres. « Il n'est pas chez vous ? » « Elle n'est pas passée ? » « Savez-vous où a lieu la répétition ? » « Avez-vous le numéro de téléphone de Verena Steinheim ? » « Qui est-ce ? » « Leur professeur de théâtre. » « Vous êtes sûr ? Je croyais qu'elle s'appelait Dolores Moor. » Ils tentent de faire bonne figure, de jouer la décontraction. Ils rivalisent de tolérance. Mais une des mères, celle qui a le plus d'imagination, la plus méfiante, la plus curieuse de toutes, collecte les indices, surveille le courrier car, depuis quelque temps – au début elle a trouvé cela charmant et a cru qu'il s'agissait d'un devoir de vacances –, les enfants se sont mis à s'écrire, des cartes, des lettres. Le contenu est ordinaire, en apparence. Qui sait ? Peut-être s'agit-il d'un code. Les pages

Facebook ne sont d'aucun secours. Rien de neuf n'y figure depuis plus d'un mois. Les enfants ne se connectent plus. La mère changée en enquêtrice appelle une personne de l'administration du collège. Elle se renseigne sur le nouveau professeur de théâtre, Verena Steinheim, et apprend qu'elle n'existe pas. Ou plutôt si. Verena Steinheim a existé. C'est une ancienne élève de la P.W. Julian High School, morte d'une overdose en 1997, à l'âge de treize ans. La nouvelle circule rapidement, avec la fluidité d'un ruisseau. Les enfants sont soumis à des interrogatoires. Ils se taisent, tout en demeurant parfaitement polis. Ils sont privés de sortie. Ils s'échappent. On menace d'appeler la police. Ils continuent de se taire. Puis Zelda parle à son père du diable dans la boîte. Bethany évoque un nouveau groupe d'amis. Mario ne dit rien. On le frappe. Il ne dit toujours rien. Nurith hurle qu'ils ne peuvent pas comprendre. Personne ne peut comprendre. Le nom d'Absalom Absalom, à force de tortures, à force de menaces, finit par émerger. Qui est-ce ? se demandent les parents. Ils ne connaissent personne de ce nom. Ils fouillent sur Internet, dans les archives de l'école. Ils soupçonnent une secte d'être derrière tout cela. Andy parle dans son sommeil. Il se tord d'angoisse pendant la nuit, mouille ses draps. Un de ses grands frères l'épie. « Celui qui touche à mon Andy, il est mort », a-t-il déclaré à ses parents. « Très bien », ont-ils répondu, rassurés par la bienveillance du jeune homme, autant que par sa carrure impressionnante de basketteur sur le point d'intégrer la ligue professionnelle. Andy parle de la forêt. Il répète : « Small hands, such soft hands. » Puis, une nuit plus agitée que les autres, il appelle : « Lester ! Lester ! » Et c'en est fait.

M. et Mme Lowell, M. Gurzinsky, M. et Mme Peabody, Mme Silver, M. et Mme Cordoba, M. et Mme Borenstein, M. et Mme Lewis, M. et Mme Biltmore-Hunt sont réunis, à l'initiative de Mme Silver (la plus imaginative des mères), chez M. et Mme Lowell qui ont gentiment accepté d'accueillir tout le monde, parce qu'ils possèdent une grande maison et sont heureux de pouvoir mettre leur salon à disposition. « L'entraide est une valeur capitale », insiste Mme Lowell, grande, mince, plus chic qu'une Parisienne de la rive gauche, en accueillant les autres parents qu'elle est ravie de rencontrer car ils n'ont jamais eu l'occasion… Il est vrai qu'aux galas qu'elle organise avec l'association caritative dont elle est présidente, aucune de ces personnes n'aurait les moyens de régler le moins cher des billets d'entrée. Bien sûr elle ne dit pas cela. Elle serre les mains rougies, moites, sèches entre ses longs doigts fins et parfumés qu'ornent des bagues de créateurs. « Entrez, entrez ! clame-t-elle d'une voix enthousiaste et qu'elle espère chaleureuse. Mettez vos manteaux sur la méridienne. C'est sans façon. » M. et Mme Cordoba attendent de voir où les autres posent leurs affaires pour retirer, lui son blouson, elle son imper, parce qu'ils ne savent ni l'un ni l'autre à quoi ressemble une méridienne. Ils n'en ont jamais vu avant, ignorent que c'est le nom d'un meuble. Mme Borenstein et Mme Biltmore-Hunt échangent un regard de connivence après avoir salué les Cordoba. Elles se sont croisées à l'association des parents d'élèves du collège et savent qu'il y a beaucoup de problèmes dans la famille Cordoba. L'enfant est battu. Salement battu. Il faut dire aussi qu'il n'est pas facile, ce petit Mario. L'une d'elles se souvient de l'avoir reçu à un anniversaire en primaire et, mon Dieu, il était si irritant, si insupportable, avec sa voix de crécelle et son bégaiement atroce, qu'elle avait pensé s'attacher les mains pour ne pas lui coller une gifle.

Une domestique en uniforme noir et tablier blanc, avec un diadème en broderie anglaise, sert les rafraîchissements. Mme Lowell regrette d'avoir fait appel à Bibi-Jewel. Elle aurait dû lui proposer de prendre son après-midi, car elle note que ses convives n'ont pas l'habitude d'être servis et se sentent mal à l'aise. Pour détendre l'atmosphère, elle dépose un baiser sur la main de sa bonne, comme pour donner l'illusion d'une relation de famille ou d'amitié. Bibi, qui n'a rien contre sa patronne et comprend parfaitement la situation, fait un grand sourire et pose trois secondes une demi-fesse sur l'accoudoir du gigantesque canapé sur lequel sont installés M. et Mme Lowell. Il faudra, songe Mme Lowell, que je lui offre un petit foulard en soie ou une barrette ouvragée.

M. Borenstein dit que le plus simple serait d'appeler la police. Après tout, il s'agit d'une banale affaire de vol. Certains parents regardent leurs chaussures, d'autres le plafond. Mme Borenstein prend la main de son mari, sans réfléchir, et la serre dans la sienne. M. Cordoba pense que ce type est une chiffe molle, que la police, c'est chiffe molle même combat, qu'il est parfaitement capable de régler ça tout seul, avec son flingo, ou, plus propre, avec une barre à mine. On n'est pas au Far West, mais on n'est pas des dégénérés, merde. Il ne dit rien parce qu'il redoute de parler en public. Il n'a jamais été bon à l'oral. Il tremble un peu des genoux, à cause de cette maison qui est plus grande que l'église de son quartier, à cause de Mme Lowell qui a l'air d'avoir vingt ans de moins que son épouse et ressemble à un mannequin de magazine. Contre ces peurs-là, le flingo, la barre à mine, la batte de base-ball, les poings, ne peuvent rien.

M. Lewis, qui habite en face de chez les Borenstein mais ne leur a jamais adressé la parole, rompt le silence et déclare qu'il vaut peut-être mieux régler les choses soi-même, entre soi, pour le bien-être de leurs enfants et de la communauté. Mme Silver abonde dans son sens. Elle hoche vigoureusement la tête et propose les services d'un médiateur, un ami à elle, un pasteur très concerné par l'éducation des jeunes et qui acceptera, elle en est sûre, d'intervenir à titre gracieux. M. Lowell dit pourquoi pas et ouvre distraitement sa boîte à cigares, signe qu'il s'ennuie. M. Gurzinsky affirme qu'on n'a pas besoin de mêler qui que ce soit à cette affaire. « On n'en a pas besoin. Vous voulez savoir pourquoi on n'en a pas besoin ? Je vais vous dire pourquoi on n'en a pas besoin. Pas plus de la police que d'un médiateur. » Ils sont tous adultes, ils sont tous des citoyens responsables. Ils vont se débrouiller. Mme Biltmore-Hunt, qui n'est pas encore intervenue et note que les Peabody se taisent eux aussi depuis le début, décide d'engager une conversation parallèle à voix basse avec cette dame noire assise à côté d'elle, qui a beaucoup de classe et qui doit sans doute se sentir un peu étrangère à leur monde. Quelle faute de goût aussi de faire servir les boissons par une employée de couleur en uniforme. « Vous êtes la maman d'Andy ? » lui chuchote-t-elle. Mme Peabody murmure : « Oui », puis elle ajoute, toujours à voix basse : « Il vous a parlé des mains, des petites mains, des mains toutes douces ? » Mme Biltmore-Hunt fronce les sourcils et se tourne vers son mari pour lui glisser cette information nouvelle à l'oreille.

« Comment ça, les petites mains ? rétorque M. Lowell qui a entendu M. Biltmore-Hunt en glisser un mot, à son tour, à Mme Lewis. Mais de quoi parle-t-on ? »

La pièce bruisse depuis quelques minutes d'une rumeur en sourdine, qui double la conversation officielle autour de la marche à suivre.

« Vous aussi, elle vous a parlé des petites mains, des mains si douces ? » demande Mme Silver.

M. Lewis se lève et conclut la rencontre. Pendant qu'il s'adresse à eux, les autres parents remarquent sa coupe en brosse, sa posture droite, vigoureuse sans être raide, sa mâchoire carrée, ses cuisses étonnamment larges et musclées. Certains d'entre eux savent que c'est un militaire, un héros de la guerre en Irak et que l'un de ses pieds a été remplacé par une prothèse à la suite d'un assaut, d'une explosion, d'un accident d'hélicoptère… Les versions divergent.

« Assez parlé, clame-t-il d'une voix autoritaire. C'est plus qu'une banale affaire de vol. On y va demain. Tous ensemble. On tire ça au clair en urgence. Madame Silver, on peut compter sur votre ami médiateur ?

– Et figurez-vous qu'il parle français en plus ! » s'exclame celle-ci, heureuse d'être, en quelque sorte, l'héroïne de cette rencontre.

« Chère madame, dit très lentement le révérend Volker Pembroke, comme s'il s'adressait à une personne déficiente mentalement. Tout ce que ces monsieur et madame veulent savoir, c'est si le pénis de votre fils a pénétré dans le vagin de leur fille. »

Cela fait un moment que dure la confrontation, et les débats n'avancent pas. Certains enfants ont accompagné leurs parents. Ils sont présents à contrecœur. La jeune Iris a les paupières rouges, le teint blême. Elle n'a cessé de répéter d'une voix voilée, comme suppliante : « He touched me. He touched me. » Nurith refuse de parler, on croirait que ses lèvres sont hermétiquement scellées.

Lorsqu'elles entendent les propos trop explicites du médiateur, les deux jeunes filles ouvrent des yeux épouvantés. Greg et Dylan, qui se sont installés l'un à côté de l'autre, un peu en retrait, se lèvent d'un bond. Soudain, Nurith se tourne vers Pembroke et lui lance :

« Arrêtez ! Arrêtez !

– C'est à lui que tu aurais dû dire ça, gronde M. Borenstein en désignant Lester. Tu te souviens du livre que t'avait offert tante Olga, *Apprends à dire non, petite fille* ? À quoi ça sert qu'on t'offre des livres bordel ?

– Inutile de crier », tempère Mme Lowell qui ne se sent pas complètement à sa place dans cette parodie de procès. C'est, d'une certaine manière, « au-dessous » d'elle, et Bethany n'a pas l'air particulièrement perturbée. Elle fume moins, c'est tout. Mme Lowell aime la France, surtout Paris. Elle admire la façon dont cette femme, la mère du garçon, qui semble pourtant ne pas prendre grand soin de sa toilette, a drapé un châle autour de ses épaules. Le mouvement de l'étoffe est parfait. Elle aimerait lui venir en aide, mais elle ne sait pas trop comment s'y prendre. Les autres ont l'air si acharnés, et l'ami de Mme Silver, ce Volker, qui se croit très habile, très persuasif, l'effraie un peu. Il a la peau grêlée et de longs cheveux blanc-jaune qu'il recoiffe en arrière de ses larges mains rouges à chaque fois qu'il a terminé une phrase.

Lester, assis en tailleur sur un pouf, ne tente rien pour se défendre. Il garde les mains jointes et sourit à ses amis, dès qu'il le peut, afin de les rassurer. « Rien ne peut nous atteindre, leur a-t-il déclaré quand ils lui ont annoncé ce qui allait se passer. Ce que nous avons fait ensemble, ce que nous avons vécu ensemble, rien, personne, jamais, ne pourra nous l'enlever. » Andy a ponctué la promesse de son maître d'un *Amen* retentissant que Greg a repris à la tierce, pour le développer ensuite le long d'une mélodie improvisée.

Voilà une heure que les importuns ont envahi le salon beige, crème et blanc de la maison où les Vickery résident depuis bientôt six mois. Sylvie se préparait à sortir quand ils sont arrivés. Lester, qui connaissait les détails du plan, avait fait en sorte de retarder sa mère pour qu'elle soit là au moment où les autres parents débarqueraient par surprise. Il savait que cette rencontre était inévitable. Il tenait à en être débarrassé au plus vite. Il savait aussi que c'était pénible pour ses amis. Il ne supporte pas qu'ils souffrent. Il préférerait que son père soit là, mais il ne parvient jamais à le manipuler avec suffisamment de précision. Il finira bien par arriver. Il suffit d'attendre un peu. Il sait qu'il peut compter sur Iris, Greg, Dylan et Nurith pour se taire ou créer de fausses pistes, faire durer les discussions, jouer d'un mélange d'inertie et d'hystérie afin de pousser à bout les parents, les forcer à abandonner.

« Vous, les Français, reprend Volker Pembroke, vous avez des mœurs différentes des nôtres. Les femmes sont légères. Les hommes sont chauds lapins. Il faut que vous compreniez que, chez nous, la notion de viol…

– English, please ! » demande pour la troisième fois M. Cordoba.

On le remercie vivement pour son intervention.

French Bob prend la parole en français, malgré les réclamations.

« Tout le monde n'est pas du même avis, ici, précise-t-il. Personnellement, je suis venu pour parler des mobiles. Je ne pense pas que les mœurs des Français… »

Sylvie l'interrompt. Elle pourrait tuer Pembroke, lui semble-t-il. La colère qu'elle ressent ne connaît aucune limite.

« Vous vous rendez compte de la gravité des accusations que vous portez, monsieur Pembroke ? Pour qui vous prenez-vous ? Qui parle de viol ? Ce sont des enfants. Vous avez bien regardé mon fils ? »

C'est à cet instant qu'Hector entre dans le salon. Il impressionne par sa stature, son regard, son calme. Un silence absolu s'installe. Sylvie se lève et se jette dans ses bras. Elle lui explique en deux mots la situation. Parfaitement calme, il se déplace d'une personne à l'autre, serre la main à chacun, adulte ou adolescent, embrasse son fils sur le front et déclare en anglais, de sa voix magique, sa voix de professeur à qui on ne peut rien opposer :

« Vous avez bien fait de venir. Nous vous sommes reconnaissants d'avoir exprimé vos sentiments. Nous rembourserons les téléphones. Tous les appareils disparus seront remplacés. Vous n'avez aucune inquiétude à vous faire. »

Puis il prend les manteaux dans l'entrée et les tend aux uns et aux autres sans ajouter un mot, si ce n'est, au moment de les raccompagner jusqu'à la porte :

« Au revoir et merci d'être venus. »

Une fois qu'il a vidé la maison de ses envahisseurs, il se tourne vers Sylvie et Lester. Il leur sourit en secouant la tête. Impossible de savoir s'il est attendri ou désolé pour eux.

« Je vais appeler le shérif, dit-il. C'est un type bien. Je suis sûr qu'ils ne vont pas porter plainte, mais c'est mieux de prévenir. Lester, mon chéri, il faudra qu'on parle tout à l'heure. »

Dans la chambre de Lester où elle a rejoint son fils, Sylvie s'assied sur le lit. Elle le regarde, encore si petit, debout au milieu de la pièce. Elle n'a jamais vu un visage aussi ingénu, un regard aussi pur.

« Ouvre cette boîte », lui demande-t-elle en montrant un carton sur l'étagère.

Lester s'exécute et dépose sur le lit, à côté de sa mère, l'unique pièce à conviction.

« Qu'est-ce que c'est, Lester ? Mais peut-être préfères-tu que je t'appelle Absalom Absalom.

– Tu sais ce que c'est, maman.

– Oui, je le sais. Mais je veux que tu me le dises. Je veux que la vérité sorte de ta bouche.

– Ce sont les pièces détachées, ou, si tu aimes mieux, les débris des portables de mes amis.

– Tu les as volés ?

– Non.

– Comment sont-ils arrivés ici, alors ? Qui les a détruits ?

– Ils me les ont donnés. Ils n'en voulaient plus. Ils étaient d'accord pour que je les détruise. Ils m'ont demandé de le faire.

– Pourquoi ?

– Parce qu'ils nous font du mal.

– Qui vous fait du mal ? »

Lester désigne les morceaux de plastique et de verre, les fils entortillés, les cartes à puce.

« Bon, fait Sylvie. Passons. Pourquoi la jeune fille toute maigrichonne répétait sans arrêt : “He touched me” ? Ça signifie bien, *Il m'a touchée* ?

– Oui.

– De quoi parle-t-elle ? Est-ce que tu l'as, oui ou non, touchée ? Il faut absolument que tu me dises la vérité.

– Oui, dit Lester. Je l'ai touchée. Mais pas comme vous croyez. Il ne s'agit pas de sexe.

– De quoi s'agit-il, alors ?

– D'autre chose. Je l'ai touchée autrement.

– Comment ?

– Par la grâce.

– Quelle grâce ? Ta grâce à toi ? Elle est tombée amoureuse ?

– Oui. Iris est tombée amoureuse, mais pas de moi. Elles sont toutes tombées amoureuses. Et les garçons aussi, Dylan, Greg, Andy et Mario.

– Mais de qui, enfin ? Ça n'a aucun sens.

– Je les ai tous touchés.

– Où ? Où les as-tu touchés ?

– Nulle part. Je les ai touchés par la grâce divine. J'ai touché leurs cœurs de saintes, leurs cœurs de saints.

– Oh, c'est pas vrai, gémit Sylvie, la tête dans les mains. C'est pas vrai. »

Elle se lève soudain du lit et ouvre les placards de la chambre, fouille derrière les vêtements, fait tomber les livres de la bibliothèque. Elle découvre des chapelets, des croix, des missels, des livres de psaumes. Elle dépose la collection d'objets de culte sur le couvre-lit.

« J'aurais préféré, hurle-t-elle, que tu introduises ton pénis dans le vagin d'Iris. Et même dans son anus. J'aurais préféré que tu encules tout le collège. Qu'est-ce que c'est que ces merdes ? Il y a des gens qui tuent à cause de ça. »

Lester tremble très légèrement. C'est la première fois, depuis qu'il est né, que sa mère se met en colère contre lui. Les mots qu'elle vient de prononcer le blessent et le réparent exactement au même instant.

« J'ai parlé à Lester », dit Hector à Sylvie, une fois qu'ils sont couchés.

Ils ont dîné tous les trois en écoutant de la musique. Sylvie a eu l'impression étrange que c'était la première fois, depuis leur arrivée dans cette maison, qu'ils étaient vraiment eux-mêmes et installés pour de bon. Ensemble. Confiants les uns dans les autres.

« C'est de ma faute, ajoute-t-il.

– Qu'est-ce qui est de ta faute ?

– Toute cette histoire. Les problèmes de Lester. Il est tellement intelligent. Il voit tout. Il comprend tout.

– Qu'est-ce que tu lui as dit ?

– C'est surtout lui qui a parlé. Il a traversé quelque chose. Une crise. Peut-être que ça ne va pas s'arrêter là. Il faut rester vigilant. Il m'a paru très calme. Il développe remarquablement sa pensée. Ce n'est pas un illuminé. Il cherche. Il explore. Il a énormément de courage. À aucun moment il ne s'illusionne. Il savait très bien ce qu'il risquait de déclencher, par exemple. La seule chose qu'il redoute, m'a-t-il dit, ce sont les représailles éventuelles du père d'un des garçons. Une famille très violente. L'enfant est battu. Mais il a réfléchi et il a déclaré que cela ne changerait pas grand-chose. Je ne crois pas qu'il ait fait de mal à qui que ce soit. Si ce n'est à notre compte en banque, bien sûr. Il va falloir rembourser tous ces fichus portables. Le shérif était d'accord avec moi. Il n'y aura pas de plainte s'il y a de l'argent.

– Pourquoi tu dis que c'est de ta faute ? »

Hector se livre. Il avoue ses torts. Il raconte à Sylvie ses aventures. C'est une nuit comme en vivent les couples, une nuit qui n'en finit pas, durant laquelle des portes s'ouvrent, les unes après les autres, découvrant des cryptes, des passages secrets, des trompe-l'œil. Sylvie écoute plus qu'elle ne parle, comme à son habitude. Hector préférerait qu'elle se mette en rage, qu'elle pleure, qu'elle menace de le quitter. Accoudée près de lui dans le lit, la tête penchée, les paupières asiatiques à force de repousser les avances du sommeil, elle se retient de dire qu'elle sait, qu'elle savait déjà. Il y aurait une indélicatesse, selon elle, comme lorsqu'on interrompt un gai luron au milieu de sa plaisanterie pour lui apprendre qu'on la connaît déjà, à révéler à Hector qu'elle est parfaitement au courant. Sylvie est assez aguerrie pour savoir qu'il est nécessaire d'en passer par là. Ils doivent cheminer ensemble le long de ce tunnel nocturne. Il faudra aussi qu'il lui reproche une attitude, une pensée, une parole, afin de rétablir un semblant d'égalité.

« Qu'est-ce qu'il y a eu, au juste, entre, comment s'appelle-t-il déjà et toi ?

– Zlatan ? Aaaaah. Tu as raison. Il est si beau. Qui pourrait résister ?

– Il s'est passé quelque chose ?

– Que veux-tu qu'il se passe entre une femme de soixante ans et un homme de trente-cinq ?

– La même chose que dans l'autre sens ?

– Tiens, oui, c'est vrai. Caridad doit avoir dans les trente-cinq ans. Mais tu sais bien que ça ne fonctionne pas ainsi, mon philosophe de mari. Nous devenons indésirables beaucoup plus vite que vous.

– Tu es loin d'être indésirable.

– Ce n'est pas ce que je dis. Et d'ailleurs, je m'en fiche. C'est une loi générale. Une règle du genre.

– Ça changera.

– C'est ce que t'ont mis dans la tête, tes petites amies américaines ?

– Tu parles de ça comme si… C'est humiliant. J'ai eu des faiblesses. Le voyage, le poste, toute cette atmosphère, mais…

– Mais rien. Pourquoi tu te défends ? Je ne t'attaque pas.

– C'est pire. Ton calme, ton indifférence sont pires que toutes les colères, que tous les reproches. Tu es froide.

– Je ne crois pas, répond Sylvie, la gorge serrée. Je ne crois pas du tout que je sois froide. Je suis comme je suis. Je ne pleure pas pour les mêmes choses que toi. À un autre moment de ma vie, peut-être. Et je suis très orgueilleuse aussi.

– Donc, tu ne me donneras pas la satisfaction de ta jalousie.

– Non.

– Jamais ?

– Jamais.

– C'est un châtiment comme un autre.

– Ne fais pas ton chrétien. La jalousie est un luxe. Un luxe que je ne peux pas me permettre. C'est si important, tout ça ? Si grave ? Le désir vient, il part. Et pendant ce temps-là, des fous, des illuminés, des salopards assassinent et massacrent.

– C'est la sagesse. Mais Lester nous en montre la limite. Il est à cet âge compliqué où on regarde le monde des adultes, dans lequel on s'apprête à entrer, comme un univers corrompu. Les adultes ne pensent qu'au sexe, c'est ça qu'il m'a dit. Je crois qu'il en avait après le révérend Machin-Truc. Mais j'ai aussi ma part de responsabilité. J'ai vécu ces aventures sentimentales comme si elles n'avaient aucune importance, aucun impact sur toi, sur nous. Comme une vie à côté de la vie. Sauf que Lester, apparemment, a pris un coup.

– Il n'a aucune idée de ce que tu vis et il s'en fiche pas mal. Tu ne lui en as pas parlé, j'espère.

– Non. Bien sûr que non.

– C'est étrange tout de même, tu ne trouves pas ? » demande-t-elle, après qu'ils se sont tus quelques instants. Elle a failli s'endormir, mais une pensée l'a réveillée. « Toi et moi. Comme si nous avions dépassé la douleur. Mais tu as peut-être raison. Peut-être suis-je froide. En fait, c'est moi qui cloche. Depuis le début. J'attends une révélation. »

Et soudain, tout est de sa faute. Elle se tait. Hector attrape son menton dans le creux de sa main.

« Parle, lui demande-t-il très doucement.

– J'attends de trouver une action dans laquelle je serais parfaitement moi, articule-t-elle prudemment. Un lieu, ou une relation, qui ne me demanderait aucun arrangement, aucun ajustement. Avec, au bout, une réussite totale.

– Je pensais que c'était ce que nous avions, lui dit Hector. Cette chose très belle qu'il y a entre nous, qui est plus forte que toutes mes aventures, je croyais que c'était ça. La perfection d'un couple, la gémellité.

– Cette gémellité, comme tu l'appelles, exige de moi d'énormes efforts. Je ne suis pas comme toi, mais je deviens comme toi, parce que c'est plus facile, parce que l'harmonie est toujours tentante.

– Tu veux qu'on se quitte ?

– Non. Je n'ai jamais voulu qu'on se quitte. Même quand j'ai appris que tu avais accompagné Caridad à la piscine avec ses bébés. Tu n'as jamais emmené Lester à la piscine. Ça me faisait mal, mais je voulais quand même rester. Pas à cause de ce que tu crois, pas à cause de la gémellité, de l'entente, de tout ce que les gens qui nous connaissent, ou pas, qui nous envient ou nous méprisent, voient de nous, cette communauté d'esprits apparente, cet art de vivre à deux sans routine. Ce qui me retenait, ce qui me retient toujours, c'est le col de ta chemise, la façon que tu as de marcher sur la pointe des pieds, des bêtises. »

Durant le vol du retour, Lester, assis entre Hector et Sylvie, serre la main de sa mère chaque fois qu'elle frémit à cause des trous d'air.

« Ne t'inquiète pas, maman, lui dit-il. L'avion est le moyen de transport le plus sûr qui existe.

– Comment le sais-tu ?

– Je l'ai lu dans un livre.

– Bien entendu », fait-elle en souriant avant de fermer les yeux.

Son corps et son esprit sont las, épuisés par les préparatifs nombreux et rapides liés au départ précipité. Tout l'argent qu'avait gagné Hector, grâce au salaire américain deux fois et demi supérieur à celui que lui versait l'université française, est parti dans le remboursement des portables, auquel il a ajouté un dédommagement pour chaque famille. La modification des billets, le convoyage en express des malles ont également eu un prix. Quel gâchis, a remarqué Sylvie. Hector considère, de son côté, qu'il n'y a pas la moindre perte à déplorer. Au contraire. Ses adieux, non plus, ne lui ont pas coûté. Étonnant comme le soulagement l'a emporté sur la tristesse ou les regrets. Il n'est pas certain de comprendre et ne cherche pas à éclaircir. Ce qui lui reste de ses aventures n'est pas, comme il l'aurait cru, l'ardeur de la passion, le feu des embrassements. Il conserve, dans son cœur, comme au premier plan devant tout le reste, la beauté chaleureuse de l'amitié féminine. Un territoire inconnu de lui jusqu'alors, un continent secret sur lequel il aurait débarqué par erreur et qui l'aurait gentiment rejeté, conservant pour toujours sa virginité.

Sylvie sombre dans le sommeil. Parfois, quand elle s'éveille, elle songe à Lauren qui a dû partir seule à Charlotte et procéder à l'accrochage sans son aide. Dick Vintergaärdt n'était pas au vernissage. Une fois de plus, il aura fait faux bond à l'agent de Lauren. Mais tous les légumes ont été achetés par l'épicerie fine Dean & Deluca de Phillips Place Court en prévision d'une vitrine humoristique pour le prochain Halloween. Personne n'a voulu des chaussures. « Je n'ai pas réussi à obtenir plus que deux mille dollars pour l'ensemble, s'est excusée Lauren. Je suis dégoûtée. Mais c'est un bon début, tu ne trouves pas ? Je peux garder le reste pour la prochaine expo ? Tu veux bien ? J'ai plein de projets pour toi. » Sylvie l'a remerciée. C'est la première fois qu'elle gagne autant d'argent. Elle a déjà prévu d'offrir cette somme en cadeau à Zlatan pour l'obtention de son agrégation de lettres. Elle est certaine que la mère de son protégé en aurait été d'accord.

Lester s'endort à son tour. Dans son sommeil, il arrive que ses mains se joignent. Ses doigts s'entrelacent, puis se défont. Chacun de ses doigts, dans les rêves qui le traversent, porte un nom. Zelda, Andy, Nurith, Bethany, Mario, Dylan, Iris, Greg. Seuls ses pouces lui appartiennent encore, Absalom et Absalom.

Remerciements

Je remercie Marjolaine Caron et Louis Bachelot, mes amis de toujours (ou presque) qui m'ont accueillie dans leur atelier et expliqué deux ou trois choses essentielles ; M. et Mme Debette de la faïencerie de Desvres pour leur gentillesse et leur disponibilité lors de la visite de leur usine ; Hélène Huret qui m'a conseillé les merveilleux livres d'Alain Girel ; Rebecca et Ashley Ballantyne pour leur compagnie irremplaçable et le récit qu'ils m'ont livré de leurs années à Durham ; Helen Solterer, mon espionne carolininenne de choc, pour les photos prises au fil de ses promenades ; et Lynda Allouche pour sa science du corps des femmes qu'elle a accepté de partager avec moi.

Du même auteur

Quelques minutes de bonheur absolu
Éditions de l'Olivier, 1993
Points n° 189

Un secret sans importance
Éditions de l'Olivier, 1996
Points n° 350
Prix du livre Inter 1996

Cinq photos de ma femme
Éditions de l'Olivier, 1998
Points n° 704

Les Bonnes Intentions
Éditions de l'Olivier, 2000
Points n° 917

Le Principe de Frédelle
Éditions de l'Olivier, 2003
Points n° 1180

V. W. Le Mélange des genres
(avec Geneviève Brisac)
Éditions de l'Olivier, 2004

Mangez-moi
Éditions de l'Olivier, 2006
Points n° 1741

Le Remplaçant
Éditions de l'Olivier, « Figures libres », 2009
Points n° 2439

Dans la nuit brune
Éditions de l'Olivier, 2010
Points n° 2686
Prix Renaudot des lycéens 2010

Une partie de chasse
Éditions de l'Olivier, 2012
Points n° 3079

Comment j'ai appris à lire
Stock, 2013
Points n° 3272

Ce qui est arrivé aux Kempinski
Éditions de l'Olivier, 2014
Points n° 4108

Ce cœur changeant
Éditions de l'Olivier, 2015
Points n° 4380
Prix littéraire Le Monde 2015

Le Roi René
(René Urtreger par Agnès Desarthe)
Éditions Odile Jacob, 2016